I. Corona
San Diego, CA

# Los seis pilares
# de la autoestima

# Nathaniel Branden

# Los seis pilares de la autoestima

El libro definitivo sobre la autoestima
por el más importante especialista
en la materia

PAIDÓS

México
Buenos Aires
Barcelona

Título original: *The six pillars of self-esteem*
Publicado en inglés por Bantam, a division of Bantam Doubleday Dell
Publishing Group, Inc., Nueva York


Traducción de Jorge Vigil Rubio


Cubierta de Víctor Viano


*1ª edición en Barcelona, 1995*
*1ª edición en México, 1995*
*Reimpresión, 2005*

D. R. © 1994 by Nathaniel Branden
D. R. © de todas las ediciones en castellano,
     Ediciones Paidós Ibérica, S. A.
     Mariano Cubí 92, 08021 Barcelona
D. R. © de esta edición,
     Editorial Paidós Mexicana, S. A.
     Rubén Darío 118
     03510 col. Moderna
     México, D. F.
     Tel.: 5579-5922
     Fax: 5590-4361
     e-mail: epaidos@paidos.com.mx

ISBN: 968-853-313-0

Página web: www.paidos.com

Impreso en México • Printed in Mexico

A Devers Branden

# Sumario

# Introducción

Mi propósito en este libro es identificar, con mayor profundidad y amplitud que en mis escritos anteriores, los factores más importantes de los que depende la autoestima. Si la autoestima es la salud de la mente, son pocos los temas con una urgencia comparable.

El carácter agitado de nuestra época nos exige un fuerte yo con un sentido claro de la identidad, la competencia y la valía. La crisis del consenso cultural, la falta de modelos de rol valiosos, los escasos motivos que despiertan nuestra adhesión en la escena pública y un cambio desorientadoramente rápido característico de nuestra vida, es el nuestro un momento peligroso de la historia para desconocer quiénes somos o para no confiar en nosotros mismos. Debemos crear en nuestra persona la estabilidad que no podemos encontrar en el mundo. Enfrentarnos a la vida con una baja autoestima es estar en seria desventaja. Estas consideraciones son parte de mi motivación para escribir este libro.

En lo sustancial el libro consiste en mi respuesta a cuatro interrogantes: ¿Qué es la autoestima? ¿Por qué es importante la autoestima? ¿Qué podemos hacer para elevar el nivel de nuestra autoestima? ¿Qué papel desempeñan los demás en cuanto influencia para nuestra autoestima?

La autoestima está configurada por factores tanto internos como externos. Entiendo por factores «internos» los factores que radican o están creados por el individuo —ideas o creencias, prácticas o conductas. Entiendo por factores «externos» los factores del entorno: los mensajes transmitidos verbal o no verbalmente, o las experiencias suscitadas por los padres, los educadores, las personas «significativas para nosotros», las organizaciones y la cultura. Examino la autoestima tanto desde dentro como desde fuera: ¿cuál es la aportación del individuo a su autoestima y cuál es la aportación de los demás? Que yo sepa, nunca antes se ha intentado una investigación de este alcance.

Cuando publiqué *The psychology of self-esteem* en 1969, me dije que había escrito todo lo que podía decir sobre la materia. En 1970, al constatar que tenía que abordar «algunas cuestiones más», escribí *Breaking free*. Más tarde, en 1972, «para rellenar algunos huecos más», escribí *The disowned self*. Entonces me dije a mí mismo que había acabado totalmente con la autoestima y pasé a escribir sobre otros temas. Más o menos una década después empecé a pensar sobre lo mucho más que había experimentado y aprendido personalmente sobre la autoestima desde mi primera obra, por lo que me decidí a escribir «un último libro» sobre ella; este libro, titulado *Honoring the self** se publicó en 1983. Un par de años después pensé que sería útil escribir una guía orientada a la acción para las personas que deseasen trabajar sobre su propia autoestima *How raise your self-esteem,*** publicado en 1986. Esta vez estaba seguro de haber concluido con esta materia. Pero durante este mismo periodo explotó por todo el país «el movimiento de la autoestima»; todo el mundo hablaba sobre la autoestima; se escribían libros, se impartían conferencias y lecciones y no me entusiasmaba la calidad de lo que se ofrecía a la gente. Por entonces entablé algunas discusiones más bien acaloradas con algunos colegas. Si bien algo de lo que se decía acerca de la autoestima era excelente, pensaba que muchas otras cosas dejaban bastante que desear. Me di cuenta entonces de los muchos temas que no había abordado, de los muchos interrogantes que tenía que considerar y que no había considerado antes, y de lo mucho que había pensado sobre el particular pero que en realidad nunca había dicho o escrito. Ante todo, percibí la necesidad de ir más allá de mis trabajos anteriores detallando los factores que crean y mantienen una autoestima alta o sana (utilizo los términos «alta» y «sana» de manera intercambiable). Una vez más estaba dispuesto a examinar aspectos nuevos de este campo de estudio inagotablemente rico, y a descender a niveles de comprensión más profundos del que para mí es el tema psicológico más importante del mundo.

Comprendí que lo que tantos años antes había comenzado como un interés, o incluso como un tema fascinante, se había convertido en una misión.

Al especular sobre las raíces de esta pasión, me remonté a mis años de adolescencia, a la época en la que mi incipiente autonomía chocó con la presión por adecuarme a los demás. No resulta fácil escribir de manera objetiva sobre ese periodo, y no deseo sugerir una arrogancia que no sentí entonces ni siento ahora. Lo cierto es que en mi adolescencia tenía una sensación no expresada de que mi vida tenía un sagrado sentido de misión. Estaba convencido de que no había nada más importante que seguir siendo capaz de ver el mundo por mí mismo. Pensaba que así era como debería sentirse todo el mundo. Esta perspectiva nunca cambió en mí. Fui muy cons-

---

* Trad. cast.: *El respeto hacia uno mismo*, Barcelona, Paidós, ⁴1994.
** Trad. cast.: *Cómo mejorar su autoestima*, Barcelona, Paidós, ¹⁰1994.

ciente de la presión por «adaptarme» y absorber los valores de la «tribu» —la familia, la comunidad y la cultura—. Me pareció que lo que se me pedía era claudicar de mi criterio y abandonar mi convicción de que mi vida y lo que de ella hacía tenían el máximo valor posible. Vi cómo muchas de las personas de mi época claudicaban y perdían su fuego y, en ocasiones con una dolorosa y solitaria perplejidad, deseaba comprender por qué. ¿Por qué se asociaba el crecimiento a la claudicación? Si desde la niñez mi impulso dominante fue comprender, por entonces se formó otro deseo, no menos intenso, pero del que todavía no era plenamente consciente: el deseo de comunicar al mundo mi comprensión; ante todo, de comunicar mi visión de la vida. Faltaban todavía muchos años para que constatara que me sentía, al más profundo nivel, como un maestro de *valores*. La idea esencial, subyacente a toda mi obra, que deseaba enseñar era ésta: *Tu vida es importante. Respétala. Lucha por alcanzar tus más altas posibilidades.*

Tuve mis propios conflictos relacionados con la autoestima, y en este libro doy algunos ejemplos de ellos. En mis memorias, tituladas *Judgment day*, presento el contexto concreto. No quiero decir que todo lo que sé sobre la autoestima lo aprendí de los clientes de psicoterapia. Algunas de las cosas más importantes que aprendí fueron fruto de reflexionar sobre mis propios errores y de percibir qué es lo que había causado una disminución o aumento de mi propia autoestima. Así pues escribo, en parte, como maestro de mí mismo.

Sería insensato que dijese que ahora he escrito mi último trabajo sobre «la psicología de la autoestima». Pero siento que este libro es la cumbre de todos los trabajos que le han precedido.

Impartí mis primeras conferencias sobre la autoestima y su impacto en el amor, el trabajo y la lucha por la felicidad a finales de los años cincuenta y en los años sesenta publiqué mis primeros artículos sobre esta materia. Por entonces el reto era conseguir una comprensión de su importancia por parte del público. Por entonces el término «autoestima» no era una expresión generalizada. En la actualidad, el peligro está en que esta idea se haya puesto de moda: está en boca de todos, lo cual no quiere decir que todos la comprendan. Pero si no tenemos claro su significado preciso y los factores específicos de que depende su pleno logro —si nuestra reflexión no es cuidadosa, o sucumbimos a las simplificaciones excesivas y al almibaramiento de la psicología popular—, el destino de esta materia será aún peor que su desconocimiento: se trivializará. Ésta es la razón por la que en la primera parte empiezo la indagación acerca de las fuentes de la autoestima por el examen de lo que la autoestima es y de lo que no es.

Cuando hace cuarenta años comencé a luchar con los interrogantes relativos a la autoestima, vi que esta materia proporcionaba pistas de inestimable valor para comprender la motivación. Corría el año 1954. Tenía entonces 24 años de edad y estudiaba psicología en la Universidad de Nueva York, con una pequeña experiencia en la práctica de la psicoterapia. Al reflexionar sobre las historias que oía de los clientes, busqué un denominador común, y me sorprendió el hecho de que fuese cual fuese la queja particular de una persona, siempre había una cuestión más profunda: una sensación de insuficiencia, de no ser «bastante», una sensación de culpa, vergüenza o inferioridad, una clara falta de aceptación a sí mismo, de confianza en sí mismo y de amor de sí mismo. En otras palabras, un problema de autoestima.

En sus primeros escritos Sigmund Freud sugirió que los síntomas neuróticos podían comprenderse bien como expresión directa de la ansiedad o bien como defensas contra la ansiedad, una hipótesis que me pareció de una gran profundidad. Entonces empecé a preguntarme si las quejas o síntomas que encontraba podrían comprenderse bien como expresión directa de una autoestima insuficiente (por ejemplo, sentimientos de falta de dignidad, o pasividad extrema, o sensación de futilidad) o bien como defensas contra una autoestima insuficiente (por ejemplo, una jactancia o fanfarronería grandilocuente, una conducta sexual compulsiva o una conducta social controladora en exceso). Sigo considerando convincente esta idea. Donde Freud pensaba en términos de *mecanismos de defensa del yo*, de estrategias para evitar la amenaza al equilibrio del yo que suponía la ansiedad, en la actualidad yo pienso en términos de *mecanismos de defensa de la autoestima*, estrategias para defendernos contra cualquier tipo de amenaza, de cualquier origen, interna o externa, a la autoestima (o a nuestra pretensión por tenerla). En otras palabras, todas las famosas «defensas» que identificó Freud pueden entenderse como esfuerzos por proteger la autoestima.

Cuando acudí a la biblioteca a buscar información sobre la autoestima, no encontré casi nada. Los índices de las obras de psicología no contenían este término. Finalmente encontré algunas breves alusiones, como en William James, pero nada que pareciese suficientemente fundamental o que tuviese la claridad que buscaba. Freud sugirió que una «consideración de sí mismo» baja estaba causada por el hallazgo del niño de que no podía tener relaciones sexuales con su madre o padre, lo que determinaba una sensación de desamparo: «No puedo hacer nada». Consideré que ésta no era una explicación convincente o esclarecedora. Alfred Adler sugirió que todos partimos de sentimientos de inferioridad causados, primero, por la proyección al mundo de cierto riesgo físico o «inferioridad orgánica» y, en segundo lugar, por el hecho de que todos los demás (es decir, las personas mayores y los hermanos mayores) son más grandes y fuertes. En otras pala-

14

bras, nuestra desgracia es que no nacemos como adultos maduros perfectamente formados. Pero tampoco considero útil esta explicación. Algunos psicoanalistas han escrito acerca de la autoestima, pero de una forma que consideraba muy distante de mi comprensión de esta idea, por lo que casi era como si estuviesen estudiando otro tema (sólo mucho más tarde pude encontrar alguna vinculación entre algunos aspectos de esa obra y la mía). Me esforcé por aclarar y ampliar mi comprensión principalmente reflexionando en lo que había observado mientras trabajaba con las personas.

Tan pronto como adquirí un enfoque más claro de la problemática de la autoestima, vi que es una necesidad humana profunda y poderosa, esencial para una sana adaptación, es decir, para el funcionamiento óptimo y para la autorrealización. Si esta necesidad se frustra, sufrimos y se menoscaba nuestro desarrollo.

Aparte de las alteraciones de raíz biológica, no puedo pensar en un solo problema psicológico —desde la ansiedad y la depresión, al bajo rendimiento en la escuela o en el trabajo, al temor a la intimidad, la felicidad o el éxito, al abuso de alcohol o drogas, a los malos tratos conyugales o a los abusos a niños, a la co-dependencia y a los trastornos sexuales, a la pasividad y a la falta crónica de propósito, al suicidio y a los delitos violentos— que no pueda remontarse, al menos en parte, al problema de una autoestima defectuosa. De todos los juicios que formulamos en la vida, no hay ninguno tan importante como el que formulamos sobre nosotros mismos.

Recuerdo haber discutido esta cuestión con algunos colegas durante los años sesenta. Nadie ponía en duda la importancia del tema. Nadie negaba que si pudiesen encontrarse formas de elevar el nivel de autoestima de una persona, de ello se seguirían numerosas consecuencias positivas. Más de una vez escuché la pregunta: «¿Pero cómo elevas la autoestima de un adulto?», con una nota de escepticismo acerca de su posibilidad. Como podía verse en sus escritos, mis colegas ignoraban mayoritariamente esta cuestión así como este reto.

La terapeuta familiar pionera Virginia Satir hablaba de la importancia de la autoestima, pero no llegó a teorizar sobre el particular y dijo muy poco sobre su dinámica excepto en un contexto familiar limitado. Carl Rogers, otro gran pionero de la psicoterapia, se centró esencialmente en un único aspecto de la autoestima —la aceptación de uno mismo— y si bien veremos que ambos están estrechamente relacionados, su significado no es el mismo.

Con todo, aumentaba la consciencia de la importancia de este tema, y durante los años setenta y ochenta fue cada vez mayor el número de artículos publicados en revistas especializadas, principalmente orientados a establecer correlaciones entre la autoestima y algún aspecto del comportamiento.

No obstante, no existía una teoría general de la autoestima ni siquiera una definición convencional de este término. Escritores diferentes entendían cosas diferentes por «autoestima». Por consiguiente a menudo medían fenómenos diferentes. En ocasiones un conjunto de hallazgos parecía invalidar otro. Esta materia era una Torre de Babel. En la actualidad no existe aún una definición de la autoestima ampliamente compartida.

En los años ochenta la idea de autoestima prendió fuego. Tras una tranquila elaboración durante décadas, cada vez más personas empezaron a comentar su importancia para el bienestar humano. En particular, los educadores empezaron a pensar sobre la importancia de la autoestima para el éxito o fracaso en la escuela. Tenemos así un Consejo Nacional para la Autoestima, del cual se abren delegaciones cada vez en más ciudades. Casi todas las semanas hay en alguna parte del país conferencias en las que el examen de la autoestima ocupa un lugar destacado.

El interés de la autoestima no se limita a los Estados Unidos. Se está volviendo universal. Durante el verano de 1990 tuve el privilegio de ofrecer cerca de Oslo, Noruega, la disertación inaugural de la I Conferencia Internacional sobre Autoestima. Educadores, psicólogos y psicoterapeutas de los Estados Unidos, Gran Bretaña y diversos países de Europa, incluida la Unión Soviética, acudieron a Noruega para participar en las conferencias, seminarios y talleres dedicados al examen de las aplicaciones de la psicología de la autoestima al desarrollo personal, los sistemas educativos, los problemas sociales y las organizaciones de negocios. A pesar de las diferencias de formación, cultura, foco principal de interés y conceptualización de la «autoestima» de los participantes, la atmósfera estuvo cargada de entusiasmo, siendo dominante la convicción de que al concepto de autoestima le había llegado su momento histórico. A partir de la conferencia de Oslo tenemos ahora un Consejo Internacional sobre Autoestima, en el que están representados cada vez más países.

En la antigua Unión Soviética un pequeño grupo de pensadores —cada vez más numerosos— tiene muy presente la importancia de la autoestima para las transiciones que está intentando realizar su país. Al comentar la urgente necesidad de educación en la autoestima, un estudioso ruso visitante me señaló: «No sólo nuestro pueblo carece de tradición de espíritu de empresa, sino que nuestros directivos no tienen ninguna idea de la responsabilidad personal que da por supuesta el directivo norteamericano promedio. Y ya conoce el gigantesco problema de la pasividad y la envidia en mi país. Los cambios psicológicos que necesitamos pueden ser incluso más importantes que los cambios políticos o económicos».

En todo el mundo se está tomando consciencia del hecho de que, igual que un ser humano no puede esperar realizar su potencial sin una sana autoestima, tampoco puede hacerlo una sociedad cuyos miembros no se respetan a sí mismos, no valoran su persona ni confían en su mente.

Pero con todas estas realizaciones, *la gran cuestión sigue siendo* la de qué *es* exactamente la autoestima y de qué depende específicamente su consecución.

En una conferencia, cuando dije que la práctica de vivir de manera consciente era esencial para tener una sana autoestima, una mujer me preguntó enojada lo siguiente: «¿Por qué intenta usted imponer sus valores de raza blanca y clase media al resto del mundo?». (Esto me llevó a preguntarme si había una clase de seres humanos para la cual el vivir de manera consciente *no* era importante para el bienestar psicológico.) Cuando hablé de la importancia de la integridad personal para la protección de un concepto positivo de uno mismo, y de la traición de la integridad como algo psicológicamente perjudicial, nadie estuvo de acuerdo ni quiso que esta idea figurase en nuestro informe. Preferían atender sólo a la manera en que *los demás* podían herir nuestros sentimientos de valía, y no a cómo uno podía herirse a sí mismo. Ésta es la actitud típica de quienes creen que su autoestima está determinada principalmente por los demás. No negaré que experiencias como éstas, y los sentimientos que despertaron en mí, han intensificado mi deseo de escribir este libro.

Al trabajar acerca de la autoestima, tenemos que tener presentes dos peligros. Uno es el de simplificar en exceso lo que exige una autoestima sana, alimentando con ello el ansia que la gente tiene de respuestas rápidas y soluciones sin esfuerzo. El otro consiste en entregarse a una suerte de fatalismo o determinismo según el cual, en realidad, las personas «tienen una buena autoestima o no la tienen», el destino de cada cual está fijado (¿para siempre?) en los primeros años de la vida y no se puede hacer mucho al respecto (excepto quizás años o décadas de psicoterapia). Ambas perspectivas fomentan la pasividad; ambas nos cierran todas las posibilidades.

Mi experiencia es que la mayoría de las personas subestiman su fuerza de cambiar y crecer. Creen implícitamente que la pauta de ayer debe ser la de mañana. No ven las alternativas que existen —y existen de manera objetiva. Rara vez aprecian lo mucho que pueden hacer en su beneficio si se fijan un crecimiento genuino y una mayor autoestima como meta y están dispuestos a asumir la responsabilidad de su vida. La creencia de que son impotentes se convierte así en una profecía que se cumple a sí misma.

Este libro es, en última instancia, una llamada a la acción. Ahora me doy cuenta de que es una amplificación, en términos psicológicos, de mi grito de combate durante la juventud: tenemos que realizar y celebrar nuestro yo y no abortarlo o renunciar a él. Este libro va dirigido a todos los hombres y mujeres que desean participar de manera activa en el proceso de su evolución así como a psicólogos, padres, educadores y a todos los responsables de la cultura de las organizaciones. Es un libro sobre el ámbito de lo posible.

PRIMERA PARTE

**LA AUTOESTIMA: PRINCIPIOS BÁSICOS**

# 1. La autoestima: el sistema inmunitario de la consciencia

Hay realidades que no podemos evitar. Una de ellas es la importancia de la autoestima.

Lo admitamos o no, no podemos permanecer indiferentes a nuestra auto-evaluación. Sin embargo, podemos sustraernos a dicho conocimiento si nos hace sentir incómodos. Le quitamos importancia, intentamos rehuirlo; podemos decir que sólo nos interesan los asuntos «prácticos», y evadirnos con el béisbol, con las noticias vespertinas o con las páginas de economía; o bien podemos irnos de compras, tener una aventura erótica o salir a tomar una copa.

No obstante, la autoestima es una necesidad humana fundamental. Su efecto no requiere ni nuestra comprensión ni nuestro consentimiento. Funciona a su manera en nuestro interior con o sin nuestro conocimiento. Somos libres de intentar comprender la dinámica de la autoestima o de desconocerla, pero si optamos por esto último seremos un enigma para nosotros mismos y pagaremos las consecuencias.

Vamos a examinar el papel que desempeña la autoestima en nuestra vida.

## Definición preliminar

Entiendo por autoestima mucho más que ese sentido innato de nuestra valía personal que probablemente es un derecho humano de nacimiento, aquella chispa que los psicoterapeutas y los profesores se esfuerzan por estimular en las personas con las que trabajan. Esa chispa es la antesala de la autoestima.

La autoestima, plenamente consumada, es la experiencia fundamental de que podemos llevar una vida significativa y cumplir sus exigencias. Más concretamente, podemos decir que la autoestima es lo siguiente:

1. La confianza en nuestra capacidad de pensar, en nuestra capacidad de enfrentarnos a los desafíos básicos de la vida.

2.  La confianza en nuestro derecho a triunfar y a ser felices; el sentimiento de ser respetables, de ser dignos, y de tener derecho a afirmar nuestras necesidades y carencias, a alcanzar nuestros principios morales y a gozar del fruto de nuestros esfuerzos.

Más adelante precisaré y resumiré esta definición.

No comparto la creencia de que la autoestima es un don que únicamente debamos pretender (quizá recitando expresiones de autoafirmación). Por el contrario, llegar a poseerla con el paso del tiempo constituye un logro. El objetivo de este libro es examinar la naturaleza y las raíces de tal logro.

## El modelo básico

La esencia de la autoestima es confiar en la propia mente y saber que somos merecedores de la felicidad.

La potestad de esta convicción acerca de uno mismo radica en el hecho de que se trata de algo más que de una opinión o un sentimiento. Es una fuerza motivadora: inspira un tipo de comportamiento.

A su vez influye directamente en nuestros actos. Es una causalidad recíproca. Hay una retroalimentación permanente entre nuestras acciones mundanas y nuestra autoestima. El nivel de nuestra autoestima influye en nuestra forma de actuar y nuestra forma de actuar influye en el nivel de nuestra autoestima.

---

*La esencia de la autoestima es confiar en la propia mente y en saber que somos merecedores de la felicidad.*

---

Si confío en mi mente y en mi criterio, es más probable que me conduzca como un ser reflexivo. Si ejercito mi capacidad de pensar y soy consciente de las actividades que emprendo, mi vida irá mejor. Esto refuerza la confianza en mi mente. Si desconfío de mi mente, lo más probable es que adopte una actitud pasiva, que sea menos consciente de lo que necesito ser en mis actividades, y menos persistente ante las dificultades. Cuando mis acciones tienen resultados desagradables o dolorosos, creo justificada la desconfianza en mi mente.

Con una autoestima alta será más probable que me esfuerce ante las dificultades. Con una autoestima baja lo más probable es que renuncie a enfrentarme a las dificultades; o bien, que lo intente pero sin dar lo mejor de mí mismo. Las investigaciones muestran que las personas con una autoestima alta persisten en una tarea considerablemente más que las personas con una autoestima baja.[1] Si persevero, es más probable que obtenga más éxitos que fracasos. Si no, lo más probable es que tenga más fracasos que éxitos. En cualquier caso, el concepto de uno mismo saldrá reforzado.

Si me respeto y exijo a los demás que me traten con respeto, me mostraré y comportaré de manera que aumente la probabilidad de que los demás respondan de forma apropiada. Cuando lo hagan, mi creencia inicial saldrá reforzada y confirmada. Si no me respeto a mí mismo y acepto la falta de respeto, el abuso, o acepto que los demás me exploten de forma natural, transmitiré inconscientemente este trato y algunas personas me tratarán de la misma forma. Si sucede esto y me resigno, el respeto a mí mismo se deteriorará todavía más.

El valor de la autoestima radica no sólamente en el hecho de que nos permite sentir mejor sino en que nos permite vivir mejor, responder a los desafíos y a las oportunidades con mayor ingenio y de forma más apropiada.

## La influencia de la autoestima: observaciones generales

El nivel de nuestra autoestima tiene profundas consecuencias en cada aspecto de nuestra existencia: en la forma de actuar en el puesto de trabajo, en el trato con la gente, en el nivel a que probablemente lleguemos, en lo que podemos conseguir y, en un plano personal, en la persona de la que probablemente nos enamoremos, en la forma de relacionarnos con nuestro cónyuge, con nuestros hijos y con nuestros amigos y en el nivel de felicidad personal que alcancemos.

Hay correlaciones positivas entre una autoestima saludable y otros varios rasgos que están relacionados directamente con nuestra capacidad para conseguir lo que nos proponemos y conseguir la felicidad. Una autoestima saludable se correlaciona con la racionalidad, el realismo y la intuición; con la creatividad, la independencia, la flexibilidad y la capacidad para aceptar los cambios; con el deseo de admitir (y de corregir) los errores; con la benevolencia y con la disposición a cooperar. Una autoestima baja se correlaciona con la irracionalidad y la ceguera ante la realidad; con la rigidez, el miedo a lo nuevo y a lo desconocido; con la conformidad inadecuada o con una rebeldía poco apropiada; con estar a la defensiva, con la sumisión

---

1. L. E. Sandelands, J. Brockner y M. A. Glynn (1988), «If at first you don't succeed, try again: effects of persistence-performance contingecies, ego-involvements and self-esteem on task performance», *Journal of applied psychology,* 73, 208-216.

o el comportamiento reprimido de forma excesiva y el miedo o la hostilidad a los demás. Como veremos estas correlaciones tienen su lógica. Son obvias las implicaciones para la supervivencia, la adaptación y la realización personal. La autoestima significa un apoyo para vivir y realza nuestra vida.

Una autoestima alta busca el desafio y el estímulo de unas metas dignas y exigentes. El alcanzar dichas metas nutre la autoestima positiva. Una autoestima baja busca la seguridad de lo conocido y la falta de exigencia. El limitarse a lo familiar y a lo fácil contribuye a debilitar la autoestima.

Cuanto más sólida es nuestra autoestima, mejor preparados estamos para hacer frente a los problemas que se presentan en nuestra vida privada y nuestra profesión; cuanto más rápidos nos levantamos tras una caída, mayor energía tendremos para empezar de nuevo. (Un extraordinario número de empresarios con éxito ha tenido dos o más quiebras en el pasado; pero el fracaso no les hizo desistir.)

Cuanto mayor sea nuestra autoestima, más ambiciosos tenderemos a ser, aunque no exclusivamente en nuestra profesión o hablando en términos financieros, sino en el sentido de lo que deseamos experimentar en la vida en un plano emocional e intelectual; de forma creativa y espiritual. Cuanto más baja sea nuestra autoestima menor será lo que esperemos y menor será lo que probablemente aspiremos a conseguir. Cualquier trayectoria tiende a reforzarse y a perpetuarse a sí misma.

Cuanto mayor sea nuestra autoestima, más fuerte será el deseo de expresarnos y de reflejar la riqueza interior. Cuanto menor sea nuestra autoestima más urgente será la necesidad de «probarnos» o de que nos olvidemos de nosotros mismos y vivamos mecánica e inconscientemente.

Cuanto mayor sea nuestra autoestima, probablemente nuestras comunicaciones serán más abiertas, honradas y apropiadas porque creeremos que nuestros pensamientos tienen valor; y en lugar de temer la claridad, será bien recibida. Cuanto menor sea nuestra autoestima, más probable será que nuestra comunicación sea más opaca, evasiva e inapropiada debido a la incertidumbre sobre nuestros pensamientos y sentimientos personales y/o a la ansiedad acerca de la actitud del que nos escucha.

Cuanto mayor sea nuestra autoestima estaremos más dispuestos a tener relaciones que sean más gratificantes que perjudiciales. La razón se debe a que lo igual llama a lo igual, la salud atrae a la salud. La vitalidad y la expansión en los demás atraen más a las personas con una buena autoestima que a las personas vacías o dependientes.

Un principio importante en las relaciones humanas es que tendemos a sentirnos más cómodos, más «como en casa», con las personas cuyo nivel de autoestima se parece al nuestro. Con los que son diferentes a nosotros podemos sentirnos atraídos en algunos temas, pero no en el que nos ocupa. Las personas con una autoestima alta tienden a sentirse atraídas por personas cuyo grado de autoestima es alto. Por ejemplo, rara vez veremos una apasionada relación amorosa entre personas con niveles de autoestima extremadamente opuestos como es poco probable que veamos un romance apasionado entre la inteligencia y la estupidez. (No quiero decir que no pueda darse en un «ligue» ocasional, pero eso es otra cuestión.) A lo que me refiero es a un amor apasionado y no a un breve capricho o una experiencia sexual episódica, que puede funcionar con una dinámica diferente. Las personas con una autoestima mediana se atraen entre sí. Las personas con una autoestima baja buscan la baja autoestima en los demás no de forma consciente sino —sin duda— por aquella lógica que nos lleva a sentir que hemos encontrado un «alma gemela». Las relaciones más desastrosas se dan entre aquellas personas que tienen un bajo concepto de sí mismas; la unión de dos abismos no crea una cima.

---

*Tendemos a sentirnos más cómodos, más «como en casa», con personas cuyo nivel de autoestima se parece al nuestro.*

---

Cuanto más saludable sea nuestra autoestima, más nos inclinaremos a tratar a los demás con respeto, benevolencia, buena voluntad y justicia, ya que no tenderemos a considerarlos una amenaza; y es así dado que el respeto a uno mismo es el fundamento del respeto a los demás. Con una autoestima saludable no interpretamos automáticamente las relaciones en términos malévolos o de enfrentamiento. No enfocamos las relaciones personales con una expectativa automática de rechazo o humillación, traición o abuso de confianza. Contrariamente a la creencia de que una orientación individualista inclina a las personas a un comportamiento antisocial, las investigaciones muestran que un buen desarrollo del sentido de valía personal y de autonomía se correlaciona significativamente con la amabilidad, la generosidad, la cooperación social y con un espíritu de ayuda mutua; esto se confirma, por ejemplo, en el extenso análisis de A. S. Watermann en su investigación sobre *The psychology of individualism.*

Y finalmente, las investigaciones revelan que la autoestima alta pronostica una gran felicidad personal, como ha indicado D. G. Meyers en su obra *The pursuit of happiness.* Lógicamente, una baja autoestima se correlaciona con la infelicidad.

## Amor

No es difícil ver la importancia de la autoestima para triunfar en el terreno de las relaciones íntimas. No hay un obstáculo mayor en una relación romántica que el miedo a no sentirse merecedor del amor y el pensar que estamos destinados a sufrir. Tales temores dan pie a profecías que se cumplen por sí mismas.

Si disfruto de un sentimiento fundamental de eficacia y valía y me considero a mí mismo digno de ser querido, entonces tendré fundamento para apreciar y querer a los demás. La relación amorosa parece algo natural. Tengo algo para dar; no estoy atrapado en sentimientos de carencia; tengo un «excedente» emocional que puedo canalizar en el amor. Y la felicidad no me hace ansioso. La confianza en mi capacidad y en mi valía y en tu habilidad para verla y apreciarla también dará lugar a profecías que se cumplen por sí mismas.

---

*El mayor obstáculo en una relación romántica es el miedo a no sentirse merecedor del amor y el pensar que estamos destinados a sufrir.*

---

Pero si me falta el respeto a mí mismo y no disfruto como soy, me queda muy poco para dar excepto *mis necesidades insatisfechas.* En mi empobrecimiento emocional tiendo a ver a los demás esencialmente como fuentes de aprobación o desaprobación. No los aprecio por ser quienes son y como les corresponde. Lo único que aprecio es lo que ellos pueden o no pueden hacer por mí. No busco a gente a quien pueda admirar y con quien pueda compartir la emoción y la aventura de la vida. Busco a gente que no me condene y, quizás, que se impresione por mi modo de ser, por la faz que presente exteriormente. Mi capacidad para amar permanecerá sin desarrollar. Ésta es una de las razones por las que mis intentos de relacionarme con los demás, a menudo, fracasan y no es debido a que la concepción de un amor apasionado o romántico sea intrínsecamente irracional, sino a que me falta la autoestima necesitada para sobrellevarlo.

Todos hemos oído la siguiente observación: «Si no te amas a ti mismo, serás incapaz de amar a los demás». Todavía se ha entendido menos la otra parte de la historia. Si no me siento digno de ser amado, será difícil creer que alguien me ame. Si no me acepto a mí mismo, ¿cómo puedo aceptar que me amen? Tu afecto y devoción se prestan a la confusión: me confunde el concepto que tengo de mí mismo, desde el momento en que «sé» que no soy digno de ser amado. Lo que tú sientes por mí no puede ser real o duradero. Si no me siento digno de ser amado, tu amor por mí representará el esfuerzo de llenar un colador y, finalmente, es probable que el esfuerzo te agote.

Incluso si conscientemente rechazo los sentimientos de ser indigno de tu amor, incluso si insisto en que soy «maravilloso», el pobre concepto que tengo permanece profundamente dentro socavando los intentos de relacionarme con los demás. Me convierto, inconscientemente, en un saboteador del amor.

Intento amar pero no tengo los cimientos de una seguridad interna. En su lugar está el temor interior de que sólo estoy destinado al dolor. Por lo tanto, elegiré a alguien que inevitablemente me rechazará o me abandonará. (Al principio fingiré que no lo sé, o así puedo representar mi papel.) O bien, si eligiera a alguien con quien la felicidad pudiera ser posible, sabotearé la relación por solicitar muestras de una seguridad excesiva, manifestando un sentido posesivo irracional, considerando una catástrofe las fricciones pequeñas, buscando el control a través de la subordinación y la dominación; encontrando maneras de rechazar a mi pareja antes de que mi pareja me pueda rechazar a mí.

Unos cuantos ejemplos transmiten la idea de cómo se manifiesta una baja autoestima en el ámbito de lo íntimamente privado:

> «¿Por qué siempre me enamoro del señor Indebido?», me pregunta una mujer en la terapia. Su padre abandonó a la familia cuando ella tenía siete años, y en más de una ocasión su madre le había gritado: «Si no hubieras dado tantos problemas, a lo mejor, tu padre no nos hubiera abandonado». Cuando se hace adulta, «sabe» que su destino es que la abandonen. «Sabe» que no se merece el amor. Pero sueña relacionarse con un hombre. El conflicto se resuelve eligiendo hombres —a menudo, casados— a quienes con seguridad no les importa que su relación con ella sea muy duradera. Así, ella demuestra que su sentido trágico de la vida está justificado.

Desde el momento en que «sabemos» que estamos condenados, nos comportamos de una manera que hace que la realidad se amolde a nuestro «conocimiento». Y sentimos ansiedad cuando hay una disonancia entre nuestro «conocimiento» y los hechos que percibimos. Dado que no se puede dudar o cuestionar nuestro «conocimiento», son los hechos los que tienen que alterarse: de ahí el sabotaje a uno mismo.

> Un hombre se enamora, la mujer experimenta un sentimiento análogo, y se casan. Pero nada de lo que ella hace es suficiente para que él se sienta enamorado poco más que un momento; él es insaciable. No obstante, está tan entregada a él que persevera. Cuando por fin se convence de que ella realmente

le ama y que no hay ningún resquicio de duda, él empieza a preguntarse si el nivel al que aspiraba no estaba demasiado bajo. Se pregunta si ella es realmente suficientemente buena para él. Finalmente él la abandona, se enamora de otra mujer y de nuevo se repite la historia.

Todo el mundo conoce la broma del famoso Groucho Marx que dice que él no se inscribiría en un club que le tuviera a él como miembro. Ésta es exactamente la idea que la gente con un bajo nivel de autoestima transmite a su vida amorosa. Si me amas, es obvio que no eres lo suficientemente bueno para mí. Sólo alguien que me rechace será objeto de mi devoción.

Una mujer siente la necesidad de decirle a su marido, que la adora, todas las cosas en que otras mujeres son superiores a ella. Cuando él muestra su desacuerdo, ella lo ridiculiza. Cuanto más apasionadamente la adora, ella con más crueldad le degrada. Finalmente, le agota y rompe el matrimonio. Ella se siente herida y asombrada. «¿Cómo lo ha podido juzgar tan mal?», se pregunta. Enseguida se dice a sí misma, «siempre supe que nadie podía quererme verdaderamente para siempre». Siempre sintió que ella no era digna de ser amada y ahora se ha demostrado.

En la vida de muchas personas la tragedia es que, cuando se las deja elegir entre tener «razón» y la oportunidad de ser felices, invariablemente eligen el tener «razón». Ésta es la satisfacción definitiva para ellas.

Un hombre «sabe» que está predestinado a ser infeliz. Cree que no merece ser feliz. (Y además, su felicidad podría herir a sus padres, que no la han conocido.) Pero, cuando encuentra una mujer a quien admirar y que le atrae y le responde, él es feliz. Por un momento, se olvida de que una relación sentimental no es su «historia», no es «lo que estaba escrito». Lleno de gozo, se olvida temporalmente de que puede violentar algo el concepto que de sí mismo tiene y que de esta manera le puede alienar de la «realidad». Finalmente, no obstante, la alegría desencadena ansiedad, como la que hubiera experimentado alguien que se sintiese en desacuerdo con la manera que en «realidad» son las cosas. Para reducir su ansiedad, debe reducir su alegría. Así, guiado inconscientemente por la lógica recóndita del concepto que tiene de sí mismo, empieza a destruir la relación.

De nuevo, observamos el modelo básico de la autodestrucción: Si «conozco» que estoy predestinado a la infelicidad, no debo permitir que la realidad me confunda con la felicidad. No debo ser yo el que me debo ajustar a la realidad, sino que la realidad debe ajustarse a mí y a mi «conocimiento» de cómo son las cosas y cómo deben ser.

Véase que no siempre es necesario destruir la relación enteramente como en los ejemplos anteriores. Puede que la relación continúe, *a condición de que yo no sea feliz.* Puedo comprometerme en un proyecto llamado *luchando por ser feliz* o *trabajando en nuestras relaciones personales.* Puedo leer libros sobre el tema, participar en seminarios, ir a conferencias, o asistir a psicoterapias cuyo objetivo sea la de ser feliz *en el futuro.* Pero no ahora; no en este momento. La posibilidad de la felicidad en el presente es horripilantemente inmediata.

---

*Lo que muchos de nosotros necesitamos, aunque pueda sonar paradójico, es el coraje para* **tolerar** *la felicidad sin sabotearnos a nosotros mismos.*

---

El «temor a la felicidad» es muy común. La felicidad puede activar voces interiores que digan que uno no se merece lo que tiene, o que no le durará, o que estoy condenado a fracasar, o que estoy matando a mi madre o a mi padre por ser más feliz de lo que ellos fueron, o que «la vida no es así», o que «la gente me tendrá envidia y me odiará», y también que «la felicidad es sólo una ilusión», o que «nadie es feliz» y, por tanto, «¿por qué tendré que serlo yo?».

Lo que muchos de nosotros necesitamos, aunque pueda sonar paradójico, es el coraje para *tolerar* la felicidad sin sabotearnos a nosotros mismos hasta el momento en que le perdamos el miedo y nos demos cuenta de que no nos destruirá (y que no necesita desaparecer). Cada día les digo a mis pacientes que intenten pasar ese día sin hacer algo que socave o sabotee sus buenos sentimientos y que si no lo consiguen, que no desesperen, que vuelvan a empezar y confíen de nuevo en la felicidad. Tal perseverancia sirve para construir la autoestima.

Aparte de esto, necesitamos enfrentarnos a aquellas voces destructivas, no huir de ellas; emplearlas en un diálogo íntimo; desafiarlas poniendo en duda sus razonamientos; pacientemente contestar y refutar su absurdo tratar con ellas como si se tratara con gente real; y distinguirlas de la voz de nuestro yo adulto.

### El puesto de trabajo

A continuación, veamos algunos ejemplos de comportamiento en el puesto de trabajo inspirados por una baja autoestima:

Ascienden a un hombre en su empresa y éste siente un gran pánico al pensar que posiblemente no esté capacitado para dominar los nuevos desafíos y responsabilidades. «¡Soy un impostor!; ¡no me corresponde estar aquí!», se dice a sí mismo. Al sentir por adelantado que está condenado, que no está motivado para dar lo mejor de sí mismo, inconscientemente empieza un proceso de sabotaje a sí mismo: va a las reuniones sin estar suficientemente preparado, es duro con el personal que está a su cargo unas veces y apacible y solícito las siguientes, hace el payaso en momentos poco apropiados, ignora las señales de insatisfacción de su jefe. Como preveía, le echan del trabajo. «Sé que era demasiado bueno para ser verdad», se dice a sí mismo.

Si me mato a mí mismo, por lo menos yo controlo la situación; me evito el temor de esperar que me destruya algo desconocido. La ansiedad de sentirme fuera de control es insoportable; debo eliminarla de cualquier manera.

Una mujer gerente de una empresa estudia una estupenda idea propuesta por un subordinado y siente una sensación de humillación porque la idea no se le haya ocurrido a ella, se imagina que el subordinado le desplaza y le supera y empieza a intrigar para echar tierra sobre la propuesta.

Este tipo de envidia destructiva es producto de un pobre sentido de uno mismo. Los logros de los demás amenazan con mostrar que yo no aporto nada; todo el mundo se dará cuenta —peor todavía, *yo* mismo me doy cuenta— de lo insignificante que soy. La generosidad hacia el logro de los demás es emblemática de la autoestima.

Un hombre se encuentra con su nuevo jefe y se descorazona y enfada cuando se entera de que su jefe es una mujer. Su masculinidad se siente herida y disminuida. E imagina degradarla sexualmente, «poniéndola en su lugar». La sensación de sentirse amenazado se manifiesta en la forma de un comportamiento lleno de resentimiento y de falta de cooperación.

Sería difícil citar un ejemplo más claro de falta de autoestima que la necesidad de considerar inferior a otro colectivo. Un hombre cuya noción de «poder» reside en un nivel de «dominación sexual» es un hombre al que le asustan las mujeres, al que le asusta su capacidad o la seguridad en sí mismo, al que le asusta la *vida*.

*Sería difícil citar un ejemplo más claro de una pobre autoestima que la necesidad de considerar inferior a algún otro colectivo.*

Se informa al responsable de un laboratorio de investigación y desarrollo de que la firma ha traído un brillante científico de otra compañía. El responsable inmediatamente lo traduce como que sus superiores no están satisfechos con su trabajo, a pesar de la evidencia de lo contrario. Se imagina que su responsabilidad decae. Se imagina finalmente que nombran al nuevo hombre jefe del departamento. En un acceso de ciega rebeldía hace que su trabajo empeore. Cuando le señalan amablemente sus errores, se pone a la defensiva y, finalmente, dimite.

Cuando nuestra ilusión de autoestima se basa en el débil apoyo de no ser cuestionada nunca, cuando nuestra inseguridad nos hace creer que nos rechazan cuando no existe semejante rechazo, es sólo cuestión de tiempo que explote la bomba de relojería que llevamos dentro. Explotará con un comportamiento autodestructivo y el hecho de que se tenga una extraordinaria inteligencia no sirve de protección. La gente brillante con un bajo nivel de autoestima actúa contra sus intereses cada día.

Un auditor de una empresa independiente de auditoría se encuentra con el director general de la organización cliente. Sabe que necesita decirle a este hombre algunas cosas que no querrá oír. Inconscientemente se imagina que está en presencia de su temido padre cuando éste le intimidaba y tartamudea y balbucea y deja de comunicar una tercera parte de lo que tenía intención de decir. Su deseo de aprobación del director general, o el deseo de evitar la desaprobación, anula su criterio profesional. Más tarde, después de escribir en el informe todo lo que debiera haber dicho al director en persona y antes de que el informe se diera a conocer, cuando todavía había posibilidad de remediar la situación, se sienta en la oficina, temblando de miedo, anticipándose a la reacción del director general.

Cuando actuamos primariamente guiados por el miedo, tarde o temprano precipitamos la calamidad que tememos. Si tememos que nos critiquen, nos comportamos de una manera que a la larga obtendremos la desaprobación. Si tememos la cólera, al final conseguimos que la gente se encolerice.

Una mujer que es nueva en el departamento de compras de una empresa tiene una idea que considera brillante. Se imagina escribiéndola, sustentada con argumentos de apoyo, haciendo que llegue a la persona con autoridad para ejecutarla. Pero entonces, una voz interior le susurra: «¿Quién eres tú para tener buenas ideas? No te consideres brillante. ¿Quieres que la gente se ría de ti?». Se imagina la cara enfadada de su madre, que siempre ha tenido celos de su inteligencia; el semblante herido de su padre a quien su inteligencia amenaza. En pocos días apenas se acordará de la brillante idea.

Cuando dudamos de nuestro criterio, tendemos a descartar lo que pueda producir. Si tememos una autoafirmación intelectual, quizá asociándola con la pérdida del amor, debilitaremos nuestra inteligencia. Tememos ser visibles; por lo tanto, nos hacemos invisibles, y entonces sufriremos porque nadie nos ve.

Él es el tipo de jefes que siempre ha de tener razón. Disfruta enfatizando su superioridad. Cuando se encuentra con el personal a su servicio, no puede oír una sugerencia sin la necesidad de «convertirla en algo mejor», algo en lo que «se note mi sello personal». «¿Por qué mi gente no es más innovadora?», le gusta decir. «¿Por qué no pueden ser más creativos?» Sin embargo, también le gusta decir: «Sólo hay un rey en la jungla» o, en momentos más tranquilos: «Pero alguien tiene que dirigir la organización». Y fingiendo pesar alguna vez dirá: «No lo puedo evitar, tengo un gran yo». La verdad es que su yo es pequeño y que invierte sus energías en no se sabe qué.

De nuevo notamos que una pobre autoestima revela una falta de generosidad hacia las aportaciones de los demás; tiende también a desconfiar de las habilidades de los demás y, en el caso de un líder o un gerente, se observa su incapacidad por extraer lo mejor de sus subordinados.

El objetivo de estas historias no es, en realidad, condenar o ridiculizar a aquellas personas cuyo nivel de autoestima es muy pobre, sino el de alertarnos sobre el poder de la autoestima y sobre la influencia que ejerce en nuestra forma de reaccionar. Los problemas que he descrito pueden subsanarse, pero el primer paso que debemos dar es el de apreciar la dinámica subyacente.

### Profecías que se cumplen a sí mismas

La autoestima crea un conjunto de expectativas acerca de lo que es posible y apropiado para nosotros. Estas expectativas tienden a generar acciones que se convierten en realidades. Y las realidades confirman y refuerzan las creencias originales. La autoestima —alta o baja— tiende a generar las profecías que se cumplen por sí mismas.

32

Tales expectativas pueden existir en la mente como visiones del subconsciente o semiconsciente sobre nuestro futuro. El psicólogo educacional E. Paul Torrance, al comentar sobre la evidencia científica acumulada, que nuestras asunciones implícitas acerca del futuro afectan decisivamente a la motivación, escribe lo siguiente: «De hecho, la imagen del futuro de una persona puede pronosticar mejor lo que consiga del futuro que sus actuaciones del pasado».[2] Cuando nos esforzamos en aprender o cuando conseguimos algo está basado, al menos en parte, en lo que pensamos que es posible y apropiado para nosotros.

---

*La autoestima —alta o baja— tiende a generar profecías que se cumplen por sí mismas.*

---

Mientras una inadecuada autoestima puede limitar severamente las realizaciones y aspiraciones personales, las consecuencias del problema no son tan obvias. Algunas veces trascienden de forma indirecta. La falta de autoestima, al igual que una bomba de relojería en funcionamiento, puede permanecer en silencio durante años en una persona que, llevada por su pasión por el éxito y ejercitando una habilidad genuina, puede elevarse cada vez más alto en su profesión. Entonces, sin que sea realmente necesario, empieza a hacer rebajas morales o legales, ávido por ofrecer muestras todavía más claras de su dominio. Entonces comete delitos si cabe más flagrantes, y se dice a sí mismo que está «por encima del bien y del mal», como si desafiara al destino a vencerle. Sólo al final, cuando su vida y su carrera desemboca en la desgracia y en la ruina, se podrá ver cuántos años ha ido avanzando sin cesar hacia el último acto de un guión vital inconsciente que pudo haber empezado a escribir a la edad de tres años. No es difícil pensar en personas muy conocidas que encajan en esta descripción.

El concepto de uno mismo es el destino. O, más exactamente, tenderá a serlo. El concepto de uno mismo se basa tanto en lo que pensemos de nosotros como en quiénes somos; en nuestros rasgos físicos y psicológicos, nuestros valores personales y nuestras responsabilidades; en nuestras posibilidades y limitaciones, nuestras fuerzas y debilidades. El concepto de uno mismo contiene o incluye el nivel de autoestima, pero es más global. No podemos entender el comportamiento de una persona sin entender el concepto que tiene de sí misma.

De forma menos espectacular que en la historia anterior, hay personas

2. E. Paul Torrance, *The creative child and adult quarterly,* VIII, 1983.

que se sabotean a sí mismas permanentemente cuando están en la cima de su éxito. Lo hacen cuando el éxito choca con sus creencias implícitas sobre lo que es apropiado para ellos. Les asusta alcanzar algo que esté más allá de los límites de la idea que tienen de sí mismos. Si el concepto personal no se puede acomodar a un determinado nivel de éxito, y si el concepto de sí mismo no cambia, se podría predecir que la persona encontrará formas de autosabotaje.

A continuación veremos algunos ejemplos procedentes de mi práctica como psicoterapeuta.

«Estaba a punto de conseguir el mayor encargo de mi carrera», dice un arquitecto, «y mi temor se desbordó, porque el proyecto me habría podido conseguir una fama mucho mayor de lo que yo pudiera haber asimilado. No había tomado una copa en los últimos tres años. Por lo tanto —me dije— sería conveniente tomar una para celebrarlo. Terminé hecho pedazos, insulté a la gente que hubiera podido darme el encargo y, obviamente, lo perdí. Mi pareja se enfadó tanto que me abandonó. Estaba deshecho, pero volví a un "territorio seguro" de nuevo, luchando por progresar pero sin llegar a descollar. Allí estoy cómodo.»

«Estaba resuelta —dice una mujer que es propietaria de una pequeña cadena de boutiques— a que ni mi marido ni nadie me frenara. No culpaba a mi marido porque ganara menos que yo, y no le permitiría que me culpara por ganar más de lo que él ganaba. Pero apareció esa vocecita interior que decía que no tenía derecho a triunfar, ninguna mujer lo hacía. No me lo merecía, ninguna mujer lo conseguía. Y me fui dejando. Olvidaba importantes llamadas telefónicas. Cada vez estaba más irritable con la gente que dependía de mí y con mis clientes. Y cada vez estaba más enfadada con mi marido, sin decirle el porqué. Después de una pelea con él particularmente desagradable, me fui a comer con una de mis compradoras habituales, y me dijo algo que me hizo dar cuenta y, allí mismo, en el restaurante, se produjo una gran revelación. Perdí los papeles. Empecé a cometer errores imperdonables... Ahora, tres años más tarde y después de muchos quebraderos de cabeza, empiezo a remontar mi negocio otra vez.»

«Estaba a punto de ascender en mi trabajo, algo que había deseado durante mucho tiempo», dice un ejecutivo. «Mi vida estaba en perfecto orden. Un matrimonio perfecto; con unos hijos sanos que no tenían problemas en la escuela. Y hacía un montón de tiempo que no me entretenía con otra mujer. Lo único que me preocupaba era el querer tener más dinero, y ahora parecía el momento propicio para conseguirlo. La ansiedad que me embargaba hizo que todo cambiara. Me despertaba a medianoche preguntándome si iba a tener un ataque al corazón, pero el médico me decía que se trataba sólo de ansiedad. Quién sabe por qué apareció. Alguna vez siento que no estoy hecho para ser demasia-

34

do feliz. La sensación de estar equivocado hace sentirse mal. Sea lo que fuese, la ansiedad iba creciendo y un día, en una fiesta de la oficina, me insinué con la mujer de uno de mis jefes —de forma estúpida y torpe—. Fue un milagro que no me despidieran; cuando se lo dijo a su marido, esperaba haberlo sido. No me ascendieron y mi ansiedad desapareció.»

¿Cuál es el elemento común a estas historias? El temor a la felicidad; el temor al éxito. El terror y la desorientación que experimentan las personas con una autoestima muy baja cuando la vida les va bien de una manera que choca con la opinión recóndita que tienen de sí mismas y con lo que es o no apropiado para ellas.

Independientemente del contexto en que se dé el comportamiento auto-destructivo, o la forma que tenga, el origen de tal comportamiento es el mismo: una baja autoestima. *Es la baja autoestima la que nos provoca una relación contraria a nuestro bienestar.*

## La autoestima como necesidad básica

Si el poder de la autoestima deriva del hecho de que es una necesidad profunda, ¿qué es exactamente una *necesidad*?

Una necesidad es lo que necesitamos para funcionar eficazmente. No *queremos* simplemente agua y comida, las *necesitamos*; sin ellas moriremos. No obstante, tenemos otras necesidades nutricionales, como el calcio, cuyo impacto es menos dramático y directo. En algunas regiones de México la tierra no contiene calcio; los habitantes de estas regiones no perecen de repente, pero se paraliza su crecimiento, se debilitan generalmente y están expuestos a muchas enfermedades debidas a que la falta de calcio vuelve muy susceptibles a ellas. *Tienen alterada su capacidad de funcionar.*

La autoestima es una necesidad análoga al calcio, más que a la comida o al agua. No necesariamente moriremos, pero si nos falta en grandes dosis perjudicará nuestra capacidad de funcionar.

Decir que la autoestima es una necesidad es decir lo siguiente:

Que proporciona una contribución esencial para el proceso vital.

Que es indispensable para un desarrollo normal y saludable.

Que tiene valor para la supervivencia.

Debemos subrayar que, algunas veces, la falta de autoestima sí desemboca en la muerte de modo directo; por ejemplo, por una sobredosis de droga, con la imprudencia de una conducción temeraria en un automóvil, permaneciendo con un cónyuge cruelmente abusivo, participando en guerras de clanes, o mediante el suicidio. No obstante, para muchos de nosotros las consecuencias de una pobre autoestima son más sutiles, menos directas, más tortuosas. Podemos necesitar mucha reflexión y examen para apreciar cómo las más recónditas opiniones sobre nosotros mismos se revelan en las múltiples elecciones que hacemos que perfilan nuestro destino.

Una autoestima poco adecuada se puede revelar en una mala elección de la pareja, en un matrimonio que sólo presenta frustraciones, en una profesión que no te lleva a ninguna parte, en aspiraciones que, de alguna forma, son sabotajes a uno mismo; en las ideas prometedoras que mueren nada más nacer, en una misteriosa incapacidad para disfrutar del éxito, en el comer y vivir destructivamente, en los sueños que nunca se cumplen; en la ansiedad o depresión crónicas, en tener de forma habitual una baja resistencia a las enfermedades, en depender de las drogas en demasía, en un hambre insaciable de amor y de obtener la aprobación de los demás; cuando tenemos hijos que no aprenden nada sobre el respeto a sí mismos o sobre la alegría de vivir. En resumen, una vida similar a una larga carrera de fracasos, para la que el único consuelo, quizás, es aquel triste mantra: «En definitiva, ¿quién es feliz?».

Cuando la autoestima es baja, nuestra resistencia para afrontar las adversidades de la vida disminuye. Nos desmoronamos ante las vicisitudes, mientras que si tuviésemos un sentido robusto de uno mismo podríamos superarlas. Es más probable que sucumbamos ante un sentido trágico de nuestra existencia y a los sentimientos de impotencia. Tenderemos a estar más influidos por el deseo de evitar el dolor que por el de experimentar la alegría. Los aspectos negativos tienen mayor poder en nosotros que los positivos. Si no creemos en nosotros mismos —ni en nuestra eficacia o en nuestra bondad— el universo es un lugar temible.

---

*La gente con un grado alto de autoestima seguramente puede derrumbarse por un excesivo número de problemas, pero tendrá capacidad de sobreponerse con mayor rapidez otra vez.*

---

Por esta razón he llegado a la conclusión de que una autoestima positiva es, en realidad, como *el sistema inmunitario de la consciencia*, que proporciona resistencia, fuerza y capacidad para la regeneración. Aunque un sistema inmunitario no nos garantice que no vayamos a caer enfermos, nos hace menos vulnerables a las enfermedades y mejor equipados para recuperarnos de ellas; por lo tanto, una autoestima saludable no nos garantiza que no vayamos a sufrir ansiedades y depresiones ante las dificultades de la vida, pero nos hace menos susceptible y nos prepara mejor para afrontarlas, rechazarlas y superarlas. La gente con un grado alto de autoestima seguramente puede derrumbarse por un excesivo número de problemas, pero tendrá capacidad para sobreponerse con mayor rapidez otra vez.

Hay que recalcar que la autoestima tiene más que ver con la resistencia que con la insensibilidad al sufrimiento. Me acuerdo de una experiencia de hace algunos años mientras yo estaba escribiendo *El respeto hacia uno mismo.* Por razones que no vienen al caso, me costó mucho escribir este libro; aunque soy feliz con el resultado final, no me salió con facilidad. Estaba pasando una semana muy mala; nada de lo que escribía era bueno. Una tarde me visitó mi editor. Estaba cansado, deprimido y un poco irritable. Cuando estaba sentado frente a él en mi salón le comenté: «Éste es uno de aquellos días en los que me pregunto qué es lo que me hizo imaginar que sabía cómo escribir el libro; en qué es lo que me hizo pensar que yo sabía todo sobre la autoestima. En qué es lo que me hizo pensar que podría aportar algo a la psicología?». Precisamente todo lo contrario de lo que a un editor le gusta oír del autor que ha contratado. Como por entonces ya había escrito seis libros y había dado conferencias sobre la autoestima durante muchos años, se entendía que el editor estuviera consternado. «¿Qué?», exclamó, «¿*Nathaniel Branden* siente esto?». La expresión de desorientación y de asombro en su cara era cómica, mucho más cuando yo rompí a reír. «Bien, por supuesto», contesté. «La única diferencia que reclamo es que me lo tomo con sentido del humor. Y, además, sé que estos sentimientos pasarán. Y a pesar de lo que piense, diga o sienta esta semana, sé que al final el libro será bueno.»

### ¿Demasiada autoestima?

A veces surge la pregunta: «¿Es posible tener demasiada autoestima?». No, no lo es; como tampoco es posible tener demasiada salud física o un robusto sistema inmunitario. Algunas veces la autoestima se confunde con ser jactancioso, fanfarrón o arrogante; pero tales rasgos no reflejan una gran autoestima, sino una muy pequeña; este tipo de personas refleja una falta de autoestima. Las personas con una autoestima alta no se comportan de una forma superior a los demás; no persiguen mostrar su valor comparándose con los demás. Su alegría se debe a ser quienes son, no a ser mejores que los demás. Recuerdo que reflexionaba sobre este tema un día mientras veía como mi perra jugaba en el patio. Corría alrededor, olía las flores, cazaba las ardillas, daba saltos en el aire, mostraba su alegría por estar viva (desde mi perspectiva antropomórfica). No pensaba (estoy seguro) que estaba *más* contenta de estar viva que el perro de la puerta de al lado. Simplemente, disfrutaba de su propia experiencia. Esa imagen capta algo esencial de cómo entiendo la experiencia de una autoestima saludable.

La persona que tiene una autoestima con problemas se siente a menudo poco cómodo en presencia de personas que tienen una autoestima alta y se puede sentir resentida y decir: «Tienen *demasiada* autoestima». Pero en realidad lo que hace es afirmar algo sobre sí mismo.

Los hombres inseguros, por ejemplo, a menudo se sienten inseguros en la presencia de mujeres seguras de sí mismas. Las personas con una baja autoestima se irritan a menudo ante la presencia de gente que está entusiasmada con la vida. En un matrimonio, si uno de los cónyuges cuya autoestima se deteriora ve que la autoestima de su pareja crece, la respuesta se traduce, algunas veces, en ansiedad y en un intento de sabotear el proceso de crecimiento.

La triste verdad es que quienquiera que tenga éxito en la vida corre el riesgo de ser el blanco de críticas. La gente con poco éxito, a menudo, envidia y ofende a la gente que triunfa. Los que son infelices, a menudo, envidian y ofenden a aquellos que son felices.

Y a aquellos cuya autoestima es baja les gusta hablar, de vez en cuando, sobre el peligro de tener «demasiada autoestima».

## Cuando nada es «suficiente»

Como ya observara anteriormente, una autoestima pobre no significa necesariamente que seamos incapaces de conseguir valores reales. Algunos de nosotros podemos tener talento, energía y deseo de conseguir muchas cosas, a pesar de los sentimientos de incapacidad o indignidad como aquella persona adicta al trabajo y muy productiva que está motivada a demostrar su mérito, por ejemplo, a un padre que predijo que sería siempre un perdedor. Pero no significa que vayamos a ser menos efectivos y menos creativos de lo que podemos ser; y significará que tendremos una capacidad deficiente para sentir alegría de nuestros logros. Nada de lo que hagamos lo consideraremos «suficiente».

*Si mi objetivo es probar que soy «suficiente», el proyecto se extiende hasta el infinito porque la batalla estaba ya perdida el día que admití que la cuestión era debatible.*

Aunque una pobre autoestima rebaja la capacidad de una verdadera realización, incluso de los que tienen más talento, no necesariamente ha de ser así. *Lo que es mucho más cierto es que recorta la capacidad de la satisfacción.* Ésta es una realidad dolorosa bien conocida entre los que consiguen altas metas. «¿Por qué», me dijo un brillante hombre de negocios con éxito, «es el dolor ante mis fracasos mucho más intenso y duradero que el placer ante mis éxitos, incluso cuando ha habido más éxitos que fracasos? ¿Por qué la felicidad es tan efímera y la humillación tan duradera?» Unos minutos después añadió: «En mi mente veo la cara de mi padre burlándose de mí». Se dio cuenta de que la misión inconsciente de su vida no era expresar quién era él sino la de mostrar a su padre (cuando hacía más de diez años que había fallecido) que podía llegar a algo.

Cuando tenemos una autoestima carente de conflicto, la alegría es nuestro motor, no el miedo. La felicidad es lo que queremos experimentar, y lo que deseamos evitar es el sufrimiento. Lo que nos proponemos es la expresión de nosotros mismos, no la autoevitación o la autojustificación. Lo que nos motiva no es «probar» lo que valemos, sino vivir dentro de nuestras posibilidades.

Si mi objetivo es demostrar que soy «suficiente», el proyecto se prolonga hasta el infinito —porque la batalla estaba ya perdida el día que admití que la cuestión era debatible—. Así, siempre, es «una victoria más», un ascenso más, una conquista sexual más, una compañía más, una pieza de joyería más, una casa mayor, un coche más caro, otro premio; sin embargo, el vacío interno no se puede llenar.

En la cultura de hoy día algunas personas frustradas y a las que les afecta esta situación anuncian que han decidido emprender una camino «espiritual» y renuncian a su yo. Este proyecto está llamado a fracasar. Este tipo de personas ha fracasado al intentar conseguir un yo maduro y saludable. Sueñan con dar lo que no poseen. Nadie con éxito podrá evitar la necesidad de la autoestima.

## Una palabra de advertencia

Si un error es negar la importancia de la autoestima, otro es esperar mucho de ella. En su entusiasmo, hoy día algunos escritores parecen sugerir que necesitamos un saludable sentido del valor de uno mismo, para asegurarnos la felicidad y el éxito. La cuestión es mucho más compleja de lo que parece. La autoestima no es una panacea para cualquier cosa. Aparte de la cuestión de las circunstancias y oportunidades externas que tengamos, hay un número de factores internos que claramente tienen influencia como el nivel de energía, la inteligencia y el deseo de nuestros logros (contrariamente a lo que algunas veces oímos, el deseo no se correlaciona con la autoestima de una forma simple y directa, ya que tal deseo puede activarse tanto por una motivación negativa como positiva cuando, por ejemplo, una persona es impulsada por miedo a perder el amor o el estatus más que por la alegría de expresarse a sí mismo). Un sentido bien desarrollado del yo es una condición necesaria para nuestro bienestar pero no una condición suficiente. Su presencia no garantiza una realización, pero su ausencia garantiza, de alguna forma, la ansiedad, la frustración o la desesperación.*

La autoestima no es el sustituto del techo sobre nuestra cabeza o de la comida en el estómago de uno, pero aumenta la probabilidad de poder encontrar la manera de satisfacer tales necesidades. La autoestima no es el sustituto del conocimiento y de las habilidades que uno necesita para actuar con efectividad en la vida, pero aumenta la probabilidad de que uno las pueda adquirir.

Abraham Maslow en su famosa «jerarquía de necesidades» sitúa la autoestima «encima» (es decir, que viene después) de nuestras necesidades básicas de supervivencia como, por ejemplo, la comida y el agua, y en cierto sentido, obviamente, esto es válido. Pero a la vez es una simplificación engañosa. La gente, a veces, renuncia a la misma vida en nombre de asuntos cruciales para su autoestima. Y, seguramente, también ha de cuestionarse la creencia de que ser «aceptado» es una necesidad más básica que la autoestima.[3]

---

* Una dificultad de gran parte de las investigaciones en relación al efecto de la autoestima, como dije en la introducción, es que diferentes investigadores usan diferentes definiciones del término y no necesariamente miden o informan sobre los mismos fenómenos. Otra dificultad es que la autoestima no opera en el vacío; puede ser difícil seguir su pista de forma aislada; se relaciona con otras fuerzas de la personalidad.

3. Abraham Maslow, *Toward a psychology of being,* Nueva York, Van Nostrand Reinhold, 1968.

*La autoestima no es el sustituto del techo sobre nuestra cabeza o
de la comida en nuestro estómago, pero aumenta la probabilidad
de poder encontrar la manera de satisfacer tales necesidades.*

El hecho básico es que la autoestima es una necesidad urgente. Se proclama a sí misma como tal en virtud del hecho de que su (relativa) ausencia altera nuestra capacidad para funcionar. Por esta razón decimos que tiene un valor de supervivencia.

## Los desafíos del mundo moderno

El valor de la autoestima para la supervivencia es especialmente evidente en la actualidad. Hemos alcanzado un momento en la historia en el que la autoestima, que ha sido siempre una necesidad psicológica de suprema importancia, se ha convertido también en una necesidad económica importante, el atributo obligado para adaptarnos a un mundo cada vez más complejo, desafiante y competitivo.

En las dos o tres últimas décadas se han sucedido desarrollos extraordinarios en la economía americana y en general. Los Estados Unidos han pasado de una sociedad industrial a una sociedad basada en los medios de información. Hemos sido testigos de la transición de un trabajo físico a un trabajo intelectual como actividad de empleo dominante. Vivimos en una economía global caracterizada por un cambio rápido, unos avances científicos y tecnológicos que se dan muy rápidamente y un nivel de competitividad sin precedentes. Estos desarrollos crean demandas de unos niveles más altos de educación y preparación que los requeridos por generaciones anteriores. Todas las personas familiarizadas con la cultura de los negocios lo saben. Lo que no se entiende es que estos avances crean también nuevas demandas en nuestros recursos psicológicos. Específicamente, estos desarrollos exigen una mayor capacidad para la innovación, la administración, la responsabilidad personal y la autodirección. Todo esto no se exige sólo a alto nivel. Se exige a cada uno de los niveles de la empresa, desde el director general a los supervisores principales e incluso al nivel de los principiantes.

*Hemos alcanzado un momento en la historia en el que la autoestima, que ha sido siempre una necesidad psicológica de suprema importancia, se ha convertido también en una necesidad económica de suma importancia.*

A título de ejemplo de cómo ha cambiado el mundo veamos la descripción del nivel exigido a un operador de producción de Motorola aparecida en la revista *Fortune*: «Analizar informes de ordenadores e identificar los problemas mediante experimentos y control del proceso estadístico. Comunicar los parámetros de rendimiento de fabricación a la dirección, y comprender la posición competitiva de la compañía».[4]

Un negocio moderno no puede ser dirigido por unas cuantas personas que piensan y otras tantas que hacen lo que se les dice (el modelo militar tradicional, el modelo de ordeno y mando). Hoy día, las compañías necesitan no sólo un nivel mayor de conocimiento y preparación sin precedentes de todos aquellos que participan sino también un mayor nivel de independencia, seguridad, confianza y la capacidad de tener iniciativas; en una palabra, autoestima. Esto significa que hoy se necesita un gran número de personas con un nivel decente de autoestima, por razones económicas. Históricamente es un fenómeno nuevo.

El desafío va mucho mucho más allá del mundo de los negocios. Somos más libres que cualquier generación precedente de elegir nuestra propia religión, filosofía o código moral; de adoptar un estilo de vida propio; de seleccionar nuestros propios criterios para una vida buena. Ya no tenemos una fe incuestionable en la «tradición». Ya no creemos que aquel gobierno nos salvará; ni la Iglesia, ni los sindicatos, ni las grandes organizaciones de cualquier clase. Nadie va a venir en nuestro rescate, en ningún aspecto de la vida. No dependemos más que de nuestros propios recursos.

Podemos elegir más y tenemos más opciones de las que nunca hubo en cualquier área. Fronteras de posibilidades sin límites se abren ante nosotros en cualesquiera de las direcciones que miremos. Para adaptarnos a tal entorno, para hacerlo frente apropiadamente, tenemos una mayor necesidad de autonomía personal porque no hay un código ampliamente aceptado de reglas y rituales que nos ahorre el desafío de tomar una decisión individual. Necesitamos saber quiénes somos y estar centrados en nosotros mismos. Necesitamos saber lo que nos importa; de otra manera será fácil que nos barran y arrastren valores extraños, al perseguir metas que no nos

4. *Fortune,* 17 de diciembre de 1990.

satisfacen. Debemos pensar por nosotros mismos, cultivar nuestros recursos y ser los responsables de nuestras elecciones, de los valores que moldean nuestras vidas. Necesitamos basarnos en una confianza en nosotros mismos, en creer en nosotros mismos.

*Cuanto mayor sea el número de elecciones y de decisiones que tenemos que hacer a un nivel consciente, más urgente será la necesidad de autoestima.*

En respuesta a los desarrollos económicos y culturales de las últimas décadas, estamos asistiendo como testigos al despertar de nuevo de una tradición americana de autoayuda, a una gran proliferación de grupos de ayuda recíproca de todo tipo, a redes privadas que sirven a cualquier número de necesidades y propósitos diferentes, a un énfasis creciente en «el aprendizaje como modo de vida», a un énfasis nuevo en la confianza en uno mismo que se expresa, por ejemplo, en una actitud de mayor responsabilidad en el cuidado de la salud y en una tendencia creciente a cuestionarse la autoridad.

---

*Si nos falta una autoestima adecuada, las posibilidades de elección que hoy se nos ofrecen pueden asustar.*

---

El espíritu emprendedor se ha estimulado no sólo en el mundo de los negocios sino también en nuestras vidas privadas. Intelectualmente se nos desafía a ser «emprendedores», a producir nuevos significados y valores. Se nos ha arrojado a lo que T. George Harris ha llamado «la era de la elección consciente».[5] La elección de esta religión o de aquella religión o de ninguna. La elección de casarse o simplemente de vivir juntos. Tener hijos o no tenerlos. Trabajar para una organización o para uno mismo. Iniciar cualesquiera de las mil nuevas carreras que ni siquiera existían hace muy pocas décadas. Vivir en la ciudad, en los alrededores, o en el campo o trasladarse al extranjero. En un nivel más simple, y sin precedentes, se puede elegir entre estilos de vestir, de las comidas, de los automóviles, de los productos nuevos de cualquier tipo; todos piden que *tomemos una decisión.*

Si nos falta una autoestima adecuada, las posibilidades de elección que en la actualidad se nos ofrecen nos pueden asustar, algo parecido a la ansiedad que pueda sufrir un ciudadano soviético al entrar en un supermercado americano. Y así como algunos visitantes eligieron volver a la «seguridad» de una dictadura, alguno de nosotros puede buscar escape en la «seguridad» de cultos, del fundamentalismo religioso, o en una política «co-

---

5. T. George Harris, *The era of conscious choice,* Encyclopedia Britannica Book of the Year, 1973.

43

rrecta», social, o de subgrupos culturales, o de sustancias que destruyen el cerebro. Ni nuestra crianza ni nuestra educación puede habernos educado adecuadamente para un mundo con tantos desafíos y opciones. Por eso, la cuestión de la autoestima se ha convertido en algo tan urgente.

# 2. El significado de la autoestima

La autoestima tiene dos componentes relacionados entre sí. Uno es la sensación de confianza frente a los desafíos de la vida: *la eficacia personal*. El otro es la sensación de considerarse merecedor de la felicidad: *el respeto a uno mismo*.

No quiero dar a entender que una persona con una autoestima alta o saludable *piense* conscientemente en referencia a estos componentes, sino en el sentido de que si nos fijamos atentamente en la *experiencia* de la autoestima, ineludiblemente los encontraremos.

La *eficacia personal* significa confianza en el funcionamiento de mi mente, en mi capacidad para pensar y entender, para aprender, elegir y tomar decisiones; confianza en mi capacidad para entender los hechos de la realidad que entran en el ámbito de mis intereses y necesidades; en creer en mí mismo; en la confianza en mí mismo.

El *respeto a uno mismo* significa el reafirmarme en mi valía personal; es una actitud positiva hacia el derecho de vivir y de ser feliz; el confort al reafirmar de forma apropiada mis pensamientos, mis deseos y mis necesidades; el sentimiento de que la alegría y la satisfacción son derechos innatos naturales.

Tendremos que considerar estas dos ideas más detalladamente, pero de momento pensemos en lo siguiente: si una persona se sintiera incapacitada para enfrentarse a los desafíos de la vida, si le faltara la fe en sí misma, la confianza en su mente, reconoceríamos que tiene una autoestima deficiente, independientemente de que tenga otras cualidades. O bien, si a una persona le faltara un sentido básico del respeto a sí misma, o se sintiera indigna o poco merecedora del amor o del respeto de los demás, sin derecho a la felicidad, con temor a reafirmarse en lo que piensa, en sus carencias o necesidades, de nuevo veríamos en ella una deficiente autoestima, independientemente de que pueda mostrar otras cualidades. La eficacia personal y el respeto a uno mismo son un pilar doble de una autoestima saludable; si falta uno de ellos, la autoestima se deteriora. Dado su carácter

45

fundamental, ambas son características determinantes del término. No tienen un significado derivado o secundario de la autoestima sino que son su esencia.

La experiencia de la eficacia personal genera un sentimiento de control sobre la vida de uno mismo que lo asociamos con un bienestar psicológico, el sentimiento de estar en el centro vital de la propia existencia frente a ser un espectador pasivo y víctima de los acontecimientos.

La experiencia del respeto a sí mismo hace posible una benévola sensación no neurótica de comunicación con otras personas, es una asociación de independencia y de respeto mutuo que contrasta, por un lado, con el alejamiento alienante de la especie humana y, por el otro, con la inconsciente fusión en una tribu.

Una persona concreta tendrá fluctuaciones inevitables en los niveles de autoestima, como también los tendrá en todos sus estados psicológicos. Debemos pensar en relación *al término medio de autoestima* de una persona. Cuando hablamos, algunas veces, de la autoestima como una convicción acerca de uno mismo, sería más apropiado hablar de una *disposición* a experimentarse uno mismo de una forma particular. ¿De qué manera?

Resumiéndolo con una definición formal diremos que *la autoestima es la disposición a considerarse competente para hacer frente a los desafíos básicos de la vida y sentirse merecedor de la felicidad.*

Obsérvese que esta definición no especifica las influencias del entorno durante la infancia que favorecen una autoestima saludable (la seguridad física, la alimentación, etc.) ni los generadores internos posteriores (la práctica de vivir conscientemente, con aceptación de uno mismo, con responsabilidad personal, etc.); ni las consecuencias emocionales o de comportamiento (la compasión, el deseo de ser responsable, de estar abierto a nuevas experiencias, y similares). *Meramente identifica en qué consiste y qué es lo que concierne a una autoevaluación.*

En la tercera parte, en el capítulo 17, examinaremos la idea de la autoestima en el contexto de la cultura, pero por el momento permítanme resaltar una cuestión. El concepto de «competencia», tal y como lo he utilizado en mi definición, es metafísico, no «occidental». Es decir, atañe a la verdadera naturaleza de las cosas, a nuestra fundamental relación con la realidad. No es el producto de un «sesgo valorativo» cultural particular. No hay ninguna sociedad en la tierra, ni tan siquiera podemos concebir una, cuyos miembros no se enfrenten a los desafíos de satisfacer sus necesidades; no hay nadie que no se enfrente al desafío de adaptarse apropiadamente a la naturaleza y al mundo de los seres humanos. La idea de eficacia, en este sentido fundamental, no es un «artificio occidental» como se ha sugerido. Creo que este concepto quedará más claro cuando analicemos en profundidad lo que significa y entraña el respeto a sí mismo y la eficacia personal.

Sería insensato rechazar definiciones como una «mera cuestión semántica» o el interés por la exactitud como pedantería. Una definición precisa tiene el valor de permitirnos distinguir un aspecto particular de la realidad de todos los demás para poder pensar sobre él y poder trabajar con claridad y enfoque. Si queremos saber de qué depende la autoestima, cómo desarrollarla en nuestros hijos, apoyarla en las escuelas, animarla en organizaciones, reforzarla en psicoterapia o desarrollarla en nosotros mismos, tenemos que saber exactamente cuáles son nuestros objetivos. *Es improbable que alcancemos un objetivo que no podemos ver.* Si nuestra idea de autoestima es vaga, los medios que adoptemos reflejarán esta imprecisión. Si nuestro entusiasmo por la autoestima no se complementa con un apropiado rigor intelectual, correremos el riesgo de fracasar, no sólo de producir resultados que valgan la pena sino también de desacreditar la materia.

*Tener una alta autoestima es sentirse confiadamente apto para la vida.*

¿Estoy sugiriendo con ello que la definición de autoestima que ofrezco está escrita en piedra y que no podrá nunca mejorarse? De eso nada. Las definiciones son contextuales; están en relación con un nivel dado de conocimiento; a medida que el conocimiento aumente, las definiciones tenderán a ser más precisas. Puedo encontrar una manera mejor, más clara y más exacta de captar la esencia del concepto a lo largo de mi vida. O alguna persona podrá hacerlo. Pero dentro del contexto del conocimiento que ahora poseemos, no puedo pensar en una formulación alternativa que identifique con mayor precisión el singular aspecto de la experiencia humana que estamos examinando en este libro.

Así pues, tener una alta autoestima es sentirse confiadamente apto para la vida, es decir, competente y merecedor en el sentido que he indicado. Tener una baja autoestima es sentirse inapropiado para la vida; equivocado, no acerca de este u otro tema, sino *equivocado como persona.* Tener una autoestima mediana es fluctuar entre sentirse apropiado e inapropiado, acertado o equivocado como persona; y manifestar estas inconsistencias en la conducta, algunas veces actuando prudentemente, algunas veces actuando de manera insensata, reforzando con ello la incertidumbre acerca de cómo somos en nuestro fuero interno.

## La raíz de nuestra necesidad de autoestima

Vimos en el capítulo anterior que la autoestima es una necesidad básica. Pero ¿a qué se debe eso? No podemos entender en su totalidad el significado de la autoestima al margen de comprender qué es lo que en nuestra especie da lugar a tal necesidad. (Tengo la impresión de que esta cuestión se ha olvidado casi por completo.) Esta exposición, por lo tanto, pretende profundizar más sobre cuál es el significado de la autoestima.

Los animales inferiores no se plantean la cuestión de la eficacia de la consciencia, o la de la dignidad de su ser. Pero los seres humanos se preguntan: ¿puedo confiar en mi mente? ¿Soy competente para pensar? ¿Soy idóneo? ¿Soy suficiente? ¿Me basto por mí mismo? ¿Soy una buena persona? ¿Soy íntegro en el sentido de si hay congruencia entre mis ideales y entre lo que practico? ¿Soy merecedor de respeto, del amor, del éxito y de la felicidad?

Nuestra necesidad de autoestima es el resultado de dos hechos básicos, ambos intrínsecos a nuestra especie. El primer hecho es que dependemos, para sobrevivir y para dominar con éxito nuestro entorno, del uso apropiado de nuestra consciencia; nuestra vida y nuestro bienestar dependen de nuestra habilidad para pensar. El segundo hecho es que el uso apropiado de nuestra consciencia no es automático, no está «instalado» de forma natural. En la regulación de su actividad hay un elemento crucial de elección y, por tanto, de responsabilidad personal.

Como cada una de las especies con capacidad de consciencia, para poder sobrevivir y tener bienestar dependemos de la orientación de nuestra forma distintiva de consciencia, la forma singularmente humana, nuestra facultad conceptual, la facultad de abstracción, generalización e integración: nuestra *mente*.

---

*El uso apropiado de nuestra consciencia no es automático,*
*no está «instalado» de forma natural.*

---

La esencia humana se caracteriza por la capacidad para razonar, que significa aprehender relaciones. Nuestra vida depende —en última instancia— de esta capacidad. Piense en lo que supuso llevar a su mesa la comida que hoy tomó; confeccionar la ropa que lleva; construir la casa que le protege de las inclemencias del tiempo; formar la industria que le permite ganar un salario; lo que le proporciona la experiencia de una gran sinfonía en su salón; elaborar las medicinas que le devuelven la salud; producir la luz con la que ahora posiblemente esté leyendo. Todo ello es producto de la mente.

La mente es mucho más que un conocimiento explícito inmediato. Es un complejo de estructuras y procesos arquitectónicos. Incluye mucho más que los procedimientos verbales, lineales, analíticos, que popular y equívocamente se describen, algunas veces, como la actividad de «la parte izquierda del cerebro». Incluye la totalidad de la vida mental, incluye el subconsciente, la intuición, lo simbólico, todo aquello que, algunas veces, se asocia con «la parte derecha del cerebro». La mente es todo aquello que permite alcanzar y aprehender el mundo.

Aprender a cultivar lo que comemos, a construir un puente, a aprovechar la electricidad, a captar las posibilidades curativas de alguna sustancia, a localizar las fuentes para aumentar la productividad, a ver las posibilidades de producir riqueza donde no se vieron anteriormente, a dirigir un experimento científico, a crear, todo ello requiere el proceso de pensar. Responder apropiadamente a las quejas de un niño o del cónyuge, reconocer que hay disparidad entre nuestro comportamiento y los sentimientos que profesamos, descubrir cómo enfrentarse al dolor y a la ira de una forma que permita su curación más que la destrucción; todo ello requiere un proceso de reflexión. Incluso saber cuándo dejamos de esforzarnos conscientemente en resolver un problema y descargamos la tarea sobre el subconsciente, conocer cuándo dejar de reflexionar conscientemente o guiarnos más por los sentimientos o por la intuición (percepciones del subconsciente o integraciones), todo ello requiere un proceso de reflexión, un proceso de conexión racional.

---

*Nosotros somos la única especie que puede formular una visión de qué valores merece la pena seguir y entonces seguir los opuestos.*

---

El problema y el desafío radica en que no estamos programados para pensar automáticamente, aunque pensar sea algo necesario para llevar una existencia con éxito. Podemos elegir.

No somos responsables del funcionamiento de nuestro corazón, de los pulmones, del hígado o de los riñones; forman parte de un autosistema regulador del cuerpo (aunque hayamos empezado a descubrir que es posible alguna dosis de control sobre estas actividades). Ni tampoco estamos obligados a supervisar los procesos homeostáticos por los cuales, por ejemplo, se mantiene una temperatura constante. La naturaleza ha diseñado nuestros órganos y sistemas orgánicos para funcionar automáticamente al servi-

49

cio de nuestra vida sin una intervención volitiva. Pero nuestras mentes funcionan de forma diferente.

Nuestra mente no bombea el conocimiento como nuestro corazón bombea la sangre cuándo y cómo se necesita. Nuestra mente no nos guía automáticamente con una mejor y más racional comprensión comunicativa y racional, incluso cuando tal comprensión fuese beneficiosa. No empezamos a pensar «instintivamente» sólo porque el hecho de no pensar, en una situación dada, sería peligroso. La consciencia no se expande «reflexivamente» frente a lo nuevo y lo desconocido; algunas veces la contraemos. *La naturaleza nos ha dado una responsabilidad extraordinaria: la opción de volver el reflector de la consciencia más brillante o más oscuro.* Es la opción de buscar el conocimiento o de no preocuparse en buscarlo o, también, de evitarlo de forma activa. La opción de pensar o de no pensar. Ésta es la raíz de nuestra libertad y de nuestra responsabilidad.

Nosotros somos la única especie que puede formular una visión de qué valores merece la pena seguir y entonces seguir los opuestos. Podemos decidir que el curso de una acción dada es racional, moral e inteligente y después suspender la consciencia y proceder a hacer algo diferente. Somos capaces de dirigir nuestro comportamiento y preguntarnos si es coherente en relación con nuestro conocimiento, nuestras convicciones e ideales y también tenemos la capacidad de evitar esa pregunta. La opción de pensar o no pensar.

Nuestra *voluntad libre* está relacionada con la elección que hagamos acerca de la actuación de nuestra consciencia en cualquier situación dada: enfocarla con la meta de ampliar la consciencia o no enfocarla con el objetivo de evitar la consciencia. Las elecciones que hagamos relacionadas con el funcionamiento de nuestra consciencia tienen grandes ramificaciones en nuestra vida en general y en nuestra autoestima en particular.

Considere el impacto que sobre nuestra vida y sobre nuestro sentido de la identidad tienen las siguientes opciones:

Enfocar o no enfocar.

Pensar o no pensar.

Conocer o desconocer.

La claridad frente a la oscuridad o vaguedad.

El respeto a la realidad frente a la evitación de la realidad.

El respeto a los hechos frente a la indiferencia ante ellos.

El respeto por la verdad frente al rechazo de la verdad.

La perseverancia en el esfuerzo por entender frente al abandono del esfuerzo.

La lealtad activa a nuestras convicciones profesadas frente a la deslealtad, la cuestión de la integridad.

La sinceridad con uno mismo frente a la falta de sinceridad.

La confrontación con uno mismo frente a la abstención.

La receptividad a conocimientos nuevos frente a una mentalidad cerrada.

El deseo de ver y corregir los errores frente a la perseverancia en el error.

La preocupación por ser congruente (coherencia) frente a dejar pasar por alto las contradicciones.

La razón frente a la irracionalidad; el respeto por la lógica, la consistencia, la coherencia y la evidencia frente a pasar por alto o desafiar todo ello.

Lealtad a la responsabilidad de la consciencia frente a traición de esa responsabilidad.

Si uno deseara comprender de qué elementos depende la autoestima, puede empezar con esta lista.

Nadie puede sugerir seriamente que el sentido de nuestra competencia para enfrentarnos al desafío de la vida o nuestro sentido de la bondad no resulte afectado, con el tiempo, por la pauta de nuestras elecciones con respecto a las opciones citadas.

---

*Sería perjudicial ofrecer a la gente nociones de autoestima para «sentirse mejor», desconectadas de cuestiones relativas a la consciencia, la responsabilidad y la elección moral.*

---

Lo importante no es que nuestra autoestima «tenga» que estar afectada por las elecciones que hacemos sino, más bien, que por nuestra misma naturaleza «tiene» que afectarla obligatoriamente. Si desarrollamos pautas de hábitos que nos perjudican o nos incapacitan para funcionar efectivamente y nos provocan desconfianza en nosotros mismos, sería irracional sugerir que nosotros «debiéramos» seguir sintiéndonos tan eficaces y valiosos como nos sentiríamos si nuestras elecciones hubieran sido mejor. Esto implicaría que nuestras acciones no tienen o no deberían tener nada que ver con cómo nos sentimos en relación a nosotros mismos. Una cosa es precaver en contra de identificarnos con un tipo de comportamiento particular y otra cuestión es afirmar que *no* debería haber conexión entre la valoración personal y el comportamiento. Sería perjudicial ofrecer a la gente nociones de autoestima para «sentirse mejor», desconectadas de cuestiones relativas a la consciencia, la responsabilidad y la elección moral. La autoestima produce un gran gozo y, a menudo, alegría en el proceso de su construcción o de su refuerzo, pero esto no debería oscurecer el hecho de que es necesario algo más que darse un beso en el espejo (u otras numerosas propuestas presentadas, de igual profundidad).

El nivel de nuestra autoestima no se consigue de una vez y para siempre en la infancia. Puede crecer durante el proceso de maduración o se puede deteriorar. Hay gente cuya autoestima era más alta a los diez años que a los sesenta, y viceversa. La autoestima puede aumentar y decrecer y aumentar otra vez a lo largo de la vida. Con la mía así sucedió.

Si echo una mirada atrás observo cambios en el nivel de mi autoestima que reflejan elecciones que hice en desafíos personales. Puedo recordar casos en que hice elecciones de las que estoy orgulloso y de elecciones de las que me arrepiento profundamente, unas elecciones que reforzaron mi autoestima y otras que la rebajaron. A todos nos puede pasar.

En relación con las elecciones que rebajaron mi autoestima, pienso en aquellos momentos en que (por las «razones» que fuesen) no deseaba ver lo que veía y saber lo que sabía; en los momentos en que necesitaba elevar mi consciencia y en vez de hacerlo la rebajaba; cuando necesitaba examinar mis sentimientos y, sin embargo, los extrañaba; cuando necesitaba proclamar la verdad y, sin embargo, permanecía en silencio; cuando necesitaba dejar una relación que me perjudicaba y en vez de hacerlo luchaba por preservarla; cuando necesitaba defenderme de mis pensamientos más hondos y afirmar mis necesidades más profundas y, sin embargo, esperaba que viniera un milagro.

En todos los momentos que debamos actuar, enfrentarnos a un desafío, tomar una decisión ética, se reflejan nuestros sentimientos tanto para el bien como para el mal y dependen de la naturaleza de nuestra respuesta y del proceso mental que está detrás. Y si evitamos la acción y las decisiones a pesar de las necesidades obvias, esto, también, afecta a nuestro sentido de la identidad.

Nuestra necesidad de autoestima es la necesidad de saber que actuamos de la forma necesaria para nuestra vida y nuestro bienestar.

## Competencia

He dado el nombre de *eficacia personal* a aquella experiencia de poder y competencia básicos que asociamos con una autoestima saludable, y el de *respeto a sí mismo* a la experiencia de la dignidad y de la valía personal. Aunque, generalmente, su significado está claro, quiero examinar ambos conceptos con mayor detenimiento.

Primero, la eficacia personal.

Ser eficaz (en lo básico, en el sentido que leemos en el diccionario) es ser capaz de producir el resultado deseado. La confianza en nuestra eficacia básica es la confianza en nuestra capacidad para aprender lo que necesitamos aprender y hacer lo que necesitemos hacer para conseguir nuestros objetivos, *en la medida que el éxito dependa de nuestros propios esfuerzos.* Racionalmente no juzgamos nuestra competencia, en el sentido aquí visto, según factores que estén fuera de nuestro control. La experiencia de la eficacia personal no requiere omniscencia u omnipotencia.

La eficacia personal no es la convicción de que no podamos cometer nunca un error. Es la convicción de que somos capaces de pensar, de juzgar, de conocer y de corregir nuestros errores. Es confiar en nuestros procesos mentales y en nuestras capacidades.

La eficacia personal no es la certidumbre de que seremos capaces de dominar todos y cualquier desafío que la vida nos presente. Es la convicción de que somos capaces, en principio, de aprender lo que necesitamos aprender y que estamos obligados a razonar y a ser conscientes todo lo mejor que podamos para dominar las tareas y los desafíos que suponen nuestros valores.

La eficacia personal es más profunda que la confianza en nuestro conocimiento específico y en nuestras habilidades; está basada en los éxitos y logros pasados, aunque claramente se haya nutrido de ellos. Es la confianza que hizo posible que adquiriéramos los conocimientos y las habilidades para conseguir el éxito. Es la confianza en nuestra capacidad para pensar, en nuestra consciencia y en cómo elegimos utilizarla. De nuevo, *confiar en nuestros procesos* y, como consecuencia, *una disposición de esperar el éxito debido a nuestros esfuerzos.*

Carecer de la experiencia de la eficacia personal, anticipar el fracaso en vez de la victoria, significa interrumpir, socavar o paralizar (a diferentes niveles) nuestros esfuerzos para enfrentarnos con los tareas y los desafíos que la vida nos presente. «¿Quién soy yo para pensar? ¿Quién soy yo para dominar los desafíos? ¿Quién soy yo para elegir, decidir, abandonar el bienestar de lo conocido, perseverar frente a los obstáculos, luchar por mis valores?»

*En un mundo en que la totalidad del conocimiento humano se duplica cada diez años, nuestra seguridad sólo puede consistir en nuestra capacidad de aprender.*

Por lo que respecta a nuestra educación, una de las raíces de la eficacia personal es que nuestro entorno doméstico sea suficientemente sano, racional y predecible y que nos permita creer que la comprensión es *posible* y que pensar no es fútil. En cuanto a nuestras acciones se refiere, una de sus raíces es *la voluntad de la eficacia por sí misma*, el rechazo de rendirse a la indefensión, la persistencia en el intento de entender incluso frente a las dificultades.

La distinción entre confiar en nuestros procesos y confiar en algún área particular de conocimiento es de suma importancia virtualmente en cada esfera del esfuerzo. En un mundo en que la totalidad del conocimiento humano se duplica cada diez años, nuestra seguridad sólo puede consistir en nuestra capacidad de aprender. Para aclarar la distinción que estoy haciendo, vamos a considerar el ejemplo siguiente.

Digamos que un hombre de negocios ha adquirido un conocimiento específico y un conjunto de habilidades específicas en el campo en que ha trabajado durante veinte años. Entonces, deja la compañía y se encarga de la dirección de una empresa totalmente diferente con diferentes requisitos, reglas y problemas. Si le faltara el sentido de la eficacia personal, el peligro consistiría en que se aferrara a lo que conoce y que estuviera poco capacitado al nuevo contexto. La consecuencia es que actuará mal y sus sentimientos de ineficacia se confirmarán y se reforzarán. Por el contrario, si experimenta una robusta eficacia personal, su seguridad residirá menos en lo que conoce que en su confianza en la habilidad para aprender. La consecuencia es que probablemente dominará el contexto nuevo y actuará bien, y sus sentimientos de eficacia personal se confirmarán y se reforzarán.

A menudo, se asciende a vendedores, contables, ingenieros y similares, cuya competencia está demostrada, a la categoría de directivos. Pero las habilidades que se necesitan para ser un buen directivo son diferentes de las que se requieren para ser competente en las ventas, la contabilidad o en la ingeniería. El éxito en el nuevo trabajo dependerá de la preparación proporcionada por la compañía; pero también influirá el nivel de la eficacia personal del profesional. Una baja autoestima tiende a producir incomodidad frente a lo nuevo y lo desconocido y hace que el individuo se aferre a las habilidades del pasado. Una mayor autoestima hará más fácil el ascenso de un nivel inicial de conocimiento y desarrollo al dominio del conocimiento, las habilidades y los desafíos nuevos. Las empresas que así lo entiendan podrán incluir el componente de la autoestima en su preparación. Podrán instar a sus empleados a que valoren las virtudes de conocimiento, la responsabilidad, la curiosidad, el estar abierto al cambio, por encima de otros tipos de maestría que podrían ya no ser relevantes.

Una mujer que fue ascendida a directiva vino a verme debido a los sentimientos de angustia acerca de su capacidad para hacer frente a su puesto. Entre las preguntas que le hice examinar estaban las siguientes:

¿Por qué tuvo éxito en su trabajo previo?

¿Qué hizo, específicamente, en los primeros meses del primer trabajo que le ayudó a desarrollar sus habilidades con tanta efectividad?

¿Qué actitud adoptó ante las cosas nuevas que tuvo que aprender?

Mientras usted progresaba en su oficio, ¿qué otras cosas hizo?

¿Cómo se adaptó a los cambios requeridos en su trabajo?

¿Qué le permitió a usted ser tan flexible?

De lo que aprendió acerca de usted y de su éxito en su trabajo previo, ¿qué ideas tiene que pueda usar en su nueva posición?

¿Qué existe en sus procesos y actitudes internas que la pueda llevar a obtener un gran éxito en el futuro, aunque sus habilidades actuales sean diferentes?

¿Qué puede hacer para reafirmarse en su éxito?

¿Qué hay en usted —en relación al funcionamiento de su mente— que le permitirá hacerlo?

Tales preguntas la ayudaron a aislar los recursos internos básicos de su éxito anterior y diferenciarlos de sus destrezas particulares. Se centran más en el proceso que en el contenido. *Distinguen la eficacia en sí de cualesquiera de sus manifestaciones particulares.*

Deseo insistir de nuevo en que nadie puede ser igual de competente en todas las áreas ni tiene que serlo. Nuestros intereses, valores y circunstancias determinan las áreas en las que nos podremos concentrar.

Cuando hablo de que la eficacia personal pertenece a la confianza en las habilidades personales para enfrentarse a los desafíos básicos de la vida, ¿qué entiendo por «los desafíos básicos»? Por una parte significa la capacidad de sustentarse, es decir, de ganarse la vida; de cuidar de sí mismos en el mundo *suponiendo que existe la oportunidad para ello.* (Las esposas y los que suelen permanecer en casa no están exentos. No va en interés de una mujer que no haya desarrollado las destrezas necesarias para sustentarse a sí misma y se asuste del mercado.) Por otra, actuar con efectividad en la interacción con otros seres humanos y ser capaces de dar y recibir amabilidad, cooperación, confianza, amistad, respeto, amor; mostrar la capacidad de ser responsables, de ser firmes y de aceptar la firmeza de los demás. Y también significa la capacidad para superar la desgracia y la adversidad; lo contrario de sumirse pasivamente en el dolor; la capacidad personal de recuperarse y de regenerarse. Sencillas ideas básicas que definen nuestra humanidad.

He centrado los ejemplos anteriores en el puesto de trabajo, pero la eficacia, por supuesto, se aplica también a las relaciones íntimas, como queda claro en el párrafo precedente. Ninguna experiencia de eficacia puede completarse si no se incluye la de sentirse competente en las relaciones humanas. Si soy incapaz de crear relaciones personales y profesionales que puedan ser experimentadas positivamente tanto por la otra parte como por mí (es en realidad el significado de «competencia» en el ámbito humano), entonces, careceré de lo fundamental a nivel básico; careceré de eficacia en una esfera vital. Y esta realidad se refleja en mi autoestima.

Algunas veces gente que siente miedo en el ámbito personal cae en un bajo nivel de consciencia en sus relaciones y busca la seguridad de la competencia en el mundo impersonal de las máquinas, las matemáticas o el pensamiento abstracto. No importa la altura que pueda alcanzar profesionalmente hablando; su autoestima es imperfecta. No podemos impunemente huir de un aspecto de la vida tan importante.

## El mérito

Ahora veremos el segundo componente de la autoestima: el respeto a uno mismo.

Así como la eficacia personal entraña la expectativa del éxito como algo natural, el respeto a uno mismo entraña la expectativa de la amistad, el amor y la felicidad como algo natural, como resultado de quien somos y de lo que hacemos. (Podemos aislar los dos componentes de forma conceptual, en consideración a un análisis más exhaustivo, pero en la realidad de nuestra experiencia cotidiana coinciden y se involucran el uno en el otro.)

El respeto a uno mismo es la convicción de nuestra valía personal. No es la ilusión de que somos «perfectos» o superiores a los demás. No es ni comparativo ni competitivo. Es la convicción de que vale la pena actuar para apoyar, proteger y alimentar nuestra vida y nuestro bienestar; de que somos buenos y merecedores del respeto de los demás; y, por último, de que es importante trabajar por nuestra felicidad y nuestra realización personal.

*El respeto a uno mismo entraña la expectativa de la amistad, del amor y de la felicidad como algo natural, como resultado de quienes somos y de lo que hacemos.*

Por lo que respecta a nuestra educación, una de sus raíces es la experiencia de haber sido tratado con respeto por nuestros padres y otros miembros de la familia. Por lo que respecta a nuestros propios actos, una de sus raíces es la satisfacción con nuestras elecciones morales, *que es un aspecto particular de satisfacción con nuestros procesos mentales.* (Además, un simple e informal «test» de autoestima, aun lejos de que sea infalible, sirve para inquirir si la gente se siente orgullosa y satisfecha de sus propias elecciones morales. El torcer a la derecha o a la izquierda en la esquina de una calle no es generalmente una elección moral; decir la verdad o no decirla, respetar las promesas y las obligaciones de cada uno o no respetarlas, sí que son elecciones morales.)

No pocas veces conocemos a gente que está mucho más segura de su competencia, al menos en algunas áreas, que del derecho a ser feliz. Alguna parte del respeto a sí mismo ha desaparecido. Tal persona puede conseguir mucho, pero le faltará la capacidad de disfrutarlo. El sentimiento de la valía personal que apoya y comunica el pasarlo bien, si no le falta en su totalidad, está herido y deteriorado.

Algunas veces encontramos este problema en personas con mucho éxito en los negocios que sienten ansiedad cuando están alejadas de su mesa de trabajo. Para tales personas las vacaciones son, a menudo, una fuente de estrés más que de placer. Incluso tienen limitada su capacidad de disfrutar de sus familias, por mucho que crean sentir amor por ellas. Sienten que *no tienen derecho.* Sienten que deben continuamente probar y justificar su valía a través de sus logros. No están desprovistos de autoestima, pero está trágicamente lesionada.

Para apreciar por qué nuestra necesidad del respeto a uno mismo es tan urgente, piense en lo siguiente: necesitamos tener unos valores a seguir para vivir satisfactoriamente. Necesitamos valorar lo beneficioso de nuestras acciones para actuar apropiadamente. Necesitamos considerarnos *merecedores de premios por nuestras acciones.* A falta de esta convicción, no sabremos cómo cuidarnos, cómo proteger nuestros intereses legítimos, cómo satisfacer nuestras necesidades ni cómo disfrutar de nuestros éxitos. (Con ello, se verá perjudicada también nuestra experiencia de eficacia personal.)

Recientemente aconsejé a una abogada brillante, humilde casi hasta el punto de autodestruirse. Permitía continuamente que los demás se aprovecharan de sus éxitos en el bufete de abogados en que trabajaba. Su jefe conseguía triunfar a costa de las horas que ella había empleado. Sus compañeros se aprovechaban de muchas de sus ideas. Ella reaccionaba alegremente a todo el mundo e insistía en que no le importaba, aunque interiormente le quemaba el resentimiento. Ella deseaba gustar y creía que rebajarse era la manera de conseguirlo, evitando pensar sobre el precio que pagaba en términos del respeto a sí misma. Su primer acto de afirmación y de rebeldía fue convertirse en abogada, frente al escepticismo de su familia que siempre había minimizado su valía. El tener éxito estaba lejos de su criterio sobre lo que era posible o apropiado. Tenía conocimientos y habilidades, pero no tenía autoestima. Su bajo nivel del respeto a sí misma era como un peso que le impedía elevarse. Lo que aprendió en las sesiones de terapia fue que conseguir más consciencia en sus elecciones, responsabilizarse del autosabotaje de su conducta y actuar contra esa presión gravitatoria —valerse por sí misma, a pesar del miedo— era la manera de edificar el respeto a sí misma.

Tres observaciones básicas: a) si nos respetamos, tendemos a actuar de forma que se confirme y se refuerce este respeto, por ejemplo exigiendo a los demás que nos traten debidamente; b) si no nos respetamos, tendemos a actuar de maneras que rebajan nuestro sentido del valor propio e, incluso, aceptando o aprobando un comportamiento ajeno que es inapropiado, por lo tanto confirmando y reforzando nuestra negatividad; c) si deseamos elevar el nivel del respeto a nosotros mismos, deberemos actuar en orden a elevarlo —y esto empieza con un compromiso en el valor de nuestra propia persona, que se expresará entonces a través de un comportamiento congruente.

La necesidad de considerarnos buenos es la necesidad de experimentar el respeto a uno mismo. Esta necesidad surge muy pronto. Cuando empezamos a desarrollarnos en la infancia, progresivamente nos damos cuenta de poder elegir las acciones que realizamos. Nos damos cuenta de nuestra responsabilidad por las elecciones que realizamos. Adquirimos el sentimiento de ser personas. Experimentamos la necesidad de sentir que estamos bien —*bien como personas*—, bien en nuestra manera característica de funcionar. Ésta es la necesidad de sentir que somos *buenos*.

Aprendemos este concepto de los adultos, pues por vez primera les escuchamos decir «bien», «mal», «correcto» «equivocado», pero la necesidad es inherente a nuestra naturaleza. Está ligada a una cuestión de supervivencia. ¿Soy apropiado para la vida? Ser una persona correcta es estar equipado para el éxito y para la felicidad; ser incorrecta es estar amenazado por el dolor. Cuando un paciente en la terapia dice: «No me siento capacitado para ser feliz o tener éxito», el significado es: «No soy digno de ser un ser humano».

<hr>

*La preocupación por lo bueno o lo malo no es solamente el producto de un condicionamiento social. La preocupación moral o ética surge naturalmente desde los primeros momentos de nuestro desarrollo.*

<hr>

La necesidad del respeto a uno mismo es básica e ineludible. Este tipo de preguntas son inherentes a nuestra existencia y humanidad: ¿qué tipo de persona me gustaría ser? ¿Qué principios deberían guiar mi vida? ¿Qué valores merece la pena que siga? Digo «inherente a nuestra existencia» porque una preocupación por lo bueno o lo malo no es solamente el producto de un condicionamiento social. Una preocupación ética o moral surge naturalmente desde los primeros momentos de nuestro desarrollo, igual que las demás habilidades intelectuales que podamos desarrollar y los progresos que hagamos en el curso normal de nuestra maduración. Cuando valoramos nuestras propias actividades, inevitablemente, nuestras actitudes morales forman parte de nuestro contexto implícito.

Es imposible escapar del ámbito de los valores y de los juicios de valor porque son propios de la vida misma. «Bueno para mí» o «malo para mí» significan en última instancia «para mi vida y mi bienestar» o «contra ambos». Además, y es esencial para la comprensión de la autoestima, *no podemos estar exentos del ámbito de los valores y de los juicios de valor.* No podemos permanecer indiferentes al significado moral de nuestras acciones, aunque podamos intentarlo o finjamos estarlo. De algún modo, el significado de su valor se registra inevitablemente en la psique, y deja sentimientos positivos o negativos acerca de uno mismo. Todo el mundo se juzga a sí mismo de *algún* modo, independientemente de que los valores con los que nos juzgamos de forma expícita o implícita sean conscientes o estén en el subconsciente, sean racionales o irracionales, a favor de la vida o amenazándola. El respeto a uno mismo sufre cuando fracasamos al satisfacer ese estándar, cuando hay un vacío entre los ideales y la práctica. Por tanto, la integridad personal está íntimamente relacionada con el aspecto moral de la autoestima. Para la realización óptima de nuestras posibilidades, necesitamos confiar en nosotros mismos y necesitamos admirarnos, *y la confianza y la admiración necesitan estar asentadas en la realidad y no ser producto de la fantasía y de la desilusión personal.*

## El orgullo

Quiero decir unas cuantas palabras acerca del orgullo para distinguirlo de la autoestima. El orgullo es *un tipo singular de placer.*

---

*El orgullo es la recompensa emocional del logro. No es un vicio que debamos vencer, sino un valor que debemos alcanzar.*

---

Si la autoestima atañe a la experiencia de una competencia y valor fundamentales, el *orgullo* atañe al placer obtenido de forma explícita y consciente como resultado de nuestras acciones y nuestros logros. La autoestima contempla lo que necesita hacerse y dice «puedo hacerlo». El orgullo contempla lo que se ha conseguido y dice «lo hice».

El orgullo auténtico no tiene nada que ver con la fanfarronería, la jactancia o la arrogancia. Procede de una raíz contraria. Su resorte no es el vacío, sino la satisfacción. No surge para «probar» sino para gozar.

Tampoco es orgullo la ilusión de carecer de imperfecciones o defectos (como sugieren los religiosos algunas veces). Podemos estar orgullosos de lo que hemos hecho o de aquello en que nos hayamos convertido, siempre que reconozcamos nuestros errores y nuestras imperfecciones. Podemos sentir orgullo cuando nos adueñamos y aceptamos lo que los seguidores de Jung llaman «sombra». Brevemente, el orgullo no entraña de ninguna manera el desconocimiento de la realidad.

El orgullo es el premio de nuestras emociones a los logros. No es un vicio que debamos vencer, sino un valor que debemos alcanzar. (En un contexto filosófico o moral, cuando el orgullo se considera no una emoción o una experiencia sino como *virtud*, un *compromiso a actuar,* lo defino de manera diferente como una *ambición moral,* el dedicarnos a intentar conseguir la máxima capacidad de nuestra manera de ser y nuestra vida. Trato este tema en *The psychology of self-esteem.*)

¿Nuestros logros producen siempre orgullo? No necesariamente, como veremos en la historia siguiente.

El jefe de una empresa de tamaño medio vino a verme porque —según decía— aunque había conseguido un gran éxito con sus negocios, estaba deprimido e infeliz y no podía comprender por qué. Nos dimos cuenta de que lo que él había querido ser siempre era un investigador científico, pero que había abandonado tal deseo por deferencia a sus padres, que le empujaron a que se dedicara a los negocios. No solamente era incapaz de sentir el mayor de los más superficiales tipos de orgullo por sus logros, sino que además su autoestima estaba dañada. La razón no era difícil de averiguar. En la cuestión más importante de su vida había sometido su mente y sus valores a los deseos de los demás con objeto de ser «amado» y de «sentirse integrado». Estaba claro que un problema de autoestima anterior motivó tal capitulación. Su depresión reflejaba toda una vida actuando brillantemente ignorando sus necesidades más profundas. Mientras funcionaba dentro de ese marco, el orgullo y la satisfacción estaban a su alcance. Hasta que estuvo dispuesto a cuestionar ese marco y a enfrentarse al miedo de hacerlo, no hubo posibilidad de encontrar la solución a su problema.

Es importante que entendamos este punto, porque a veces oímos que la gente dice: «He conseguido tanto, ¿por qué no me siento orgulloso de mí mismo?». Aunque hay varias razones por las que alguien sea incapaz de disfrutar de sus logros, sería útil preguntar: «¿Quién *eligió* sus metas? ¿Usted o la voz de "alguien importante" dentro de usted?» Ni el orgullo ni la autoestima pueden sostenerse por seguir unos valores de segunda mano que no reflejan quiénes somos realmente.

Pero ¿hay algo que suponga más coraje —algo más desafiante y, algunas veces, aterrador— que vivir según nuestra mente, nuestro criterio y valores? ¿No es la autoestima un llamamiento al héroe que llevamos dentro? Estas cuestiones nos llevarán en breve a los seis pilares de la autoestima.

# 3. La faz de la autoestima

¿Cómo es la autoestima?

La autoestima se manifiesta en nosotros y en los demás de manera sencilla y directa. Ninguno de estos elementos, por sí sólo, es una garantía, pero cuando están presentes todos la autoestima parece cierta.

La autoestima proyecta el placer que uno tiene de estar vivo a través de un rostro, un ademán, en el modo de hablar y de moverse.

Se expresa a sí misma en la tranquilidad con la que se habla de los logros o de los defectos de forma directa y honesta, pues uno está en amable relación con los hechos.

Se expresa a sí misma en el confort que la persona experimenta en dar y recibir cumplidos, en las expresiones de afecto, en el aprecio y en situaciones semejantes.

Se expresa a sí misma en estar abierta a la crítica y en el alivio al reconocer los errores, porque la autoestima no está ligada a la imagen de «ser perfecto».

Se expresa a sí misma cuando las palabras y los movimientos de una persona se caracterizan por la tranquilidad y la espontaneidad, que reflejan el hecho de que la persona no está en guerra consigo misma.

Se expresa a sí misma en la armonía existente entre lo que uno dice y hace y en la forma de mostrarse, expresarse y de moverse.

Se expresa a sí misma en la actitud de mostrar curiosidad y de estar abierto a las nuevas ideas, a las nuevas experiencias, a las nuevas posibilidades de vida.

Se expresa a sí misma en el hecho de que los sentimientos de ansiedad o inseguridad, si aparecen, con probabilidad se prestarán menos a la intimidación o al agobio, pues aceptarlos, manejarlos y elevarse por encima rara vez resulta excesivamente difícil.

Se expresa a sí misma en la capacidad de disfrutar de los aspectos alegres de la vida, de uno mismo, de los demás.

Se expresa a sí misma en la flexibilidad personal al responder a situaciones y a desafíos, ya que se confía en uno mismo y no se ve la vida como maldición o fracaso.

Se expresa a sí misma en el bienestar propio al mostrar un comportamiento firme (no beligerante) consigo mismo y con los demás.

Se expresa a sí misma en una capacidad por preservar la calidad de equilibrio y de la dignidad en situaciones de estrés.

Además, a un nivel puramente físico, podemos observar características del siguiente tipo:

Vemos unos ojos que están alerta, brillantes y llenos de vida; un rostro que está relajado y (exceptuando los casos de enfermedad) tiende a exhibir un color natural y una buena tersura en la piel; un mentón alineado con el cuerpo y que se sostiene con naturalidad y una mandíbula relajada.

Vemos los hombros relajados y rectos; las manos tienden a estar relajadas y sueltas; los brazos cuelgan de forma fácil y natural; una postura carente de tensión, recta y equilibrada; el paso tiende a ser decidido (sin ser agresivo y recargado).

---

*La relajación implica que no nos escondemos de nosotros mismos*
*y que no estamos en guerra con nosotros mismos.*

---

Oímos una voz que tiende a estar modulada con una intensidad apropiada a la situación y con una clara pronunciación.

Obsérvese que la palabra relajación aparece una y otra vez. La relajación implica que no nos escondemos de nosotros mismos y que no estamos en guerra por ser quienes somos. La tensión permanente expresa el mensaje de que existe algún tipo de ruptura interna, alguna forma de querer evitarnos a nosotros mismos o de repudiarnos, algún aspecto de uno mismo que rechazamos o que está atado a una correa muy tirante.

## La autoestima en acción

Al comienzo de este libro dije que una autoestima saludable se relaciona con la racionalidad y el realismo; la intuición y la creatividad; la independencia, la flexibilidad y la habilidad para tratar los cambios; el deseo de admitir (y corregir) los errores, la benevolencia y la cooperación. Si entendemos lo que realmente significa la autoestima, la lógica de estas correlaciones es bastante obvia.

*Racionalidad.* Es el ejercicio de la función integradora de la consciencia: generar principios desde hechos concretos (inducción), la aplicación de los principios a hechos concretos (deducción), y la relación de nuevos conocimientos e información al contexto existente del conocimiento. Es la búsqueda del significado y la comprensión de las relaciones. Su guía es la ley de la no contradicción: nada puede ser verdadero y falso (A y no-A) al mismo tiempo y con respecto a lo mismo. Su base está en el respeto a los hechos.

La racionalidad no debería confundirse, como pasa a menudo, con seguir unas reglas obligatorias, o con una obediencia irreflexiva a lo que la gente de una época o un lugar dados ha establecido como «razonable». Por el contrario, la racionalidad, a menudo, debe desafiar lo que algún grupo llama «razonable». (Cuando una noción particular de «razonable» ha sido invalidada por una evidencia nueva, es esa noción *y no la razón* la que ha sido derrotada.) La búsqueda de la razón es la de la integración no contradictoria de la experiencia, que implica una disponibilidad y una actitud abierta a la experiencia. No es sierva ni de la tradición ni del consenso.

---

*Una autoestima alta está intrínsecamente orientada a la racionalidad.*

---

Está muy lejos de aquella extraña noción de racionalidad que la identifica con una mentalidad poco imaginativa, analíticamente estrecha y calculadora, como vemos, por ejemplo, en *In search of excellence* de Peters and Waterman, donde la «racionalidad» se caracteriza de este modo y, por tanto, se critica. La racionalidad es la *consciencia que actúa en su modalidad explícitamente integradora.*

Así entendida, vemos que una obligación a la racionalidad y a la práctica de vivir conscientemente se implican mutuamente.

*Realismo.* En este contexto el término simplemente significa un respeto por los hechos, un reconocimiento de que lo que es, es, y de que lo que no es, no es. Nadie puede sentirse competente para hacer frente a los desafíos de la vida si no considera seriamente la distinción entre lo real y lo irreal; el olvido de tal distinción es incapacitante. Una alta autoestima está intrínsecamente orientada a la realidad. (Una buena orientación a la realidad, con una disciplina personal efectiva y autogobierno es lo que los psicólogos entienden por el concepto de «fuerza del yo».)

En los tests las personas con una baja autoestima tienden a infravalorar o a sobrestimar sus capacidades; las personas con una autoestima alta tienden a valorar sus habilidades de forma realista.

*Intuición*. Muy a menudo —especialmente, por ejemplo, al tomar decisiones complejas— el número de variables que necesitan ser procesadas e integradas son muchas más que las que conscientemente podamos hacer frente. Integraciones muy rápidas y complejas que se presentan como «intuiciones» pueden darse por debajo del conocimiento consciente. La mente puede además buscar datos para la evidencia en apoyo o discrepante. Los hombres y las mujeres que suelen ser muy conscientes y experimentados, a veces se ven a sí mismos regidos por estas integraciones del subconsciente, dado que diversos éxitos les han enseñado que al hacerlo de esa manera han obtenido más éxitos que fracasos. No obstante, cuando cambia un modelo de éxito y se encuentran a sí mismos cometiendo errores, regresan a una forma de racionalidad más explícita y consciente. Porque la función intuitiva, a menudo, les permite inesperados saltos que de pensar de una forma más convencional, tardarían más en surgir; experimentan la intuición como algo central en el proceso; los ejecutivos de alto nivel se fían a veces de la intuición para muchos de sus logros. Una persona que ha aprendido a confiar en sí misma es más probable que confíe en este proceso (y lo logra con un análisis apropiado de la realidad) que alguien que no confíe en ella. Esto sucede de igual forma en los negocios, en el atletismo, en las ciencias, en las artes, en la mayoría de las actividades humanas complejas. *La intuición se relaciona significativamente con la autoestima, sólo en la medida que expresa una alta sensibilidad a las señales internas y el respeto apropiado a éstas.* A principios de este siglo Carl Jung subrayó la importancia de este respeto por las señales internas en la creatividad. Más recientemente Carl Rogers lo ha vinculado con la aceptación de uno mismo, con una autenticidad y con una salud psicológica.

*Creatividad*. La persona creativa oye y confía en las señales internas mucho más que una persona normal. Su mente está menos subordinada a los criterios de los demás, al menos en el terreno de la creatividad. Es más autosuficiente. Puede aprender de los demás y estar inspirada por ellos. Pero valora sus propios pensamientos y sus intuiciones mucho más que una persona normal.

Los estudios dicen que la persona creativa tiende mucho más a anotar las ideas interesantes en una agenda; pasa mucho tiempo; ampliándolas y cultivándolas; gasta energía investigando dónde pueden conducirle. *Valora los productos de su mente.*

La persona con una autoestima baja tiende a dejar de lado los resultados de su intelecto. No porque no consiga ideas brillantes sino porque no las valora, no las considera potencialmente importantes y, a menudo, ni siquiera las recuerda durante mucho tiempo; *raramente las adopta*. En efecto, su actitud es: «Si la idea se me ha ocurrido a mí, ¿cómo puede ser buena?».

*Independencia*. El hecho de pensar por uno mismo es el corolario natural —causa y una consecuencia a la vez— de una autoestima saludable. También lo es la práctica de ser totalmente responsable de la propia existencia —para la realización de sus propias metas y para la consecución de su propia felicidad.

---

*Una mente que confía en sí misma se mueve con agilidad.*

---

*Flexibilidad*. Ser flexible significa tener la capacidad de reaccionar a los cambios sin que ataduras inapropiadas te liguen al pasado. El depender del pasado frente a circunstancias nuevas o cambiantes es en sí mismo un producto de la inseguridad, una falta de confianza. La rigidez es lo que manifiestan, algunas veces, los animales cuando están asustados. Se quedan petrificados. A veces sucede lo mismo con algunas empresas cuando se enfrentan a una competitividad superior. No se preguntan: «¿Qué es lo que podemos aprender de nuestros competidores?». Se aferran ciegamente a lo que han hecho siempre, desafiando la evidencia de que no funcionará por mucho tiempo. (Ésta ha sido la respuesta de directivos de empresas y trabajadores al desafío de los japoneses desde los años setenta.) La rigidez es generalmente la respuesta de una mente que no confía en sí misma para hacer frente a lo nuevo o para dominar lo desconocido o que se ha convertido, simplemente, en una actitud que le complace o incluso que se adopta por descuido. La flexibilidad, en cambio, es la consecuencia natural de la autoestima. Una mente que confía en sí misma se mueve con agilidad, sin el estorbo de ataduras irrelevantes, capaz de responder rápidamente a las novedades porque *está abierta a considerarlas*.

*Capacidad para afrontar los cambios*. La autoestima no considera temibles los cambios, por las razones expuestas en el párrafo anterior. La autoestima fluye con la realidad; la duda de uno mismo la combate. La autoestima se da prisa para reaccionar a tiempo; la duda de uno mismo retrasa su capacidad de reaccionar. (Por esta única razón, en una economía global de ritmo tan rápido como la nuestra, la comunidad de los negocios tiene que examinar cómo incorporar los principios de la autoestima en los programas de formación, así como en la cultura organizativa. Y las escuelas necesitarán estos mismos principios para preparar a los estudiantes para el mundo al que van a entrar y en el que tendrán que ganarse la vida.) La capacidad para enfrentarse al cambio se correlaciona de esta forma con una buena orientación a la realidad, anteriormente mencionada y, también, con la fuerza del yo.

*Deseo de admitir (y corregir) los errores*. Una característica básica de una autoestima saludable es una fuerte orientación a la realidad. Los hechos tienen una prioridad superior a las creencias. La verdad es un valor superior que tener razón. La consciencia se considera más deseable que una inconsciencia autoprotectora. Si la confianza en uno mismo se une al respeto a la realidad, el corregir un error se considerará mejor que fingir no haberlo cometido.

Con una autoestima saludable no es vergonzoso decir, cuando la ocasión lo justifica: «Estaba equivocado». El negarlo y estar a la defensiva son características de la inseguridad, la culpabilidad, los sentimientos de inadecuación y vergüenza. La baja autoestima es la que experimenta una simple admisión del error como una humillación e incluso como una autocondena.

*Benevolencia y cooperación*. Los que estudian el desarrollo del niño saben que un niño que es tratado con respeto tiende a interiorizar ese respeto y, por tanto, trata a los demás con respeto, en contraste con el niño que es maltratado, que interioriza el desprecio propio y crece reaccionando hacia los demás con miedo y rabia. Si me ocupo de mí mismo, seguro de mis propios límites, seguro de que cuando quiero decir sí es sí y de que cuando quiero decir no es no, la benevolencia es el resultado natural. No hay necesidad de sentir miedo hacia los otros, no tengo necesidad de protegerme detrás de una fortaleza de hostilidad. Si estoy seguro de que tengo derecho a existir, si tengo confianza en que me pertenezco, sin estar amenazado por la seguridad y confianza de los demás, cooperar con ellos para conseguir objetivos compartidos surgirá de una manera espontánea. Esta reacción claramente me beneficia, satisface una variedad de necesidades y no sufre la obstrucción del miedo y de la duda permanente.

La empatía y la compasión, no menos que la benevolencia y la cooperación se encuentran, probablemente, mucho más entre las personas cuya autoestima es muy alta que en aquellas cuya autoestima es baja; mi relación con los demás tiende a mostrar y a reflejar la relación que tengo conmigo mismo. En un comentario sobre el mandamiento de «ama a tu prójimo como a ti mismo», el filósofo portuario Eric Hoffer resalta en algún lugar que esto es precisamente lo que la gente hace: la persona que se odia a sí misma, odia a las demás. Los asesinos de todo el mundo, tanto en sentido literal como figurativo, no se caracterizan precisamente por tener una relación íntima o cariñosa con su yo íntimo.

# 4. La ilusión de la autoestima

Cuando la autoestima es baja, a menudo somos manipulados por el miedo. El miedo a la realidad, hacia la que nos sentimos inadecuados. El miedo a hechos acerca de nosotros mismos —o de los demás— que nosotros hemos negado, rechazado o reprimido. Miedo a que nuestras pretensiones no se cumplan. Miedo a que nos desenmascaren. Miedo a que nos humillen después de fracasar y, algunas veces, a las responsabilidades del éxito. Estamos más pendientes de evitar el dolor que de experimentar la alegría.

Si sentimos que los aspectos cruciales de la realidad a que tenemos que enfrentarnos no tienen remedio o somos incapaces de entenderlos; si nos enfrentamos a los problemas fundamentales de la vida básicamente con un sentido de indefensión; si sentimos que no pretendemos seguir ciertas líneas de pensamiento debido a los rasgos poco dignos de nuestro carácter que quedarían al descubierto; si sentimos, en algún sentido, *que la realidad es la enemiga de nuestra autoestima (o pretende serlo)*, estos miedos tienden a sabotear la eficacia de la consciencia, empeorando con ello el problema inicial.

Si nos enfrentamos a los problemas básicos de la vida con la actitud de: «¿Quién soy yo para saberlo? ¿Quién soy yo para juzgarlo? ¿Quién soy yo para decidir?» o: «Es *peligroso* ser consciente» o: «Es *fútil* intentar pensar o comprender», estamos en una situación de inferioridad desde el principio. Nadie lucha por lo que considera como imposible o poco deseable.

No es que el nivel de nuestra autoestima *determine* nuestro pensamiento. La causa no es tan simple. La autoestima afecta a nuestros *incentivos emocionales*. Nuestros sentimientos tienden a estimular o no estimular el pensamiento, a conectar con los hechos, la verdad y la realidad, o alejarnos de ellos, a la eficacia o lejos de ella.

Por este motivo los primeros pasos para construir una autoestima pueden ser difíciles: nos desafía a elevar el nivel de nuestra consciencia ante una resistencia emocional. Necesitamos desafiar la creencia de que se fomentan mejor nuestros intereses si permanecemos ciegos. Lo que hace que

69

el proyecto a menudo sea difícil es el sentimiento de que sólo nuestra inconsciencia hace la vida soportable. Hasta que no rechacemos esta idea, no podremos crecer en autoestima.

El peligro es que nos volvamos prisioneros de nuestra imagen negativa. Que le permitamos dictar nuestras acciones. Que nos definamos a nosotros mismos como mediocres o débiles o cobardes o poco efectivos y que nuestra actuación refleje esta definición.

Mientras seamos capaces de desafiar y actuar contrariamente a la imagen negativa de nosotros mismos —y mucha gente lo hace así, al menos en algunas ocasiones— el factor que tiende a interponerse es nuestra resignación a ser como somos. Nos plegamos a la sensación de un determinismo psicológico. Nos decimos que somos impotentes. Somos recompensados al obrar así, en el sentido de que no tenemos que arriesgarnos o salir de nuestra pasividad.

### Se nos desafía a elevar el nivel de nuestra consciencia ante una resistencia emocional.

Una pobre autoestima no sólo inhibe el pensamiento sino que tiende a deformarlo. Si tenemos una mala reputación de nosotros mismos e intentamos identificar la motivación de alguna conducta, podemos reaccionar ansiosamente y a la defensiva y torcer nuestra mente para no ver lo que es obvio o, por un sentido de culpa y de indignidad generalizada, podemos sentirnos arrastrados no por la explicación más lógica de nuestro comportamiento sino por la que más *daño* pueda producir, por la que nos coloca en la peor posición moral. Sólo consideramos adecuada una autocondena. O, si nos enfrentamos a acusaciones injustas de los demás, podemos sentirnos desarmados e incapaces para desmentir sus afirmaciones; podemos aceptar los cargos como verdaderos, paralizados y exhaustos por un sentimiento profundo de: «¿Cómo puedo yo decidir?»

La base y el motor de la pobre autoestima no es la poca confianza sino el miedo. No vivir, sino escapar del terror a vivir es el objetivo fundamental. No la creatividad, sino la seguridad es el deseo que nos gobierna. Y lo que buscamos en los demás no es la posibilidad de experimentar un contacto real, sino escapar de unos valores morales, la promesa de ser perdonados, ser aceptados y, a cierto nivel, que cuiden de nosotros.

Si una baja autoestima teme lo desconocido y lo poco familiar, una autoestima alta busca nuevas fronteras. Si la baja autoestima evita los desafíos, la autoestima alta los desea y los necesita. Si la baja autoestima busca

70

la posibilidad de que se le absuelva, la autoestima alta busca la oportunidad digna de admiración.

En estos principios de motivaciones opuestas tenemos una guía para la salud de nuestra mente o de nuestro espíritu. Podemos decir que una persona está sana hasta el punto de que el principio básico de la motivación es el motivado por la confianza (el amor a uno mismo, el amor a la vida); el grado de motivación dominado por el miedo es la medida de una autoestima sin desarrollar.

## La pseudoautoestima

Algunas veces vemos a personas que disfrutan de un éxito mundano, son ampliamente estimadas, o tienen una apariencia pública de seguridad y no obstante están profundamente insatisfechas, ansiosas o deprimidas. Pueden proyectar la apariencia de ser eficaces y respetadas; pueden tener la *persona* de la autoestima, pero no su realidad. ¿Cómo podríamos entenderlos?

Hemos notado que en la medida en que fracasamos en desarrollar una auténtica autoestima, la consecuencia se manifiesta en diferentes niveles de ansiedad, inseguridad y duda de nosotros mismos. Éste es el sentido de ser, en efecto, *inadecuados para existir* (aunque por supuesto, nadie piensa en esos términos; quizá, en su lugar, uno piensa *hay algo que no funciona en mí* o *quizá me falta algo esencial*). Este estado tiende a ser doloroso. Y porque es doloroso, a menudo, tendemos a evadirlo, a negar nuestros miedos, a racionalizar nuestro comportamiento, y a crear la apariencia de una autoestima que no poseemos. Hemos desarrollado lo que conceptúo como una *pseudoautoestima*.

---

*Puedo proyectar una imagen de seguridad y serenidad que engañe casi a todo el mundo y, sin embargo, secretamente temblar con un sentimiento de incapacidad.*

---

La pseudoautoestima es la ilusión de tener una eficacia y dignidad fuera de la realidad. Es algo irracional, una autoprotección para disminuir la ansiedad y proporcionarnos un sentido falso de seguridad para aliviar nuestras necesidades de una auténtica autoestima, al mismo tiempo que permitimos que las causas reales de su carencia permanezcan sin ser examinadas.

Se basa en valores que no se relacionan con aquellos que requieren una

71

genuina eficacia y respeto, aunque algunas veces los valores no carecen de mérito en su propio contexto. Por ejemplo, una casa grande puede ciertamente representar un valor legítimo, pero no es una medida apropiada o prueba de eficacia y virtudes personales. Por otro lado, el que nos acepten en una banda de criminales no es generalmente un valor racional; ni tampoco refuerza la auténtica autoestima (lo que no quiere decir que pueda proporcionar temporalmente la ilusión de seguridad o el sentimiento de tener un «hogar» o una «comunidad»).

Nada es más común que el perseguir la autoestima por medios que no pueden ni podrán funcionar. En vez de buscar la autoestima a través del conocimiento, la responsabilidad, la integridad, la buscamos quizá por medio de la popularidad, de adquisiciones materiales o proezas sexuales. En lugar de valorar la autenticidad personal, valoramos el poder pertenecer a un club apropiado, a una Iglesia adecuada o a un partido político adecuado. En lugar de practicar una autoafirmación adecuada, nos sometemos de forma poco crítica a nuestro grupo particular. En vez de buscar la dignidad a través de la honestidad, la buscamos quizás a través de la filantropía: debo ser buena persona, hago «buenas obras». En lugar de aspirar a ser competentes (la habilidad de conseguir valores genuinos) quizá persigamos el «poder» de manipular o controlar a otras personas. Las posibilidades de engañarnos a nosotros mismos son casi ilimitadas —todos los callejones sin salida en los que nos perdemos, sin darnos cuenta de que lo que deseamos no puede comprarse con una moneda falsa.

La autoestima es una experiencia íntima; reside en el centro de nuestro ser. Es lo que *yo* creo y siento acerca de mí mismo, no lo que alguien piensa y sienta sobre mí. Este hecho tan simple apenas puede exagerarse. Mi familia, mis compañeros, mis amigos me pueden amar, no obstante, yo no me amo a mí mismo. Puedo ser admirado por mis socios y, sin embargo, considerarme a mí mismo sin valor. Puedo proyectar una imagen de seguridad y serenidad que engañe casi a todo el mundo y, sin embargo, secretamente temblar con un sentimiento de incapacidad. Puedo satisfacer las expectativas de los demás y, sin embargo, fracasar ante mí mismo; puedo ganar todos los honores y, sin embargo, sentir que no he realizado nada; puede que los demás me adoren y, sin embargo, despertarme cada mañana con un enfermizo sentimiento de engaño y de vaciedad. Alcanzar el «éxito» sin lograr la autoestima positiva significa estar condenado a sentirse como un impostor que ansiosamente espera que se le desenmascare.

El hecho de que nos alaben no ayuda a crear la autoestima. Ni tampoco la crea la erudición, las posesiones materiales, el matrimonio, la paternidad, los esfuerzos filantrópicos, las conquistas sexuales o el estiramiento de la piel. Estas cosas algunas veces nos hacen sentirnos mejor temporalmente o más cómodos en situaciones particulares. Pero el confort no es la autoestima.

La tragedia de la vida de muchas personas es que buscan la autoestima en diferentes direcciones que no son la propia y, por lo tanto, fracasan en su búsqueda. En este libro veremos que la autoestima positiva es mejor entenderla como un logro espiritual, es decir, *como una victoria en la evolución del conocimiento*. Cuando empecemos a entender la autoestima en este sentido, apreciaremos la tontería de creer que sólo si conseguimos crear una impresión positiva en los demás, disfrutaremos de un buen respeto a nosotros mismos. Dejaremos de decirnos: sólo que consiguiera que me ascendieran, sólo que me convirtiera en esposa y madre, sólo que percibieran que soy un buen proveedor, sólo que pudiera comprar un coche mayor, sólo que pudiera escribir otro libro más, adquirir una compañía más, tener un amante, un premio más, un reconocimiento más de mi «abnegación», entonces, *realmente* me sentiré en paz conmigo mismo.

Si la autoestima es el razonamiento de que soy apropiado para la vida, la experiencia de ser competente y tener valía, si la autoestima es la consciencia de autoafirmación, una mente que confía en sí misma, nadie puede generar y sostener esta experiencia sino yo mismo.

Desgraciadamente, los maestros de la autoestima no son menos impermeables a la adoración de falsos dioses que los demás. Recuerdo una conferencia pronunciada por un hombre que ofrece seminarios de autoestima al público en general y a empresas. Anunciaba que una de las mejores maneras de aumentar nuestra autoestima es rodearnos de gente que tiene un buen concepto de nosotros. Pensé en la pesadilla de personas con una autoestima baja rodeadas por la alabanza y la adulación, como las estrellas del rock que no tienen ni idea de cómo consiguen estar donde están y que no pueden sobrevivir un día sin tener que recurrir a las drogas. Pensé en la futilidad de decirle a una persona con una autoestima baja que se siente afortunada si es aceptada por *cualquiera,* que la forma de elevar la autoestima es buscar sólo la compañía de admiradores.

La única fuente de la autoestima es y sólo puede ser interna —en lo que hacemos, no en lo que los demás hacen—. Cuando la buscamos en lo externo, en las acciones y las respuestas de los otros, nos abocamos a la tragedia.

Ciertamente es más inteligente buscar compañeros que sean amigos de nuestra autoestima que buscar sus enemigos. Unas relaciones que te alimentan obviamente son preferibles a las que te envenenan. Pero mirar a los otros como fuente primaria de nuestros propios valores es peligroso: primero, porque no funciona; y segundo, porque nos exponemos al peligro de convertirnos en adictos de la aprobación.

No deseo sugerir que una persona psicológicamente sana esté afectada por la retroalimentación que reciba de los demás. Somos seres sociales y ciertamente los demás contribuyen a la percepción de nosotros mismos, como veremos más tarde. Pero la gente tiene diferencias muy grandes respecto a la importancia de la retroalimentación para su autoestima: personas para quienes casi es el *único* factor importante y personas para quienes la importancia es mucho menor. Esto es básicamente otra manera de decir que hay inmensas diferencias en el grado de autonomía de las personas.

*Los innovadores y los creadores son personas que pueden aceptar la soledad en mayor medida de lo normal.*

Después de trabajar durante muchos años con personas que están infelizmente preocupadas por las opiniones de los demás, estoy totalmente convencido de que el medio más efectivo de liberarse es elevando el nivel de consciencia que uno aporta a la experiencia propia: cuanto más eleva uno el volumen de las señales internas, más tenderán a volver las señales externas a un equilibrio adecuado. Como escribí en *El respeto hacia uno mismo*, esto supone aprender a oír al cuerpo, aprender a escuchar las emociones, aprender a pensar por uno mismo. En los siguientes capítulos diré más acerca de cómo se puede hacer esto.

## Independencia

La alternativa a una dependencia excesiva en la retroalimentación y en la aprobación de los demás es un sistema de soporte interno bien desarrollado. Entonces la fuente de la certidumbre está en el interior. El conseguir este estado es esencial para lo que yo entiendo como la verdadera madurez humana.

Los innovadores y los creadores son personas que pueden aceptar la soledad en mayor medida de lo normal, es decir, aceptan más de lo normal la falta de retroalimentación de su entorno social. Desean seguir su perspectiva, incluso cuando les aleja del común de los mortales. Los espacios sin explorar no les asustan o, en cualquier caso, no tanto como asustan a quienes les rodean. Éste es uno de los secretos de su poder: los grandes artistas, los científicos, los inventores, los que se dedican a la industria. ¿No es el sello de los emprendedores (en el arte y en la ciencia no menos que en los negocios) la capacidad de ver una posibilidad que los demás no ven y realizarla? Realizar la propia visión puede por supuesto requerir la colaboración de mucha gente capaz de colaborar y en dirección a un mismo objetivo, y el innovador tendrá que ser muy hábil para construir puentes entre un grupo y otro. Pero ésta es otra historia y no afecta a mi argumento básico.

Lo que nosotros llamamos «genio» tiene mucho que ver con la independencia, el coraje, la audacia mucho que ver con el *nervio*. Ésta es una de las razones por las que le admiramos. En un sentido literal, ese «*nervio*» no se puede «*enseñar*»; pero podemos apoyar el proceso por medio del cual se *aprende*. Si la felicidad humana, el bienestar y el progreso son nuestros objetivos, es un rasgo que debemos esforzarnos por conseguir —en las prácticas de crianza del niño, en las escuelas, en las organizaciones *y, sobre todo, en nosotros mismos.*

SEGUNDA PARTE

**FUENTES INTERIORES DE LA AUTOESTIMA**

# 5. El enfoque centrado en la acción

No empezamos a partir del entorno sino a partir de la persona. No partimos de lo que eligen hacer los demás sino de lo que decide hacer la persona.

Esto requiere una explicación. Quizá parezca más lógico empezar por examinar de qué manera el entorno familiar influye positiva o negativamente en la identidad del niño, que se forma lentamente. Dejando a un lado los posibles factores biológicos, podría pensarse que sin duda es aquí donde comienza la historia. Pero para nuestros fines actuales no es así.

Empezamos por preguntar: ¿Qué debe *hacer* una persona para crear y mantener su autoestima? ¿Qué pauta de *acciones* debe adoptar? ¿Cuál es la responsabilidad de usted y la mía en cuanto adultos?

Para responder a esto tenemos un estándar mediante el cual responder a las preguntas: ¿qué debe *aprender* a hacer un niño para gozar de su autoestima?, ¿cuál es la senda deseable del desarrollo infantil? Y también: ¿qué prácticas deberían pretender despertar, estimular y apoyar en los niños los padres y educadores?

Hasta que no conozcamos qué prácticas debe dominar una persona para mantener la autoestima, hasta que identifiquemos en qué consiste una adultez psicológicamente sana, no tendremos criterios por los que valorar qué constituye una influencia o experiencia infantil favorable o desfavorable. La vida del niño comienza en un estado de total dependencia, pero la vida y bienestar de un adulto, desde la satisfacción de las más simples necesidades a los valores más complejos, depende de la capacidad de pensar. Por consiguiente, admitimos que han de apreciarse las experiencias infantiles que estimulan y fomentan el pensamiento, la confianza en sí mismo y la autonomía. Admitimos que las familias en las que a menudo se niega la realidad y a menudo se castiga la consciencia ponen enormes obstáculos a la autoestima; crean un mundo de pesadilla en el que el niño puede sentir que pensar no es solo fútil sino peligroso.

Al considerar las raíces de la autoestima, ¿por qué no centrar nuestro enfoque en las *prácticas*, es decir, en las *acciones* (mentales o físicas)? La respuesta es que todo valor vinculado a la vida exige una acción para conseguirlo, mantenerlo o disfrutarlo. De acuerdo con la definición de Ayn Rand, la vida es un proceso de acción que se genera a sí misma y se mantiene por sí misma. Los órganos y sistemas de nuestro cuerpo permiten nuestra vida mediante una acción continuada. Perseguimos y mantenemos nuestros valores en el mundo mediante la acción. Como examino con más detalle en *The psychology of self-esteem*, los valores, por su misma naturaleza, son objeto de una acción. Y esto también puede decirse respecto al valor de la autoestima.

---

*Lo que determina el nivel de la autoestima es lo que la persona hace.*

---

Si un niño crece en un entorno doméstico adecuadamente formativo, es mayor la probabilidad de que aprenda las acciones que apoyan la autoestima (aunque tampoco esto es una garantía). Si se pone al niño en manos de buenos maestros, lo más probable es que aprenda conductas de apoyo de la autoestima. Si una persona se somete a una psicoterapia con éxito, en la que se disuelven sus miedos y eliminan los bloqueos para el funcionamiento efectivo, ello tendrá por consecuencia que manifestará un mayor número de acciones que apoyan su autoestima. Pero lo decisivo son *las acciones de una persona*. Lo que determina el nivel de autoestima es lo que la persona *hace*, en el contexto de su conocimiento y valores. Y dado que la acción en el mundo es un reflejo de la acción dentro de la mente de la persona, lo decisivo son los *procesos internos*.

Como veremos, «los seis pilares de la autoestima» —las prácticas indispensables para la salud de la mente y el funcionamiento efectivo de la persona— *son todos operaciones de la consciencia*. Todos ellos suponen elecciones. Son elecciones a las que nos enfrentamos en todos los momentos de nuestra vida.

Repárese en que el término «práctica» tiene connotaciones que son relevantes en este contexto. Una «práctica» supone una disciplina de actuación de una determinada manera una y otra vez de manera consistente. No es una acción mediante arrebatos y arranques, ni siquiera una respuesta adecuada a una *crisis*. Más bien es una manera de actuar día tras día, ante las cuestiones grandes y pequeñas, una manera de comportarse que es también *una forma de ser*.

## La voluntad y sus límites

El libre arbitrio no significa omnipotencia. La voluntad es una fuerza poderosa de nuestra vida, pero no es la única. Nuestra libertad no es absoluta ni ilimitada, y esto vale tanto para un joven como para un adulto. Son muchos los factores que pueden facilitar o dificultar el ejercicio adecuado de la consciencia. Algunos de ellos pueden ser genéticos y biológicos. El pensamiento enfocado puede resultar más fácil a unas personas que a otras en razón de los factores que preceden a todas las experiencias de la vida. Hay razones para sospechar que llegamos a este mundo con algunas diferencias inherentes que hacen que sea más fácil o más difícil conseguir una autoestima sana: diferencias relativas a la energía, la resistencia, la disposición a gozar de la vida, etc. Además, podemos llegar a este mundo con importantes diferencias en cuanto a la predisposición a sentir ansiedad o depresión, y también estas diferencias pueden hacer que sea más fácil o más difícil desarrollar la autoestima.

A continuación vienen los factores del desarrollo. El entorno puede apoyar y estimular la afirmación sana de la consciencia, o bien puede oponerse a ella y socavarla. Muchas personas sufren tal daño en los primeros años, antes de que termine de formarse por completo su yo, que para ellas resulta casi imposible tener una autoestima sana sin una intensa psicoterapia posterior.

## La paternidad y sus límites

La investigación sugiere que una de las mejores maneras para tener una buena autoestima es tener padres que tienen una buena autoestima y que la ponen como modelo, según ha dejado claro la obra de Stanley Coopersmith *The antecedents of self-esteem*. Además, si nuestros padres nos crían con amor y respeto; nos permiten experimentar una aceptación consistente y benévola; nos ofrecen la estructura soportante de reglas razonables y expectativas adecuadas, que no nos saturan de contradicciones, que no recurren al ridículo, la humillación o el abuso físico para controlarnos; que proyectan su fe en nuestra competencia y bondad, tenemos una considerable oportunidad de interiorizar sus actitudes y de adquirir con ello las bases de una sana autoestima. Pero ningún estudio de investigación ha constatado que este resultado sea inevitable. El estudio de Coopersmith, por ejemplo, muestra claramente que no lo es. Hay personas que parecen haber sido educadas de forma excelente mediante las normas antes citadas y que sin embargo son adultos inseguros y con dudas sobre sí mismos. Y hay personas que han surgido de un contexto deprimente, que han sido criadas por adultos que hicieron todo mal y que sin embargo rinden bien en la escuela, establecen relaciones estables y satisfactorias, tienen un vigoroso sentido de su valor y dignidad y en la edad adulta satisfacen cualquier criterio racional de autoestima buena. En la niñez estas personas parecen saber cómo sacar alimento de un entorno que otros encuentran desesperadamente estéril; encuentran agua allí donde otros sólo ven un desierto. Los psicólogos y psiquiatras, perplejos ante este fenómeno, definen a veces a este grupo como «los invulnerables».[1]

No obstante, puede decirse con bastante seguridad que si se vive en un entorno humano sano en el que se respeta la realidad y la conducta de las personas es congruente, es mucho más fácil perseverar en los esfuerzos por ser racional y productivo que si las señales son siempre cambiantes, nada parece real, se niegan los hechos y se penaliza la consciencia. Las familias que crean semejantes entornos destructivos se denominan disfuncionales. Igual que hay familias disfuncionales, hay escuelas y organizaciones disfuncionales. Son disfuncionales porque ponen obstáculos en el camino a un ejercicio de la mente adecuado.

## Bloqueos interiores

Dentro de la propia psique puede haber obstrucciones para el pensamiento. Las defensas y bloqueos subconscientes pueden hacernos olvidar incluso la necesidad de pensar sobre una determinada cuestión. La consciencia es un *continuum*; existe a muchos niveles. Un problema no resuelto a un nivel puede subvertir las operaciones a otro nivel. Por ejemplo, si bloqueo mis sentimientos acerca de mis padres —si corto el acceso a esos sentimientos mediante la negación, la desafección y la represión— e intento pensar entonces acerca de mi relación con mi jefe, puedo haberme desconectado de tanto material pertinente que fácilmente me siento confuso y desanimado y abandono. O bien, si bloqueo los principales sentimientos negativos sobre un cometido que me ha fijado mi jefe y compruebo que mi interacción con mi equipo es abrasiva de forma persistente y misteriosa, puedo tener gran dificultad para pensar en la manera de eliminar este rasgo negativo en tanto en cuanto siga sin ser consciente de la fuente más profunda de la alteración. Aun así, mi autoestima se verá afectada por el hecho de que yo *intente* tener consciencia de mi problema.

1. Véase, por ejemplo, *The invulnerable child,* una recopilación de estudios editados bajo la dirección de E. James, Anthony y Bertram J. Cohler, Nueva York, The Guilford Press, 1987.

## Lo que sabemos

Si bien podemos no conocer todos los factores biológicos o del desarrollo que influyen en la autoestima, es mucho lo que sabemos sobre las prácticas (volitivas) específicas que pueden aumentarla o reducirla. Sabemos que un compromiso sincero de comprender inspira confianza en uno mismo y que una evitación del esfuerzo tiene el efecto contrario. Sabemos que las personas que viven de manera consciente se sienten más competentes que las que viven sin una consciencia de su vida. Sabemos que la integridad genera respeto de uno mismo y que la hipocresía no lo genera. «Sabemos» todo esto de forma implícita, aunque es sorprendente lo poco que se habla de estas cuestiones (tanto los profesionales como los demás).

En cuanto adultos, no podemos volver a hacernos crecer, no podemos revivir nuestra infancia con unos padres diferentes. Por supuesto, podemos tener que contemplar la psicoterapia. Pero dejando a un lado esa opción, podemos preguntarnos: ¿Qué puedo hacer yo hoy para elevar el nivel de mi autoestima?

Como veremos, sea cual sea nuestra historia, si comprendemos la naturaleza de la autoestima y las prácticas de las que depende, la mayoría de nosotros podemos hacer mucho. Este conocimiento es importante por dos razones. En primer lugar, si deseamos trabajar en nuestra propia autoestima, tenemos que conocer qué prácticas específicas tienen el poder de aumentarla. En segundo lugar, si trabajamos con otras personas y deseamos apoyar su autoestima, inspirarles y producir lo mejor en ellas, tenemos que conocer qué prácticas específicas aspiramos a fomentar o facilitar.

*Debemos llegar a ser lo que deseamos enseñar.*

Como anotación al margen para los padres, maestros, psicoterapeutas y directivos que puedan leer este libro para cobrar una idea de la manera de apoyar la autoestima de otras personas, quiero decir que el lugar por el que hay que comenzar sigue siendo uno mismo. Si uno no comprende cómo opera internamente la dinámica de la autoestima —si uno no conoce por experiencia directa lo que reduce o eleva su propia autoestima— no tendrá la comprensión íntima de la cuestión necesaria para realizar una aportación óptima a los demás. Asimismo, las cuestiones no resueltas en uno mismo ponen límites a nuestra eficacia a la hora de ayudar a los demás. Puede ser tentador, pero a menudo es engañoso creer que lo que uno dice puede comunicar de manera más vigorosa que lo que uno manifiesta mediante su propia persona. Debemos llegar a ser lo que deseamos enseñar.

Hay una historia que me gusta contar a mis estudiantes de psicoterapia. En la India, cuando una familia tiene un problema, es poco probable que consulte a un psicoterapeuta (hay bastante pocos); consultan al gurú local. En una aldea había un sabio que había ayudado más de una vez a una familia. Un día acudieron a él el padre y la madre, llevándole su hijo de nueve años, y el padre le dijo: «Maestro, nuestro hijo es un niño maravilloso y le queremos mucho. Pero tiene un problema terrible, una debilidad por los dulces que está arruinando su dentadura y su salud. Hemos razonado con él, discutido con él, le hemos rogado, le hemos castigado, pero nada funciona. Sigue comiendo enormes cantidades de dulces. ¿Puede usted ayudarnos?». Para sorpresa del padre, el gurú respondió: «Marchad y volved dentro de dos semanas». Como no se discute con un gurú, la familia obedeció. Dos semanas después volvieron a verle, y el gurú les dijo: «Está bien. Ahora podemos empezar». El padre le preguntó: «¿Puede usted decirnos, por favor, por qué nos despachó hace ahora dos semanas? Nunca había hecho eso antes». El gurú respondió: «Necesitaba dos semanas porque yo también he tenido una debilidad de por vida por los dulces. Hasta que no hube confrontado y resuelto esa cuestión en mí mismo, no estaba preparado para tratar a su hijo».

Esta historia no gusta a todos los psicoterapeutas.


**Ejercicios de completar frases**

A lo largo de este libro presento muchos ejemplos de cómo pueden utilizarse los ejercicios de completar frases para fortalecer la autoestima. El trabajo de completar frases es un instrumento tanto de la terapia como de la investigación. Desde 1970, año en que empecé a utilizarlo, he encontrado formas cada vez más amplias y esclarecedoras de utilizarlo para facilitar la comprensión de sí mismo, para echar abajo las barreras represivas, para liberar la expresión de uno mismo, para activar la autocuración y para comprobar y volver a comprobar continuamente mis propias hipótesis. La esencia de este método consiste en presentar un principio de oración al cliente (o sujeto), una frase incompleta, pidiéndosele a continuación que repita este fragmento una y otra vez, poniendo cada vez un final diferente. A continuación se le presenta otro principio de frase, y luego otro, permitiéndole explorar un ámbito particular a niveles cada vez más profundos. Esta labor puede hacerse verbalmente o por escrito.

El trabajo de completar frases desempeña un papel esencial para determinar qué cosas hacen las personas que elevan o disminuyen su autoestima. Cuando se observan determinadas pautas de terminaciones una y otra vez con diferentes tipos de oraciones de diferentes partes del país y en diferentes países de todo el mundo, está claro que hemos alcanzado realidades fundamentales.

En los próximos capítulos presento muchos ejemplos del tipo de terminaciones de frase que utilizo, y ello por dos razones. La primera es la de ofrecer a los lectores la oportunidad de aplicar por sí mismos esta labor si desean integrar las ideas de «las seis prácticas» en su vida cotidiana. La otra es ofrecer un medio por el que psicólogos y psiquiatras puedan comprobar las ideas de este libro y ver por sí mismos si en realidad he identificado las conductas más importantes de las que depende la autoestima.

## Las seis prácticas

Como la autoestima es *una consecuencia*, un producto de prácticas que se generan interiormente, no podemos trabajar *directamente* sobre la autoestima, ni sobre la nuestra ni sobre la de nadie. Debemos dirigirnos a la fuente. Una vez comprendemos en qué consisten estas prácticas, podemos empezar a *iniciarlas* en nosotros mismos y a relacionarnos con los demás de manera que les *facilitemos* o *animemos* a hacer lo mismo. Estimular la autoestima en la escuela o en el puesto de trabajo, por ejemplo, es crear un clima que apoye y refuerce las prácticas que fortalecen la autoestima.

Así pues, en esencia, ¿de qué depende una sana autoestima? ¿De qué prácticas estoy hablando? Identifico seis prácticas que, como puede demostrarse, tienen una importancia crucial. A partir de mi trabajo con numerosas personas en psicoterapia para ayudarles a fomentar su eficacia personal y su respeto de sí mismas, estoy convencido —por razones que explico— de que éstas son las cuestiones capitales. No he encontrado otras de importancia comparable. Ésta es la razón por la que las denomino «Los seis pilares de la autoestima». No será difícil ver por qué cualesquiera mejoras de estas prácticas producen beneficios inequívocos.

Tan pronto comprendamos estas prácticas tendremos la posibilidad de elegirlas, de actuar para integrarlas en nuestra forma de vida. Esta potestad es la potestad de elevar nuestro nivel de autoestima, cualquiera que sea el punto de partida y por difícil que pueda ser el proyecto en las primeras etapas.

No es necesario alcanzar la «perfección» en estas prácticas. Sólo es preciso elevar nuestro nivel medio de competencia para experimentar un crecimiento en eficacia personal y respeto de uno mismo. A menudo he sido testigo de extraordinarios cambios en la vida de las personas a resultas de mejoras relativamente pequeñas en estas prácticas. De hecho, animo a los clientes a pensar en términos de pequeños pasos en vez de en términos de grandes progresos porque estos últimos pueden atemorizar (y paralizar), mientras que los pequeños parecen más asequibles, y un paso pequeño conduce a otro.

Éstos son los seis pilares de la autoestima:

La práctica de vivir conscientemente.

La práctica de aceptarse a sí mismo.

La práctica de asumir la responsabilidad de uno mismo.

La práctica de la autoafirmación.

La práctica de vivir con propósito.

La práctica de la integridad personal.

En los seis próximos capítulos examinaremos cada uno de ellos por orden.

# 6. La práctica de vivir conscientemente

Prácticamente en todas las grandes tradiciones espirituales y filosóficas del mundo aparece de alguna manera la idea de que la mayoría de los seres humanos recorren su vida como sonámbulos. La ilustración se identifica con un despertar. La evolución y el progreso se identifican con una expansión de la consciencia.

Percibimos la consciencia como la suprema manifestación de la vida. Cuanto más elevada sea la forma de consciencia, más avanzada será la forma de vida. Subiendo en la escala evolutiva desde el momento en que aparece la consciencia por vez primera en la Tierra, cada forma de vida tiene una forma de consciencia más avanzada que la forma de vida del peldaño inferior.

En nuestra propia especie llevamos más lejos este mismo principio: identificamos una mayor madurez con una visión más amplia, una mayor consciencia y un conocimiento superior.

¿Por qué es tan importante la consciencia? Porque para todas las especies que la poseen la consciencia es el instrumento básico de supervivencia —la capacidad de ser consciente del entorno de alguna manera, a algún nivel, y de orientar la acción en consonancia. Utilizo aquí el término *consciencia* en su significado primario: el estado de ser consciente de algún aspecto de la realidad. También hablamos de la consciencia como de una *facultad*, el atributo de ser capaz de ser consciente. A la forma de consciencia típicamente *humana*, con su capacidad de formación de conceptos y de pensamiento abstracto, le damos el nombre de *mente*.

Como hemos visto, somos seres para quienes la consciencia (a nivel conceptual) es *volitiva*. Esto significa que el diseño de nuestra naturaleza contiene una opción extraordinaria: la de buscar la consciencia o de no hacerlo (o evitarlo activamente), la de buscar la verdad o de no hacerlo (o evitarlo activamente), la de enfocar nuestra mente o no hacerlo (u optar por defender a un nivel de consciencia inferior). En otras palabras, tenemos la opción de ejercitar nuestras facultades o de subvertir nuestros medios de supervivencia y de bienestar. Esta capacidad de dirigirnos por nosotros mismos es nuestra bendición y, en ocasiones, nuestra carga.

---

*Nuestra mente es nuestro instrumento básico de supervivencia.*
*Si se traiciona ésta, se resiente la autoestima.*

---

Si no aportamos un adecuado nivel de consciencia a nuestras actividades, si no vivimos de manera consciente, el precio inevitable es un mermado sentido de eficacia personal y de respeto de uno mismo. No podemos sentirnos competentes y valiosos si conducimos nuestra vida en estado de confusión mental. Nuestra mente es nuestro instrumento básico de supervivencia. Si se traiciona ésta, se resiente la autoestima. La forma más simple de esta traición es la evasión de los hechos que nos causan perplejidad. Por ejemplo:

«Sé que no estoy trabajando lo mejor que sé, pero no quiero pensar sobre el particular».

«Sé que hay signos de que nuestro negocio tiene cada vez peores problemas, pero lo que hemos hecho ha funcionado en el pasado, ¿no? De todos modos, esta cuestión me trastorna, y quizá si me quedo sentado la situación se resolverá por sí misma *de algún modo*.»

«"¿Agravios legítimos?" ¿Qué "agravios legítimos"? Mi esposa ha estado influida por esas insensatas liberadoras de la mujer. Ésta es la razón por la que me da la lata.»

«Sé que mis hijos sufren por recibir tan poco de mí, y sé que les causo daño y resentimiento, pero algún día —*de algún modo*— cambiaré.»

«¿Qué quiere decir, que bebo demasiado? Puedo dejar de beber cuando quiero.»

«Sé que mi forma de comer está arruinando mi salud, pero—.»

«Sé que estoy viviendo por encima de mis posibilidades, pero—.»

«Sé que soy un liante y miento sobre mis logros, pero—.»

Mediante las miles de elecciones que realizamos entre pensar y no pensar, ser responsables ante la realidad o sustraernos a ella, establecemos un sentido del tipo de persona que somos. Rara vez recordamos conscientemente estas elecciones. Pero éstas se acumulan en lo profundo de nuestra psique, y la suma es esa experiencia que denominados «autoestima».

*La autoestima es la reputación que llegamos a tener para con nosotros mismos.*

No todos tenemos la misma inteligencia, pero no es de la inteligencia de lo que se trata. El *principio* de vivir de manera consciente no está afectado por los grados de inteligencia. *Vivir de manera consciente significa intentar ser consciente de todo lo que tiene que ver con nuestras acciones, propósitos, valores y metas —al máximo de nuestras capacidades, sean cuales sean éstas— y comportarnos de acuerdo con lo que vemos y conocemos.*

## La traición de la consciencia

Este último aspecto merece ser recalcado. La consciencia que no se traduce en una acción adecuada es una traición de la consciencia; es una autoanulación de la mente. Vivir de manera consciente significa más que el mero ver y conocer; significa actuar sobre lo que vemos y conocemos. Así, puedo reconocer que he sido injusto y he dañado a mi hijo (a mi esposa o a mi amigo) y tengo que hacer las oportunas correcciones. Pero no deseo admitir que he cometido un error, y me doy largas, afirmando que estoy todavía «pensando» acerca de la situación. Esto es lo contrario a vivir de manera consciente. A un nivel fundamental es una evitación de la consciencia: evitación del significado de lo que estoy haciendo; evitación de mis motivos; evitación de mi incesante crueldad.

## Posibles equívocos

Permítaseme anticipar y examinar algunos posibles equívocos en la aplicación del principio de vivir de manera consciente.

1. Por su misma naturaleza, el aprendizaje humano automatiza los conocimientos y aptitudes nuevos, como hablar un lenguaje o conducir un automóvil, de manera que no necesitemos el nivel de consciencia explícita que fue necesario durante la etapa de aprendizaje. Una vez se consigue el dominio, estos conocimientos o aptitudes se suman al repertorio acumulado del subconsciente, liberando así la mente consciente para lo nuevo y desconocido. El vivir de manera consciente no significa que mantengamos una consciencia explícita de todo lo que hemos aprendido, lo cual no sería ni posible ni deseable.

2. El actuar de manera consciente —tener un enfoque mental adecuado— no significa que llevemos a cabo algún tipo de solución de problemas

en cada momento de nuestra vida consciente. Podemos optar por meditar, por ejemplo, vaciando nuestra mente de todo pensamiento para estar abiertos a nuevas posibilidades de relajación, rejuvenecimiento, creatividad, intuición o a alguna forma de transcendencia. Ésta puede ser una actividad mental totalmente adecuada —de hecho, en algunos contextos, una actividad muy deseable—. Y por supuesto hay otras alternativas para la solución de problemas, como la ensoñación creativa o el abandono al juego físico o a la sensación erótica. En cuestiones relativas al funcionamiento mental, *el contexto determina la idoneidad*. Obrar de manera consciente no significa estar siempre en el mismo estado mental *sino más bien estar en el estado adecuado a lo que estoy haciendo*. Por ejemplo si estoy dando volteretas en el suelo con un niño, obviamente mi estado mental será muy diferente al de cuando estoy trabajando en un libro. Pero el que estoy obrando de manera consciente se manifestará en el hecho de que por muy insensatamente lúdico que pueda llegar a estar, parte de mi mente está controlando la situación para asegurar que el niño está a salvo de todo riesgo. Si, en cambio, olvido el hecho de que estoy jugando demasiado fuerte y haciendo daño al niño, mi nivel de consciencia es inadecuado a la situación. Lo decisivo es que la cuestión de la idoneidad de mi estado de consciencia sólo puede determinarse en relación a mis propósitos. No existe un estado «correcto» o «incorrecto» en un vacío.

3.  Dado el incontable número de cosas de nuestro mundo del que es teóricamente posible ser consciente, está claro que la consciencia supone un proceso de selección. Al optar por asistir aquí, implícitamente opto por no acudir a otro lugar al menos en este momento. Al estar sentado en mi ordenador y escribir este libro, estoy relativamente al margen del resto de mi entorno. Si cambio mi centro de atención, paso a ser consciente del sonido de los automóviles que pasan, del sonido de un niño que grita y de un perro que ladra. En otro momento mi consciencia se sustraerá a todos estos estímulos y mi mente estará absorta en las palabras que aparecen en la pantalla de mi ordenador y en las palabras que se forman en mi mente. Mi propósito y mis valores determinan la norma de selección.

Cuando estoy escribiendo, a menudo me encuentro en un estado de tanta concentración que se parece a un estado de trance; está en funcionamiento un implacable proceso de selección, pero en ese contexto yo diría que estoy actuando a un alto nivel de consciencia. Sin embargo, si, sin cambiar de estado, mientras sigo ocupado en mis pensamientos y ajeno a mi entorno exterior, tuviese que conducir mi automóvil, podría acusárseme de actuar a un nivel de consciencia peligrosamente bajo porque no me había adaptado al cambio de contexto y propósito. Digámoslo una vez más: sólo el contexto puede determinar qué estado mental es adecuado.

## Ser responsable hacia la realidad

El vivir conscientemente implica un respeto hacia los hechos de la realidad. Esto significa tanto los hechos de nuestro mundo interior (necesidades, deseos, emociones) como del mundo exterior. Esto está en contraste con esa falta de respeto a la realidad implícita en una actitud como la expresada en esta frase: «Si no decido verlo o reconocerlo, no existe».

*Cuando vivimos de manera consciente no imaginamos que nuestros sentimientos son una guía infalible a la verdad.*

El vivir de manera consciente es vivir *siendo responsable hacia la realidad*. No es necesario que nos tenga que gustar lo que vemos, pero reconocemos que lo que existe, existe, y que lo que no existe, no existe. Los deseos, o temores, o negaciones no modifican los hechos. Si deseo un traje nuevo pero necesito el dinero para el alquiler, mi deseo no transforma la realidad y vuelve racional la compra. Si temo una operación que mi médico me asegura que es necesaria para salvarme la vida, mi miedo no significa que vaya a vivir igualmente bien sin la operación. Si un enunciado es verdadero, mi negación de él no lo convertirá en falso.

Así pues, cuando vivimos de manera consciente no confundimos lo subjetivo con lo objetivo. No imaginamos que nuestros sentimientos son una guía infalible a la verdad. Sin duda podemos aprender de nuestros sentimientos, y éstos pueden apuntarnos incluso en la dirección de hechos importantes. Pero esto supondrá reflexión y comprobación de la realidad, y supone el concurso de la razón.

Una vez entendido esto, veamos más de cerca en qué consiste la práctica de vivir de manera consciente.


## Los aspectos concretos del vivir de manera consciente

Vivir de manera consciente supone:

Una mente que está activa en vez de pasiva.

Una inteligencia que goza de su propio ejercicio.

Estar «en el momento» sin desatender el contexto más amplio.

Salir al encuentro de los hechos importantes en vez de rehuirlos.

91

Preocuparse de distinguir los hechos de las interpretaciones y de las emociones.

Percibir y enfrentarme a mis impulsos para evitar o negar las realidades dolorosas o amenazantes.

Interesarse por conocer «dónde estoy» en relación a mis diversas metas y proyectos (tanto personales como profesionales) y a si estoy triunfando o fracasando.

Interesarse por conocer si mis acciones están en sintonía con mis propósitos.

Buscar la retroalimentación del entorno para adaptar o corregir mi camino cuando es necesario.

Perseverar en el intento de comprender a pesar de las dificultades.

Ser receptivo a los conocimientos nuevos y estar dispuesto a reexaminar las antiguas suposiciones.

Estar dispuesto a ver y a corregir los errores.

Intentar siempre ampliar la consciencia —*un compromiso en aprender*—; por lo tanto, un compromiso con el crecimiento como forma de vida.

Interesarse por comprender el mundo que nos rodea.

Interesarse por conocer no sólo la realidad exterior sino también la realidad interior, la realidad de mis necesidades, sentimientos, aspiraciones y motivos, de manera que no sea un extraño o un misterio para mí mismo.

Preocuparme de ser consciente de los valores que me mueven y guían, así como de su raíz, de forma que no esté gobernado por valores que he adoptado de manera irracional o he aceptado acríticamente de los demás.

Examinemos cada uno de esos aspectos por orden.

*Una mente que está activa en vez de pasiva*. Éste es el acto más importante de la autoafirmación: la elección de pensar, de buscar la consciencia, la comprensión, el conocimiento y la claridad.

Está implícita en esta orientación otra virtud de la autoestima, la de la responsabilidad por uno mismo. Como yo soy responsable de mi vida y de mi felicidad, decido ser consciente y estar guiado por la comprensión más clara de que soy capaz. No caigo en la fantasía de que otra persona puede ahorrarme la necesidad de pensar o tomar decisiones por mí.

*Una inteligencia que goza de su propio ejercicio*. La inclinación natural de un niño es obtener placer mediante el uso de la mente no menos que el uso del cuerpo. La tarea primaria del niño es aprender. También es su entretenimiento principal. El mantener esa orientación en la edad adulta, de modo que la consciencia no sea una carga sino una alegría, es la característica de un ser humano desarrollado con éxito.

Por supuesto, en cuanto adultos no podemos *optar* por sentir placer en la afirmación de la consciencia si por una u otra razón la asociamos con el miedo, el dolor o con un esfuerzo agotador. Pero quien ha perseverado, superado estas barreras y aprendido a vivir de manera más consciente dirá que ese aprendizaje pasa a ser cada vez más una fuente de satisfacción mayor.

*Estar «en el momento» sin desatender el contexto más amplio.* La idea de vivir de manera consciente lleva implícita la de estar *presente* a lo que uno hace. Si estoy escuchando la queja de un cliente, hay que estar *presente* a esa experiencia. Si estoy jugando con mi hijo, hay que estar *presente* a esa actividad. Si estoy trabajando con un cliente de psicoterapia, hay que estar con el cliente y no en otro lugar. Se trata de *hacer lo que estoy haciendo mientras lo estoy haciendo.*

Esto no quiere decir que mi consciencia se reduzca sólo a la experiencia sensorial inmediata, desvinculada del contexto más amplio de mi conocimiento. Si no puedo permanecer vinculado a ese contexto más amplio, mi consciencia se empobrece. Deseo estar *en* el momento pero no *atrapado* en el momento. Éste es el equilibrio que me permite estar en la disposición más rica en recursos.

*Salir al encuentro de los hechos importantes en vez de rehuirlos.* Lo que determina la «relevancia» son mis necesidades, deseos, valores, metas y acciones. ¿Estoy atento y soy curioso a cualquier información que pueda hacerme modificar mi camino o corregir mis supuestos, o bien parto de la premisa de que no tengo nada nuevo que aprender? ¿Busco continuamente nuevos datos de manera activa que puedan ser de utilidad o bien cierro mis ojos a ellos cuando se presentan? No tenemos que preguntarnos qué opción es más capacitadora.

*Preocuparse de distinguir los hechos de las interpretaciones y de las emociones.* Te *veo* con el ceño fruncido; *interpreto* que esto significa que estás enfadado conmigo; *siento* daño, me pongo a la defensiva o me siento tratado injustamente. En realidad mi interpretación puede ser correcta o incorrecta. Puedo estar acertado o no acertado en la forma de sentir con la que respondo. En cualquier caso, aquí concurren procesos independientes y diferenciados. Si no soy consciente de ello, tiendo a considerar mis sentimientos como la voz de la realidad, lo cual puede conducirme al desastre.

*Siempre debe considerarse el miedo y el dolor como señales para no cerrar los ojos sino para abrirlos más.*

O también, *oigo* que los médicos están debatiendo un problema que consideran insuperable (supongamos que así es); yo *interpreto* que esto significa que la razón y la ciencia han fracasado; me *siento* descorazonado y trastornado, o bien lleno de júbilo y triunfante (en función de mis restantes creencias filosóficas). En realidad, todo lo que está probado es que los médicos dicen que no salen del problema. El resto es lo que mi mente agrega, que puede ser racional o irracional, pero que en cualquier caso dice más sobre mí que sobre la realidad exterior.

Para vivir de manera consciente tengo que ser sensible a estas distinciones. Lo que yo percibo, lo que interpreto que algo significa y cómo me siento en relación a ello son tres cuestiones independientes. Si no distingo entre ellas, mi arraigo en la realidad pierde pie. Lo que significa que pierde pie mi eficacia personal.

*Percibir y enfrentarme a mis impulsos para evitar o negar las realidades dolorosas o amenazantes*. Nada es más natural que evitar lo que suscita temor o dolor. Como esto incluye hechos que nuestro interés personal nos exige afrontar y considerar, podemos tener que superar los impulsos de evitación. Pero esto exige tener consciencia de estos impulsos. Lo que necesitamos entonces es una orientación del autoexamen y de la consciencia de nosotros mismos, de la consciencia dirigida tanto hacia el interior como hacia el exterior. El vivir de manera consciente consiste en parte en prevenirse contra el impulso de la inconsciencia, a veces seductor; esto nos exige la más implacable sinceridad de que seamos capaces. El temor y el dolor deben considerarse señales para no cerrar los ojos sino para abrirlos más, no para desviar la mirada sino para mirar más atentamente. Esta tarea está lejos de ser fácil o de no suponer esfuerzo. No es realista imaginar que siempre vamos a ejecutarla perfectamente. Pero las personas tienen grandes diferencias en lo que respecta a la sinceridad de sus intenciones; y los grados son importantes. La autoestima no pide un éxito impecable sino la *intención* más seria de ser conscientes.

*Interesarse por conocer «dónde estoy» en relación a mis diversas metas y proyectos (tanto personales como profesionales), y a si estoy triunfando o fracasando*. Si una de mis metas es tener un matrimonio exitoso y satisfactorio, ¿cuál es el estado actual de mi matrimonio? ¿Lo sé? ¿Responderíamos de la misma manera mi pareja y yo? ¿Estamos mi pareja y yo felices el uno con el otro? ¿Tenemos frustraciones y problemas sin resolver? Si es así, ¿qué es lo que hago al respecto? ¿Tengo algún plan de acción, o meramente espero que las cosas mejorarán «de algún modo»? Si una de mis aspiraciones es tener un día mi propio negocio, ¿qué estoy haciendo para ello? ¿Estoy más cerca de esa meta que hace un mes o un año? ¿Estoy aplicado a ella o no? Si una de mis ambiciones es ser un escritor profesional, ¿dónde me encuentro en la actualidad en relación a la posibilidad de colmar esa ambición? ¿Qué estoy haciendo para materializarla? ¿Voy a estar más cerca de cumplirla el próximo año que este año? Si es así, ¿por qué? ¿Estoy aportando a mis proyectos toda la consciencia que necesito?

*Interesarse por conocer si mis acciones están en sintonía con mis propósitos.* Ésta es una cuestión estrechamente vinculada con la anterior. En ocasiones ha habido una gran falta de congruencia entre las que consideramos nuestras metas o propósitos y la manera de invertir nuestro tiempo y energías. Aquello que decimos que más nos interesa puede ser objeto de muy poca atención por nuestra parte, mientras que aquello que decimos nos importa mucho menos recibe mucha más atención. Así pues, el vivir conscientemente supone controlar nuestras acciones en relación a nuestras metas, buscar pruebas de sintonía o desacuerdo. Si existe un desacuerdo, será preciso reformular o bien nuestras acciones o bien nuestras metas.

*Buscar la retroalimentación del entorno para adaptar o corregir mi camino cuando es necesario.* Cuando un piloto vuela desde Los Ángeles a Nueva York, siempre se separa ligeramente de su camino. Esta información, denominada retroalimentación, se retransmite por medio de los instrumentos a fin de que se realicen continuos ajustes para mantener el avión en la trayectoria correcta. En la conducción de nuestra vida y la prosecución de nuestras metas no podemos fijar con seguridad nuestro curso una vez y permanecer ciegos después. Siempre hay una posibilidad de que la información nueva exija un ajuste de nuestros planes e intenciones.

*Un directivo de empresa que actúa con un alto nivel de consciencia hace planes para el mercado del mañana.*

Si dirigimos un negocio, quizá tengamos que revisar nuestra estrategia publicitaria. Quizás el directivo en quien confiamos se muestra incapaz de cumplir la labor. Quizás el producto que parecía una idea brillante cuando se concibió por vez primera ha quedado obsoleto frente al de la competencia. Quizá la aparición súbita de nuevos competidores de otros países nos obliga a repensar nuestra estrategia global. Quizá los cambios recientes de la demografía tengan implicaciones futuras para nuestro negocio que tenemos que examinar ahora y relacionar a nuestras actuales proyecciones. La rapidez con que percibimos estos hechos y respondemos adecuadamente tiene mucho que ver con el nivel de consciencia con que actuamos.

Un directivo que opera con un alto nivel de consciencia hace planes para el mercado del mañana; un directivo que opera a un nivel más modesto piensa en términos del mercado actual; un directivo que opera a un bajo nivel puede no percibir que aún está pensando en términos de ayer.

A nivel más personal, supongamos que me gustarían algunas nuevas conductas de mi cónyuge. Llevo a cabo determinadas acciones orientadas a producir estos cambios. ¿Persevero en estas acciones sin percibir si producen el resultado deseado? ¿Tenemos mi cónyuge y yo mil veces la misma conversación? O bien, si veo que no funciona lo que estoy haciendo, ¿intento *alguna otra cosa*? En otras palabras, ¿opero *de forma mecánica* o bien *de manera consciente*?

***Perseverar en el intento de comprender a pesar de las dificultades***. En mi búsqueda de la comprensión y el dominio a veces encuentro dificultades. Cuando esto sucede, tengo una alternativa: perseverar o abandonar. Los estudiantes se enfrentan a esta alternativa en sus estudios escolares. Los científicos se enfrentan a ella cuando luchan con problemas de investigación. Los ejecutivos se enfrentan a ella en los mil retos de los negocios de cada día. Todo el mundo se enfrenta a ella en las relaciones personales.

Si perseveramos en la voluntad de ser eficaces pero parece que estamos ante un obstáculo que no podemos superar, podemos tomar una pausa o ensayar un enfoque nuevo, pero no entregarnos a la desesperación o resignarnos a la derrota. En cambio, si abandonamos, nos retiramos, adoptamos una actitud pasiva o lo intentamos una y otra vez sin un propósito consciente, reducimos el nivel de nuestra consciencia para evitar el dolor y la frustración asociados a nuestros esfuerzos. El mundo pertenece a quienes perseveran. Recuerdo una anécdota que se cuenta acerca de Winston Churchill. Le invitaron a pronunciar una conferencia en una fiesta de graduación académica y los estudiantes esperaron expectantes la elogiosa introducción que tuvo, ansiosos por conocer lo que iba a decir este personaje. Finalmente, Churchill se puso en pie, miró a la clase y exclamó: «¡Nunca, nunca, nunca, nunca, nunca, nunca, nunca abandonéis!». Y a continuación se sentó.

Por supuesto, en ocasiones podemos optar racionalmente por interrumpir nuestros esfuerzos de comprender o dominar algo porque, en el contexto de nuestros otros valores e inquietudes, no está justificado un gasto adicional de tiempo, energía y recursos. Pero ésta es una cuestión diferente y al margen de nuestro tema presente, y no tenemos más que señalar que la decisión de abandonar debe ser *consciente*.

*Ser receptivo a los conocimientos nuevos y estar dispuesto a reexaminar las antiguas suposiciones*. No estamos operando a un alto nivel de consciencia si estamos totalmente absortos en lo que creemos que ya sabemos y no nos interesa o somos insensibles a la información nueva que pueda afectar a nuestras ideas y convicciones. Semejante actitud excluye la posibilidad de crecimiento.

La alternativa no consiste en poner en duda todo lo que pensamos, sino más bien mantener una actitud abierta a las experiencias y conocimientos nuevos, porque incluso cuando no estamos equivocados al principio, incluso cuando nuestras premisas iniciales son válidas, siempre son posibles nuevas aclaraciones, modificaciones y mejoras de comprensión. Y en ocasiones nuestras premisas *son* erróneas y tienen que ser revisadas. Esto nos lleva al siguiente aspecto.

*Estar dispuesto a ver y a corregir los errores*. Una vez aceptamos como verdaderas determinadas ideas o premisas, casi es inevitable que con el tiempo nos apeguemos a ellas. El peligro entonces es el de que podemos no desear reconocer la evidencia de que estamos equivocados.

Se dice de Charles Darwin que cada vez que encontraba un hecho que parecía ir en contra de su teoría de la evolución, lo ponía inmediatamente por escrito porque no confiaba en su memoria para retenerlo.

El vivir de una manera consciente implica una primera lealtad hacia la verdad, y no a darse siempre la razón. Todos nosotros nos equivocamos alguna vez, todos cometemos errores, pero si hemos vinculado nuestra autoestima (o nuestra pseudoautoestima) a estar por encima del error, o si nos hemos apegado en exceso a nuestras posiciones, estamos obligados a retraer la consciencia en una autoprotección impropia. El encontrar humillante admitir un error es un signo seguro de deficiente autoestima.

*Intentar siempre ampliar la consciencia —un compromiso en aprender—; por lo tanto, un compromiso con el crecimiento como forma de vida*. En la segunda mitad del siglo XIX, el director de la Oficina de Patentes de los Estados Unidos anunció: «Se ha inventado todo lo importante que puede inventarse». Éste fue el punto de vista dominante durante casi toda la historia de la humanidad. Hasta fecha muy reciente, a lo largo de los centenares de milenios en que el *Homo sapiens* ha habitado en el planeta, las personas han concebido la existencia como un proceso esencialmente invariable. Creían que ya se tenía todo el conocimiento posible para los humanos. La idea de vida humana como un proceso de tránsito del conocimiento a conocimientos nuevos, de un descubrimiento a otro —y, más aún, de la rápida sucesión de un hito científico y tecnológico tras otro a una velocidad desorientadora— tiene sólo una mínima antigüedad, medida en el tiempo de la evolución. En comparación con todos los siglos que nos preceden, vivimos en una época en que la totalidad del conocimiento humano *se duplica aproximadamente cada diez años*.

Sólo un compromiso de aprender durante toda la vida puede permitirnos mantenernos adaptados a nuestro mundo. Quienes creen que han «reflexionado lo suficiente» y «aprendido lo suficiente» se encuentran en una trayectoria descendente de inconsciencia cada vez mayor. Un simple ejemplo es la resistencia de muchas personas a familiarizarse con los ordenadores. Recuerdo a un vicepresidente de una empresa de cambio y bolsa que me dijo: «El haber tenido que aprender a utilizar un ordenador fue devastador para mi autoestima. Yo no *quería* aprender. Pero no tuve elección, era necesario. Pero ¡menuda batalla!».

*Encontrar humillante admitir un error es un signo seguro de deficiente autoestima.*

*Interesarse por comprender el mundo que nos rodea*. A todos nosotros nos afecta, quizá más de lo que podemos conocer, el mundo en que vivimos tanto a nivel físico, cultural, social, económico como político. El entorno físico tiene consecuencias para nuestra salud. El entorno cultural afecta a nuestras actitudes, valores y al placer que obtenemos (o no obtenemos) en lo que vemos, oímos y leemos. El entorno social puede tener una influencia en la serenidad o agitación de nuestra vida. Los factores económicos afectan a nuestro nivel de vida. Los factores políticos afectan al nivel de nuestra libertad y a la medida de nuestro control de nuestras vidas. Algunos añadirían a esta lista de los elementos importantes de nuestro contexto la dimensión cósmica, religiosa o espiritual, se interprete como se interprete esas palabras. En cualquier caso, esta lista es sin duda una simplificación excesiva y se ofrece únicamente para apuntar en una dirección.

El permanecer inconsciente ante estas fuerzas, imaginar que actuamos en el vacío, es verdaderamente vivir como un sonámbulo. El vivir conscientemente supone un deseo de comprender nuestro contexto global.

Obviamente una persona de gran inteligencia con una disposición filosófica puede llevar más lejos este interés que una persona de intelecto más limitado. Pero incluso entre personas de facultades modestas podemos encontrar diferencias en el nivel de interés en relación a estos asuntos: diferencias de curiosidad, reflexión, consciencia en que hay algo acerca de lo cual pensar. Y una vez más, como no somos ni omniscientes ni infalibles, lo que tiene más importancia son nuestras intenciones y su expresión en nuestros actos.

*Interesarse por conocer no sólo la realidad exterior sino también la realidad interior, la realidad de mis necesidades, sentimientos, aspiraciones y motivos, de manera que no sea un extraño o un misterio para mí mismo.* En el curso de mi trabajo como psicoterapeuta he conocido a muchas personas que están orgullosas de su conocimiento del universo, desde la física a la filosofía política, a la estética o a la información más reciente sobre Saturno o a las enseñanzas de budismo-zen y que, sin embargo, están ciegas a la acción del universo privado en su interior. El penoso carácter de su vida personal es un monumento a la magnitud de su inconsciencia relativa al mundo interior de sí mismos. Niegan y desmienten sus necesidades, racionalizan sus emociones, intelectualizan (o bien «espiritualizan») su conducta pasando de una relación insatisfactoria a otra o permaneciendo toda la vida en la misma sin hacer nada práctico por mejorarla. No vivo de manera consciente si mi consciencia la utilizo para todo excepto para comprenderme a mí mismo.

En ocasiones nuestros esfuerzos de autoexamen tropiezan con un *impasse* para cuya superación necesitamos la ayuda de un guía, maestro o psicoterapeuta. Mi centro de interés está aquí, una vez más, en una intención subyacente, en una orientación: el interés por conocer el mundo interior de necesidades, sentimientos, motivos, procesos mentales. ¿En contraste con qué? Con esa condición de extrañamiento para uno mismo y alienación de sí mismo que en diversos grados es la condición de la mayoría de las personas (y sobre la cual escribí en *The disowned self*).

Esta intención o preocupación se evidencia en preguntas tan simples como las siguientes: ¿sé lo que estoy sintiendo en un momento dado? ¿Reconozco los impulsos de los que derivan mis actos? ¿Percibo si mis sentimientos y acciones son congruentes? ¿Conozco qué necesidades o deseos puedo estar intentando satisfacer? ¿Sé lo que quiero realmente en un encuentro particular con otra persona (no lo que pienso que «debería» querer)? ¿Conozco cuál es el objeto de mi vida? ¿Estoy aceptando de manera acrítica de los demás el «programa» que estoy viviendo o bien es genuinamente objeto de mi propia elección? ¿Sé lo que estoy haciendo cuando me gusto especialmente a mí mismo y lo que estoy haciendo cuando no? Éste es el tipo de preguntas que supone un autoexamen inteligente.

### *¿Sé lo que estoy haciendo cuando me gusto especialmente a mí mismo y lo que estoy haciendo cuando no?*

Repárese en que esto es algo totalmente diferente de un mórbido ensimismamiento consistente en tomarse la temperatura emocional cada diez minutos. No estoy recomendando una preocupación obsesiva en uno mismo. Ni siquiera deseo hablar acerca de «introspección» en este contexto porque sugiere algo mucho más técnico y alejado de la experiencia de la persona normal. Prefiero hablar sobre «el arte de percibir». Percibir los sentimientos de mi cuerpo. Percibir mis emociones durante un encuentro con alguien. Percibir las pautas de mi conducta que pueden no servirme. Percibir lo que me excita y lo que me agota. Percibir si mi voz interior es verdaderamente la mía o pertenece a alguien más —quizás a mi madre—. Para percibir tengo que estar interesado. Tengo que considerar valiosa esta práctica. Tengo que creer que es valioso conocerme a mí mismo. Puedo tener que estar dispuesto a considerar hechos molestos. Tengo que convencerme de que, a largo plazo, es más lo que gano con la consciencia que con la inconsciencia.

¿Por qué necesitamos percibir los sentimientos corporales? Bien, por citar tan sólo una de las muchas posibilidades, esto sería muy útil para una persona impulsiva que prefiriese evitar un ataque de corazón y beneficiarse de los primeros signos del estrés. ¿Por qué necesitamos percibir nuestras emociones durante un encuentro con alguien? Para mejor comprender nuestras acciones y reacciones. ¿Por qué tenemos que percibir nuestras pautas de conducta? Para conocer qué acciones producen los resultados deseados y cuáles no, y descubrir qué pautas se han de cambiar. ¿Por qué tenemos que percibir lo que es excitante y lo que es agotador? Para hacer más de lo primero y menos de lo último (una corrección que en modo alguno tiene lugar de forma automática o «instintiva»). ¿Por qué merecen la pena nuestros esfuerzos por identificar las diferentes voces que nos hablan desde dentro? Para reconocer las influencias ajenas con programas de vida ajenos (por ejemplo, la voz de un padre o de una autoridad religiosa), para aprender a distinguir nuestra propia voz de todas las demás, para llevar nuestra vida como seres humanos autónomos.

*Preocuparme de ser consciente de los valores que me mueven y guían, así como de su raíz, de forma que no esté gobernado por valores que he*

100

*adoptado de manera irracional o he aceptado acríticamente de los demás.*
Este punto está muy vinculado con el anterior. Una de las formas que asume la inconsciencia es el olvido de los valores que guían nuestras acciones e incluso la indiferencia a esta cuestión. Todos nosotros sacamos en ocasiones conclusiones erróneas o irracionales de nuestra experiencia sobre cuya base podemos formar valores perjudiciales para nuestro bienestar. Todos nosotros absorbemos valores del mundo que nos rodea —de la familia, los amigos y la cultura— y estos valores no son necesariamente racionales o van en favor de nuestros intereses verdaderos; de hecho, a menudo no son así.

Un joven que ve muchos ejemplos de falta de sinceridad y de hipocresía mientras crece puede llegar a la conclusión de que «así es como opera el mundo, y debo adaptarme a él», y en consecuencia puede valorar negativamente la sinceridad y la integridad.

Un hombre puede estar socializado para identificar la valía personal con la renta; una mujer puede estar socializada para identificar la valía personal con el estatus del hombre con quien se casa.

Estos valores subvierten una autoestima sana, y casi inevitablemente producen el extrañamiento de uno mismo y decisiones trágicas en la vida. Por eso, el vivir conscientemente supone reflexionar y ponderar a la luz de la razón y de la experiencia personal los valores que determinan nuestras metas y propósitos.

### Nota sobre las adicciones

En los problemas de adicción se aprecia claramente una evitación de la consciencia. Podemos volvernos adictos al alcohol o las drogas o las relaciones destructivas, en cuyo caso la intención implícita es siempre mejorar la ansiedad y el dolor: rehuir la consciencia de nuestros sentimientos íntimos de impotencia y sufrimiento. Aquello a lo que nos hacemos adictos son tranquilizantes y sustancias anodinas. Con ello no se extinguen la ansiedad y el dolor, sino que meramente se vuelven menos conscientes. Como inevitablemente resurgen con una intensidad aún mayor, son necesarias dosis de veneno cada vez mayores para mantener contenida la consciencia.

---

*La autodestrucción es un acto que como mejor se lleva a cabo es en la oscuridad.*

---

Cuando nos volvemos adictos a los estimulantes, estamos evitando el agotamiento o la depresión que pretendemos enmascarar. Sea lo que sea lo que implica un caso particular, lo que siempre hay es una evitación de la consciencia. En ocasiones lo que se evita son las implicaciones de un estilo de vida para cuyo mantenimiento son necesarios estimulantes.

Para el adicto el enemigo es la consciencia. Si tengo razones para saber que el alcohol es peligroso para mí y sin embargo bebo, primero tengo que apagar la luz de la consciencia. Si sé que la cocaína me ha costado mis tres últimos empleos y sin embargo opto por esnifar, primero debo poner en blanco mi conocimiento, debo negarme a ver lo que veo y a saber lo que sé. Si reconozco que estoy en una relación destructora para mi dignidad, ruinosa para mi autoestima y peligrosa para mi bienestar físico, y no obstante opto por permanecer en ella, primero tengo que acallar la voz de la razón, aturdir mi cerebro y volverme funcionalmente estúpido. La autodestrucción es un acto que como mejor se lleva a cabo es en la oscuridad.

## Un ejemplo personal

Todos nosotros podemos mirar retrospectivamente a nuestra vida y pensar en las ocasiones en que no dedicamos a alguna preocupación la consciencia necesaria. Nos decimos a nosotros mismos: «¡Si lo hubiera pensado más!», o bien: «¡Si no hubiese sido tan impulsivo!», o bien: «¡Si hubiese averiguado los hechos de manera más cuidadosa!» o: «¡Si hubiese previsto un poco mejor las cosas!».

Recuerdo mi primer matrimonio, cuando tenía 22 años de edad. Recuerdo todos los signos (aparte de nuestra juventud) de que estábamos cometiendo un error: los numerosos conflictos entre nosotros, la incompatibilidad de algunos de nuestros valores, la manera en que, en lo sustancial, no éramos el uno para el otro. ¿Por qué, pues, nos casamos? Por nuestro común compromiso en determinadas ideas e ideales. Por atracción sexual. Porque yo quería desesperadamente tener a una mujer en mi vida. Porque ella fue la primera persona de la cual no me sentí enajenado y no tenía confianza en que pudiera surgir otra. Porque imaginé ingenuamente que el matrimonio podía resolver todos los problemas entre nosotros. Sin duda había «razones».

Con todo, si alguien me hubiese dicho (o si de algún modo yo me hubiese dicho a mí mismo): «Si aportases un mayor nivel de consciencia a tu relación con Barbara, y lo hicieses constantemente, un día tras otro, ¿qué supones que sucedería?». Tengo que preguntarme qué podría haber tenido que afrontar y dominar. Para una mente receptiva una pregunta tan simple como provocadora puede tener una potencia asombrosa.

El hecho es que no examiné ni los sentimientos que me llevaban al matrimonio ni los sentimientos que señalaban peligro. No me enfrenté a preguntas lógicas y obvias: ¿por qué casarnos *ahora*? ¿Por qué no esperar hasta que se resuelvan las diferencias entre nosotros? Y por no haber hecho esto mi autoestima sufrió una sutil herida —alguna parte de mí sabía que estaba evitando la consciencia— aunque habrían de pasar muchos años hasta comprenderlo plenamente.

Hay un ejercicio que yo presento hoy a mis clientes de terapia que desearía haber practicado entonces. El curso de mi vida durante la década siguiente más o menos habría sido diferente. Más adelante presento este ejercicio y otros semejantes, pero por el momento quiero decir algo. Si durante dos semanas me hubiese sentado cada mañana en mi despacho y hubiese escrito la siguiente frase incompleta en mi cuaderno: «Si aporto un mayor nivel de consciencia a mi relación con Barbara» y entonces hubiese escrito de seis a diez finales lo más rápidamente posible, sin ensayos, censuras, planificación o «pensamiento», habría cobrado cada vez más consciencia, tenido más claridad y conocido el carácter inevitable de todas las profundas reservas que tenía sobre esta relación así como de mi proceso de evitación y negación.

He ofrecido este ejercicio a clientes que están confusos o tienen conflicto sobre alguna relación, y casi siempre el resultado es una aclaración importante. En ocasiones la relación mejora radicalmente; en ocasiones termina.

Si hubiese sabido utilizar esta técnica, habría tenido que afrontar el hecho de que me impulsaba más la soledad que la admiración. Si Barbara hubiese llevado a cabo un ejercicio similar, se habría dado cuenta de que no era más racional que yo en lo que nos disponíamos a hacer. Ahora sólo puedo hacer especulaciones sobre si hubiésemos tenido el valor y la sabiduría para permanecer a este superior nivel de consciencia. El que uno se despierte en una ocasión no garantiza que vaya a permanecer despierto. Sin embargo, a juzgar por la experiencia de mis clientes, nos hubiera sido extraordinariamente difícil persistir ciegamente en nuestro camino porque ya no habríamos estado ciegos, y el abrir una puerta despeja el camino para abrir luego otra y otra.

## La consciencia y el cuerpo

Fue mérito de Wilhelm Reich introducir el cuerpo en la psicoterapia; en otras palabras, hacer a los clínicos conscientes de que cuando están bloqueadas y reprimidas las emociones y sentimientos, el proceso de implementación es físico: la respiración está contenida y los músculos contraídos. Cuando esto sucede una y otra vez, los bloqueos pasan a formar parte de la estructura del cuerpo —«la armazón del cuerpo» en expresión de Reich— y se somatiza lo que empezó siendo psicológico. La respiración puede ser débil de manera tan habitual y estar tan poco contraídos los músculos que el flujo de sentimientos está obstruido y la consciencia mermada en consecuencia. Cuando el terapeuta orgánico actúa para despejar la respiración y abrir las áreas de contracción muscular, la persona *siente* más *y está más consciente*. La labor sobre el organismo puede liberar un bloqueo de consciencia.

Esto vale para todas las escuelas de trabajo sobre el organismo que han ido más allá de Reich a una comprensión más avanzada de la interacción entre la psique y el soma. El liberar el organismo contribuye a liberar la mente.

A comienzos de los años setenta participé en un programa de «rolfing» (que toma su nombre de su fundadora Ida Rolf), conocido en términos formales como «Interacción estructural». Este proceso consiste en un masaje profundo y manipulación de los haces musculares para realinear el cuerpo en una relación más adecuada con la gravedad, para corregir los desequilibrios provocados por las contracciones musculares y abrir las áreas de sentimientos y energías bloqueados.

Me fascinó la respuesta de mis clientes. Muchos afirmaron experimentar cambios, semana tras semana: yo me volví cada vez más sensible y perceptivo en mi trabajo. A medida que mi cuerpo parecía abrírseme y volverse de algún modo más «accesible», constaté que podía «leer» con mayor pericia el cuerpo de los demás. Veía cómo se sentaba, ponía en pie o movía un cliente y al instante sabía mucho sobre su vida interior. Espontáneamente desarrollé un nivel de consciencia superior en mi trabajo mediante un proceso que comenzó con una mayor consciencia de mi propio cuerpo.

Cuando comuniqué estos hallazgos entusiasmado a la persona que dirigía mi rolfing, me dijo que no todos tenían esa experiencia y que no era resultado sólo del rolfing, sino también del alto nivel de consciencia con el que había participado en el proceso. «Es como la psicoterapia», dijo, «los clientes que aportan un alto nivel de consciencia a esta labor rinden mejor que los clientes más pasivos, que no hacen más que permanecer pasivos a la expectativa y confiar en que el terapeuta lo haga todo.»

Lo que quiero decir es que si nos ponemos por meta actuar con un alto nivel de consciencia, un cuerpo blindado contra los sentimientos constituye un serio obstáculo.


## La conclusión de frases para facilitar el arte de vivir de manera consciente

La labor de completar frases es un instrumento engañosamente simple pero extraordinariamente poderoso para elevar la comprensión de uno mismo, la autoestima y la eficacia personal. Se basa en la premisa de que todos nosotros tenemos más conocimiento del que normalmente somos conscientes, más sabiduría de la que utilizamos, un mayor potencial del que mostramos en nuestro comportamiento. El completar frases es un instrumento para acceder y activar estos «recursos ocultos».

El ejercicio de completar frases puede utilizarse de muchas maneras. Aquí voy a describir una manera que considero especialmente eficaz.

En esencia este procedimiento consiste en escribir una frase incompleta, un principio de oración, y empezar a agregar diferentes terminaciones con el único requisito de que cada final complete gramaticalmente la oración. Deseamos como mínimo seis terminaciones.

Debe trabajarse lo más rápidamente posible —sin pausas para «pensar»—, inventar si nos quedamos helados, sin preocuparnos de si un final particular es verdadero, razonable o significativo. *Cualquier* terminación vale, *lo único que hay que hacer es dejarlas fluir.*

Cuando se completan las frases de este modo trabajamos con un cuaderno, una máquina de escribir o un ordenador. (Una alternativa aceptable es completar las frases con un magnetofón, en cuyo caso lo que hay que hacer es repetir una y otra vez el tronco de la frase en la grabadora, completándolo cada vez con un final diferente. Posteriormente se reproduce lo dictado para reflexionar sobre ello.)

La labor de completar frases puede utilizarse para fines muy diferentes. En este libro examinaremos algunos de ellos. Por ahora centrémonos en esta cuestión: ¿cómo podemos utilizar esta técnica para facilitar el proceso de aprender a vivir de manera más consciente?

Al comienzo de la mañana, antes de hacer nuestro trabajo, sentémonos y escribamos el siguiente tronco de oración:

**Vivir de manera consciente significa para mí—**

A continuación, y lo más rápidamente posible, sin hacer ninguna pausa para reflexionar, escríbanse tantos finales para esa oración como se pueda en dos o tres minutos (nunca menos de seis, pero basta con diez). No se preocupe si sus terminaciones son literalmente verdaderas, tienen sentido o son «profundas». Escriba *cualquier cosa*, pero escriba *algo*.

A continuación pase al siguiente tronco de oración:

**Si aporto un 5 % más de consciencia a mis actividades de hoy—**

(¿Por qué sólo un 5 %? Avancemos en «bocados» pequeños, no atemorizadores. Además, ¡la mayoría de las veces un 5 % es muchísimo!)

A continuación:

**Si presto más atención hoy a mi manera de relacionarme con las personas—**

A continuación:

**Si aporto un 5 % más de consciencia a mis relaciones más importantes—**

A continuación:

**Si aporto un 5 % más de consciencia a (indique un problema particular que le preocupa; por ejemplo, su relación con alguien, o un obstáculo que tiene en el trabajo, o sus sentimientos de ansiedad o depresión)—**

Cuando haya terminado, dedíquese a sus labores cotidianas.

Al final del día, y como la última tarea antes de cenar, escriba de seis a diez finales para cada uno de los siguientes troncos:

**Cuando reflexiono sobre cómo me sentiría si viviese de manera más consciente—**

**Cuando reflexiono sobre lo que sucede cuando aporto un 5 % más de consciencia a mis actividades—**

**Cuando reflexiono sobre lo que sucede cuando aporto un 5 % más de consciencia a mis relaciones más importantes—**

**Cuando reflexiono sobre lo que sucede cuando aporto un 5 % más de consciencia a (el objeto que ha indicado antes)—**

Practique este ejercicio cada día, de lunes a viernes durante la primera semana.

No lea lo que ha escrito el día anterior. Obviamente serán muchas las repeticiones. Pero también surgirán inevitablemente finales nuevos. Está usted cargando de energía toda su psique para que trabaje por usted.

Cada fin de semana vuelva a leer lo que ha escrito durante la semana, y luego escriba un mínimo de seis terminaciones a este tronco de frase:

**Si es verdad cualquiera de las cosas que he escrito esta semana, sería útil que—**

Al realizar esta labor, lo ideal es vaciar nuestra mente de todas las expectativas relativas a lo que sucederá o a lo que se «supone» va a suceder. No imponga exigencia alguna a la situación. Intente vaciar su mente de expectativas. Realice el ejercicio, dedíquese a sus actividades cotidianas y simplemente perciba las diferencias en su manera de sentirse o de comportarse. Constatará que ha puesto en movimiento fuerzas que hacen que sea prácticamente imposible dejar de actuar de manera más consciente.

Una sesión normal no debería durar más de diez minutos. Si dura mucho más, está «pensando» (ensayando, calculando) demasiado.

Repare en que el segundo grupo de troncos de oración del día tiene que ver con el trabajo de la mañana. Denomino a éste el enfoque de «fin de libro» al ejercicio de completar frases. El saber que esos troncos han de completarse en un momento posterior del día aumenta la motivación para ser más conscientes a lo largo del día.

Esta técnica puede considerarse un procedimiento de aprender a dirigir nuestra atención en términos más generales, a gestionar las actividades «espontáneas» de la mente. Hay una disciplina para mantener una buena autoestima. Y la base es la disciplina de la propia consciencia. Esto es lo que esta técnica pretende facilitar y apoyar.

Una vez que ha trabajado con los troncos de frase citados durante, por ejemplo, dos semanas, adquirirá una idea de cómo funciona el procedimiento. Entonces puede empezar a utilizar otros troncos que le ayuden a elevar su consciencia en relación a cuestiones de interés particular. Por ejemplo:

**Si aporto un 5 % más de consciencia cuando estoy mentalmente activo y cuando estoy mentalmente pasivo, puedo ver que—**

(Tronco de frase de la tarde: **Cuando veo lo que sucede cuando yo... etc.**)

**Si aporto un 5 % más de consciencia a mi relación con (indique un nombre)—**

**Si aporto un 5 % más de consciencia a mis inseguridades—**

**Si aporto un 5 % más de consciencia a mi depresión—**

**Si aporto un 5 % más de consciencia a mi preocupación por (rellenar)—**

**Si aporto un 5 % más de consciencia a mis impulsos de evitar los hechos desagradables—**

**Si aporto un 5 % más de consciencia a mis necesidades y deseos—**

**Si aporto un 5 % más de consciencia a mis valores y metas más profundos—**

**Si aporto un 5 % más de consciencia a mis emociones—**

**Si aporto un 5 % más de consciencia a mis prioridades—**

**Si aporto un 5 % más de consciencia a la manera en que a veces me empeño en la mía—**

**Si aporto un 5 % más de consciencia al resultado de mis acciones—**

**Si aporto un 5 % más de consciencia a la manera en que en ocasiones hago difícil que las personas me den lo que deseo—**

Algunos troncos de oración orientados a la profesión:

**Si aporto un 5 % más de consciencia a lo que mi trabajo me exige—**

**Si aporto un 5 % más de consciencia a lo que sé acerca de cómo se comporta un directivo eficaz—**

**Si aporto un 5 % más de consciencia a lo que sé sobre cómo vender—**

**Si aporto un 5 % más de consciencia a lo que sé sobre la forma correcta de delegar—**

Algunos troncos de oración para analizar la «resistencia»:
**Si me imagino aportando más consciencia a mi vida—**
**Lo que me asusta de ser más consciente puede ser—**
**Si aporto un 5 % más de consciencia a mi miedo a actuar de manera**
**más consciente—**

Creo que esto basta para dejar claro que las posibilidades son casi inagotables. En cada uno de los ejemplos citados, es obvio el tronco correspondiente a la tarde.

Además de mi práctica psicoterapéutica, utilizo semanalmente grupos estables de autoestima en los que continuamente se comprueban muchas de las estrategias para la edificación de la autoestima. Las tareas para casa que utilizan ejercicios como los citados han mostrado ser de gran utilidad para generar de manera tranquila y suave posibilidades de cambio. Nadie ha realizado nunca este «ejercicio de consciencia» particular durante uno o dos meses sin comunicar (y dar signos de) haber actuado a un nivel de consciencia superior en su vida cotidiana. El ejercicio es una inyección de adrenalina a la psique.

## Un reto

El vivir de manera consciente es tanto una práctica como una actitud mental, una orientación hacia la vida. Sin duda se dispone a lo largo de un continuo. Nadie vive de manera totalmente inconsciente. Nadie es incapaz de expandir su consciencia.

Si reflexionamos sobre el particular, constataremos que tendemos a ser más conscientes en algunas áreas de nuestra vida que en otras. He trabajado con atletas y bailarines que tienen una refinada consciencia de los más leves matices de su organismo, en lo que respecta a nervios, músculos y flujo de sangre y que sin embargo son poco conscientes del significado de muchas de sus emociones. Todos conocemos a personas muy conscientes en el ámbito del trabajo y que son una catástrofe de inconsciencia en sus relaciones personales.

---

*Tendemos a ser más conscientes en algunos ámbitos de nuestra*
*vida que en otros.*

---

Normalmente son bastante obvias las maneras en que conocemos qué ámbito de nuestra vida necesita más consciencia. Fijémonos en el ámbito en que nuestra vida funciona de manera menos satisfactoria. Constatamos dónde están los males y frustraciones. Observamos dónde nos sentimos menos eficaces. Si estamos dispuestos a ser sinceros, ésta no es una tarea difícil. Algunos de nosotros podemos necesitar aportar más consciencia al ámbito de nuestras necesidades materiales básicas. Otros necesitan una mayor atención a las relaciones. Otros precisan atender más al desarrollo intelectual. Otros precisan examinar las posibilidades no exploradas de creatividad y realización. Otros precisan más atención al crecimiento espiritual. El determinar qué necesidad ha de tener un carácter prioritario está en función de dónde nos encontramos en nuestra evolución general, y también de nuestras circunstancias objetivas. El contexto determina el curso más idóneo.

Supongamos que, al meditar sobre el material de este capítulo, usted identifica los ámbitos de su vida en los que está sumamente consciente y también los ámbitos en los que tiene menos consciencia. El paso siguiente consiste en reflexionar sobre lo que parece dificultar una situación de atención mental de alto nivel en los ámbitos problemáticos. Los ejercicios de completar frases pueden ser de utilidad. Por ejemplo:

**Lo que aquí me hace difícil permanecer totalmente consciente es—**

Escriba de seis a diez finales con la mayor rapidez posible. Luego ensaye con esto:

**Lo bueno que aquí tiene no ser totalmente consciente es—**

A continuación ensaye con lo siguiente:

**Si fuese aquí más consciente—**

A continuación:

**Si experimentase un aumento de consciencia de un 5 % en este ámbito—**

(Recuerde el principio de ir avanzando paso a paso.)

Ahora, antes de comprobar el rendimiento de estos ejercicios de completar frases, puede encontrar estimulante considerar las siguientes preguntas:

Si opta por ser más consciente en el trabajo, ¿qué haría de manera diferente?

Si opta por ser más consciente en sus relaciones más importantes, ¿qué haría de manera diferente?

Si opta por prestar más atención a su forma de relacionarse con la gente —socios, empleados, clientes, cónyuge, hijos o amigos— ¿qué haría usted de manera diferente?

Si siente temor o está reacio a ampliar la consciencia en cualquiera de estos ámbitos, ¿cuáles son las negativas imaginarias que está evitando?

Si, sin reprochárselo a sí mismo, aporta más consciencia a sus miedos o resistencia, ¿qué sentiría usted?

Si desease sentirse más vigoroso y eficaz en los ámbitos en que ha tenido menos consciencia de la necesaria, *¿qué estaría dispuesto a hacer?*

**La práctica de vivir de manera consciente es el primer pilar de la autoestima.**

# 7. La práctica de la aceptación de sí mismo

La autoestima es imposible sin aceptación de sí mismo.

De hecho, está tan estrechamente vinculada a la autoestima que en ocasiones las ideas se confunden. Pero tienen un significado diferente, y hay que comprender lo específico de cada una.

Mientras que la autoestima es algo que *experimentamos*, la aceptación de sí mismo es algo que *hacemos*.

Formulado de manera negativa, *la aceptación de mí mismo es mi negativa a permanecer en una relación de confrontación conmigo mismo.*

Este concepto tiene tres niveles de significación, que vamos a examinar por orden.

## El primer nivel

Aceptarse a sí mismo es estar de mi lado —estar *para* mí mismo—. En el sentido más básico, la aceptación de sí mismo se refiere a una orientación de la valoración de mí mismo y del compromiso conmigo mismo resultante del hecho de que estoy vivo y soy consciente. Como tal, es más primitiva que la autoestima. Es un acto de afirmación de sí mismo pre-racional y pre-moral, una especie de egoísmo natural que es un derecho innato de todo ser humano y contra el que sin embargo tenemos la potestad de obrar y anular.

Algunas personas se rechazan a sí mismas a un nivel tan profundo que no podrán comenzar ninguna labor de crecimiento hasta abordar este problema. Si no se aborda, no funcionará ningún tratamiento, no podrá integrarse adecuadamente ningún aprendizaje nuevo, ni se harán progresos significativos. Los psicoterapeutas que no comprenden este problema o no detectan su presencia se preguntarán perplejos por qué algunos clientes, incluso después de años de terapia, no muestran mejora importante alguna.

111

*La aceptación de mí mismo es mi negativa a estar en una
relación de confrontación conmigo mismo.*

Una actitud de aceptación básica de sí mismo es lo que espera suscitar un psicoterapeuta eficaz en una persona con el más bajo nivel de autoestima. Esta actitud puede inspirar a una persona a enfrentarse a lo que más necesita encontrar sin derrumbarse en el odio a sí misma, sin rechazar el valor de su persona o abandonar la voluntad de vivir. Supone una declaración como ésta: «Elijo valorarme a mí mismo, tratarme a mí mismo con respeto, defender mi derecho a existir». Este acto primario de autoafirmación es la base sobre la que se desarrolla la autoestima.

Puede permanecer latente y despertarse súbitamente. Puede combatir en defensa de nuestra vida, incluso cuando estamos abrumados de desesperación. Cuando estamos al borde del suicidio, puede hacernos descolgar el teléfono y pedir ayuda. Desde lo más profundo de la ansiedad o la depresión puede llevarnos al consultorio de un psicoterapeuta. Después de haber soportado años de abusos y humillación, puede llevarnos finalmente a exclamar: «¡No!». Cuando todo lo que deseamos es tumbarnos y morir, puede impulsarnos a empezar a actuar. Es la voz de la fuerza de la vida. Es el «egoísmo», en el sentido más noble de la palabra. Si permanece en silencio, la primera baja es la autoestima.

## El segundo nivel

La aceptación de sí mismo supone nuestra disposición a experimentar —es decir, a hacer realidad para nosotros mismos, sin negación o evasión— que pensamos que pensamos, sentimos que sentimos, deseamos que deseamos, hemos hecho lo que hemos hecho y somos lo que somos. Es la negativa a considerar cualquier parte de uno mismo —nuestro cuerpo, nuestras emociones, nuestros pensamientos, nuestros actos, nuestros sueños— como algo ajeno, algo distinto a mí. Es nuestra disposición a experimentar en vez de a desautorizar cualesquiera hechos de nuestro ser en un momento particular, a pensar nuestros pensamientos, tener nuestros sentimientos, a estar presente a la realidad de nuestra conducta.

La disposición a experimentar y aceptar nuestros sentimientos no implica que las emociones tengan que decir la última palabra sobre lo que hacemos. Hoy puedo no estar de buen ánimo para trabajar; puedo reconocer mis sentimientos, experimentarlos, aceptarlos y luego ir a trabajar. Trabajaré con una mente más despejada porque no he comenzado el día engañándome a mí mismo.

A menudo, cuando experimentamos y aceptamos plenamente los sentimientos negativos, somos capaces de prescindir de ellos; les hemos permitido expresarse y abandonar el centro de la escena.

La aceptación de sí mismo es la disposición a decir respecto de cualquier emoción o conducta lo siguiente: «Esto es una expresión de mí, no necesariamente una expresión que me gusta o que admiro, pero una expresión de mí a pesar de todo, al menos en el momento en que tuvo lugar». Es la virtud del realismo, es decir, del respeto a la realidad, aplicada a uno mismo.

Si pienso en ideas que me causan trastorno, estoy pensando en ellas; acepto la plena realidad de mi experiencia. Si siento dolor, cólera o miedo o un deseo inadecuado, lo estoy sintiendo —lo que es verdad, es verdad—, no lo racionalizo, niego o intento descartarlo mediante explicaciones. Estoy sintiendo lo que estoy sintiendo y acepto la realidad de mi experiencia. Si he emprendido acciones de las que luego me avergüenzo, el hecho es que las he emprendido —la realidad es la realidad— y no debo retorcer mi cerebro para hacer desaparecer los hechos. Estoy dispuesto a permanecer tranquilo en presencia de lo que sé es verdadero. Lo que es, es.

«Aceptar» es más que «reconocer» o «admitir» simplemente. Es experimentar, estar en presencia de, contemplar la realidad de algo, integrar en mi consciencia. Tengo que abrirme y experimentar plenamente las emociones no deseadas, y no sólo reconocerlas superficialmente. Por ejemplo, supongamos que mi esposa me pregunta lo siguiente: «¿Cómo te encuentras?», y yo respondo de manera tensa pero distraída lo siguiente: «Hecho polvo». A continuación ella dice comprensivamente: «Veo que realmente hoy te sientes deprimido». Entonces yo suspiro, la tensión empieza a aflorar de mi cuerpo y con un tono de voz totalmente diferente —la voz de alguien que es sincero consigo mismo— digo lo siguiente: «Sí, me siento mal, realmente fatal», y empiezo a hablar sobre lo que me molesta. Cuando, con el cuerpo en tensión para resistirme a la experiencia de mis sentimientos, respondí: «Hecho polvo», estaba negando mi emoción a la vez que la estaba reconociendo. La respuesta comprensiva de mi esposa me ayudó a experimentarla, lo que despejó el camino para empezar a afrontarla. El experimentar nuestros sentimientos tiene un poder curativo directo.

Puedo reconocer un hecho y avanzar con tanta velocidad que sólo me imagino que practico la aceptación de mí mismo; realmente estoy practicando la negación y el autoengaño. Supongamos que mi jefa está intentando explicarme por qué algo que he hecho en mi trabajo fue una equivocación. Me habla de manera benévola y sin recriminaciones, y sin embargo yo me muestro irritable, impaciente y deseo que deje de hablar y se marche.

Mientras ella habla me siento obligado a afrontar la realidad de haber cometido un error. Cuando ella se marcha puedo desterrar la realidad de mi consciencia —*he admitido mi error, ¿no basta con esto?*—, lo que aumenta la probabilidad de que cometa el error, u otro parecido, de nuevo.

La aceptación de sí mismo es la condición previa del cambio y el crecimiento. Así pues, si me enfrento a un error que he cometido, al aceptar que es mi error soy libre de aprender de él y de hacer mejor las cosas en el futuro. No puedo aprender de un error que no puedo aceptar haber cometido.

---

*No puedo perdonarme una acción que no reconozo haber realizado.*

---

Si me niego a aceptar que a menudo vivo de manera no consciente, ¿cómo voy a aprender a vivir de manera más consciente? Si me niego a aceptar que a menudo vivo de forma irresponsable, ¿cómo voy a aprender a vivir de forma más responsable? Si me niego a aceptar que a menudo vivo pasivamente, ¿cómo voy a aprender a vivir de manera más activa?

No puedo vencer un temor cuya realidad niego. No puedo corregir un problema relativo a la forma de relacionarme con mis socios si no admito que existe. No puedo cambiar unos rasgos que insisto en no poseer. No puedo perdonarme una acción que no reconozco haber realizado.

En una ocasión una cliente se enojó conmigo cuando intenté explicarle estas ideas. «¿Cómo espera que acepte mi abismalmente bajo nivel de autoestima?», me preguntó indignada. «Si usted no acepta la realidad de dónde se encuentra ahora —respondí— ¿cómo se imagina que puede empezar a cambiar?» Para comprender esta idea, debemos recordarnos que el «aceptar» no significa necesariamente «apreciar», «disfrutar» o «condonar». Puedo aceptar lo que existe y estar decidido a evolucionar a partir de ahí. Lo que me deja paralizado no es la aceptación sino la negación.

Si no puedo aceptarme a mí mismo no puedo estar verdaderamente para mí mismo, no puedo levantar la autoestima.

### El tercer nivel

La aceptación de sí mismo conlleva la idea de compasión, de ser amigo de mí mismo.

Supongamos que he hecho algo que lamento, o de lo cual estoy avergonzado y por lo cual me reprocho. La aceptación de sí mismo no niega la realidad, no afirma que sea en realidad correcto lo que está mal, sino que indaga el contexto en el que se llevó a cabo una acción. Quiere comprender el porqué. Quiere conocer por qué algo que está mal o es inadecuado se consideró deseable o adecuado o incluso necesario en su momento.

---

*El interés en actitud de aceptación y compasión no fomenta la conducta no deseada sino que reduce la probabilidad de que acontezca.*

---

No comprendemos a otro ser humano cuando sólo conocemos que lo que hizo está mal, es descortés, destructor o cualquier otra cosa. Necesitamos conocer las consideraciones internas que motivaron la conducta. Siempre hay algún contexto en el que las acciones más ofensivas pueden encontrar su propio sentido. Esto no significa que se justifiquen, sino sólo que pueden ser comprensibles.

Yo puedo condenar una acción que he realizado y tener aún un interés compasivo por los motivos que me llevaron a ella. Aún puedo ser amigo de mí mismo. Esto no tiene nada que ver con disculpar, racionalizar o evitar la responsabilidad. *Una vez que* asumo la responsabilidad de lo que he hecho, puedo avanzar a un nivel más profundo, ir al contexto. Un bueno, amigo puede decirme: «Esto ha sido indigno de ti. Ahora dime, ¿qué te hizo creer que era una buena idea, o al menos una idea defendible?». Esto es lo que puedo decirme a mí mismo.

He comprobado, tanto con mis clientes como conmigo mismo, que este tipo de interés en actitud de aceptación y compasión no fomenta la conducta no deseada, sino que reduce la probabilidad de que acontezca.

Igual que cuando tenemos que censurar o corregir a otras personas desearíamos hacerlo de forma que no dañe su autoestima —pues la conducta futura estará determinada por el concepto de sí mismo— deberíamos tener también esta misma benevolencia para con nosotros mismos. Ésta es la virtud de la aceptación de uno mismo.


## Un ejercicio

A fin de presentar a los clientes la idea de aceptación de sí mismo, a menudo me gusta comenzar con un sencillo ejercicio. Con él puedo proporcionar una experiencia de aprendizaje profunda.

Póngase frente a un espejo de gran tamaño y mírese la cara y el cuerpo. Perciba sus sentimientos a medida que se observa. Le estoy pidiendo que preste atención no a su indumentaria o a su maquillaje sino a *usted*. Fíjese si esto es difícil o le hace sentirse incómodo. Conviene hacer este ejercicio desnudo.

Probablemente le gustarán algunas partes de lo que ve más que otras. Si es usted como la mayoría de las personas le resultará difícil mirar durante mucho rato algunas partes porque le ponen nervioso o desagradan. En sus ojos puede haber un dolor que no desea afrontar. Quizás es usted demasiado grueso o demasiado delgado. Quizá su cuerpo tiene algún aspecto que le desagrada tanto que apenas puede soportar mirarlo detenidamente. Quizás aprecie signos de la edad y no pueda soportar vincularse a las ideas y emociones que despiertan estos signos. El impulso es entonces la huida, la evitación de la consciencia, el rechazo, la negación o el extrañamiento de aspectos de uno mismo.

Además, y a título de experimento, le pido que permanezca atento a su imagen en el espejo durante unos instantes más, y se diga a sí mismo: «Sean cuales sean mis defectos o imperfecciones, me acepto sin reservas y completamente». Esté muy atento, respire profundamente y dígase esto una y otra vez durante uno o dos minutos sin apresurarse. Permítase experimentar plenamente el significado de sus palabras.

Puede hallar que empieza a protestar de sí mismo: «Pero no me *gustan* determinadas cosas de mi cuerpo, ¿cómo puedo aceptarlas sin reservas y completamente?». Pero recuerde que «aceptar» no significa necesariamente «gustar». «Aceptar» no significa que no podamos imaginar o desear cambios o mejoras. Significa experimentar, sin negación o evitación, que los hechos son los hechos. En este caso significa aceptar que la cara y el cuerpo reflejados en el espejo son *su* cara y su cuerpo y que son los que son.

Si persiste, si se entrega a la realidad de lo que existe, si se entrega a la consciencia (que es lo que en definitiva significa «aceptar»), puede percibir que ha empezado a relajarse un poco y quizás a sentirse más cómodo consigo mismo, y más real.

Aun cuando pueda no gustarle o disfrutar de todo lo que ve cuando se mira en el espejo, aún es capaz de decir: «En este momento, ése soy yo. Y no niego ese hecho. Lo acepto». Eso es respeto hacia la realidad.

Cuando los clientes dedican dos minutos a este ejercicio cada mañana y otros dos cada noche durante dos semanas, pronto empiezan a experimentar la relación entre la aceptación de sí mismos y la autoestima: una mente que respeta lo que ve se respeta a sí misma. Y más aún: ¿cómo puede no sufrir la autoestima si estamos en una relación de rechazo hacia nuestro ser físico? ¿Es realista imaginar que podemos querernos a nosotros mismos a la vez que rechazamos lo que vemos en el espejo?

Quienes practican este ejercicio hacen otro descubrimiento importante. No sólo establecen una relación más armoniosa consigo mismos, no sólo empiezan a aumentar su eficacia personal y su respeto hacia sí mismos, sino

116

que si tienen aspectos que no les gustan y que pueden cambiar, están motivados para realizar los cambios una vez que han aceptado los hechos tal y como son por el momento.

No estamos motivados a cambiar aquellas cosas cuya realidad negamos.

Y en relación a aquellas cosas que no podemos cambiar, cuando las aceptamos nos volvemos más fuertes y centrados; cuando las maldecimos y protestamos de ellas, nos despotenciamos a nosotros mismos.


## Escuchar los sentimientos

Tanto el aceptar como el rechazar se llevan a cabo mediante una combinación de procesos mentales y físicos.

El acto de experimentar y aceptar nuestras emociones se lleva a cabo mediante: a) prestar atención al sentimiento o emoción, b) respirar suave y profundamente, permitiendo un relajamiento muscular, permitiendo experimentar el sentimiento, y c) constatando la realidad de que éste es *mi* sentimiento (lo que denominamos *poseerlo*).

En cambio, negamos y desechamos nuestras emociones cuando: a) evitamos la consciencia de su realidad, b) limitamos la respiración y estiramos los músculos para recortar o entumecer el sentimiento, y c) cuando nos disociamos de nuestra propia experiencia (en cuyo estado a menudo somos incapaces de reconocer nuestros sentimientos).

Cuando nos permitimos experimentar nuestras emociones y aceptarlas, en ocasiones esto nos permite pasar a un nivel de consciencia más profundo en el que la información importante se presenta por sí misma.

Un día una cliente empezó a reprocharse a sí misma por estar enojada con su marido ante el hecho de que tenía que realizar un viaje de negocios de dos semanas. Se tildaba de irracional, se llamaba estúpida, se decía que era ridículo sentirse así, pero su enojo persistía. Nadie se ha liberado a sí mismo (o ha liberado a otros) de una emoción no deseada profiriendo insultos o pronunciando una conferencia moralizante.

Le pedí que describiese su sentimiento de enojo, que describiese en qué parte lo experimentaba y cómo lo sentía exactamente. Mi objetivo era hacerle tener el sentimiento de manera más profunda. Enojada e irritada por mi petición me preguntó: «¿Qué bien me reportará esto? ¡No quiero sentir el enojo, sino librarme de él!». Yo insistí y gradualmente ella empezó a describir sensaciones de tensión en el pecho y un fuerte nudo en el estómago. A continuación exclamó: «Me siento indignada, ultrajada, siento esto: ¿Cómo puede hacerme esto?». A continuación, y para su asombro, el enojo empezó a disolverse y en su lugar surgió otra emoción —la ansiedad—. Le pedí que experimentara esa ansiedad y la describiese, y de nuevo su primera respuesta fue protestar y preguntar qué bien iba a reportarle eso. La llevé a experimentar la ansiedad, a sumergirse en ella, a testimoniarla, describiendo todo lo que podía percibir, y descubrir si, quizá, le decía algo a ella. «¡Dios mío!», gritó. «¡Tengo miedo de quedarme sola!» De nuevo empezó a censurarse a sí misma. «¿Qué soy, una niña? ¿No puedo quedarme sola dos semanas?» Le pedí que profundizara más en el miedo a estar sola. De repente me dijo: «Tengo miedo a lo que puedo hacer cuando él se va. Ya sabe, otros hombres. Puedo tener relaciones con otro hombre. No confío en mí».

Por entonces, ya se había desprendido del enojo, se había disuelto la ansiedad y se había disipado el miedo a la soledad. Sin duda subsistía un problema que afrontar, pero ahora, como había sido admitido en la consciencia, era *capaz* de afrontarlo.


## Un ejemplo personal

En mi adolescencia comprendía muy poco el arte de manejar las emociones no deseadas excepto «conquistándolas». A menudo identificaba la capacidad de negar y rechazar con la «fortaleza».

Recuerdo mis sentimientos de soledad, en ocasiones muy dolorosos, y de deseo de alguien con quien poder compartir ideas, intereses y sentimientos. A los dieciséis años acepté la idea de que la soledad era una debilidad y el deseo de intimidad con otra persona representaba un fracaso de la independencia. Esta idea no la tenía siempre, sino parte del tiempo, y cuando me venía a la mente no tenía respuesta al dolor excepto poner en tensión mi cuerpo contra ella, limitar mi respiración, hacerme reproches a mí mismo y buscar distracciones. Intentaba convencerme a mí mismo de que no me importaba. De hecho, me recluí en la alienación como algo virtuoso.

No daba muchas oportunidades a la gente. Me sentía diferente de todos y veía que esta diferencia era un abismo entre nosotros. Me decía a mí mismo que tenía mis ideas y mis libros y que con eso era suficiente o debía serlo si confiaba lo suficiente en mí.

Si hubiese aceptado el carácter natural de mi deseo de contacto humano, habría buscado puentes de entendimiento entre los demás y yo. Si me hubiese permitido sentir plenamente el dolor de mi aislamiento, sin reprochármelo, habría hecho amigos de ambos sexos; había apreciado el interés y benevolencia que a menudo se me ofrecía. Si me hubiese dado la libertad de atravesar las etapas normales del desarrollo adolescente y salir de la prisión de mi aislamiento, no me habría preparado para un matrimonio desafortunado. No habría sido tan vulnerable a la primera muchacha que parecía compartir verdaderamente mis intereses.

Sin embargo, lo que aquí quiero señalar es el efecto de mi desafección sobre mi autoestima. Sin duda existían «razones» que explicaban mis áreas de no aceptación de mí mismo, pero eso no importa ahora. Lo que sentía era lo que sentía, tanto si lo aceptaba como si no. En algún lugar de mi cerebro sabía que estaba condenando y rechazando una parte de mí mismo, la parte que deseaba compañía de otras personas. Estaba en una relación de rechazo a una parte de quien yo era. Por muchas otras áreas de confianza y felicidad que pude disfrutar, me estaba infligiendo una herida a mi autoestima.

Según la misma lógica, cuando más tarde aprendí a recuperar las partes de mí mismo negadas, aumentó mi autoestima.

En mi calidad de psicoterapeuta veo que no hay nada que haga tanto por la autoestima de una persona como el cobrar consciencia y aceptar las partes rechazadas de uno mismo. Los primeros pasos de la curación y el crecimiento son la consciencia y la aceptación, la consciencia y la integración. Constituyen el manantial del desarrollo personal.


**Un experimento**

A menudo me resulta útil animar a los clientes a que practiquen el siguiente ejercicio con objeto de profundizar su comprensión de la aceptación de sí mismos.

Dedique unos minutos a contemplar uno de sus sentimientos o emociones que no le resulta fácil afrontar: inseguridad, dolor, envidia, rabia, pesar, humillación, miedo.

Cuando aísla el sentimiento, vea si puede enfocarlo más claramente, quizá pensando o imaginando lo que suscita normalmente. Luego respire ese sentimiento, lo que significa centrarse en él mientras imagina que dirige el flujo de aire hacia él y luego lo retira de él. Imagínese cómo se sentiría si no se resistiese a este sentimiento sino que lo aceptase plenamente. Analice esa experiencia. Dedíquele un tiempo.

Ejercite diciéndose a sí mismo lo siguiente: «En este momento estoy sintiendo esto y esto (sea cual sea el sentimiento) y lo acepto plenamente». Al principio esto puede ser difícil; puede descubrir que pone tenso su cuerpo a modo de protesta. Pero persevere; céntrese en la respiración; piense en dar permiso a sus músculos para que abandonen la tensión; recuerde: «Un hecho es un hecho; lo que es; si el sentimiento existe, existe». Siga contemplando el sentimiento. Piense en *permitir* que el sentimiento exista (en vez de intentar desear o querer eliminarlo). Puede resultarle de utilidad, como a mí me resulta, decirse a sí mismo: «Ahora estoy analizando el mundo del miedo, el dolor, la envidia o la confusión (o cualquier otra cosa)».

Bienvenido a la práctica de la aceptación de sí mismo.

## Cuando se siente imposible la aceptación de sí mismo

Examinemos ahora esta cuestión: supongamos que nuestra reacción negativa a una experiencia es tan abrumadora que sentimos que *no podemos* practicar la aceptación de uno mismo con respecto a ella.

En este caso quizás el sentimiento, pensamiento o recuerdo es tan trastornante y causa tanta agitación que parece estar excluida la posibilidad de aceptación. Nos sentimos impotentes para no bloquearnos y cerrarnos. La solución consiste en intentar resistirnos a nuestra resistencia. No es útil intentar bloquear un bloqueo. En cambio, tenemos que hacer algo más astuto. Si no podemos aceptar un sentimiento (o un pensamiento o recuerdo) debemos *aceptar nuestra resistencia*. En otras palabras, empezar por aceptar dónde nos encontramos. Esté presente a su situación actual y experiméntela plenamente. Si sentimos la resistencia a nivel consciente, *normalmente comenzará a disolverse*.

---

*Cuando combatimos un bloqueo se vuelve más fuerte. Cuando lo reconocemos, experimentamos y aceptamos, empieza a diluirse.*

---

Si podemos aceptar el hecho de que en este momento, ahora mismo, nos *negamos* a aceptar que sentimos envidia, cólera, dolor o deseo por ejemplo —o que nos *negamos* a aceptar que antes hicimos o creímos esto y esto— si reconocemos, experimentamos y aceptamos nuestra resistencia, hallaremos una paradoja sumamente importante: la resistencia empieza a quebrarse. Cuando combatimos un bloqueo, se hace más fuerte. Cuando lo reconocemos, experimentamos y aceptamos, empieza a diluirse *porque para seguir existiendo precisa oposición*.

A veces en la terapia, cuando una persona tiene dificultad para aceptar un sentimiento, le pregunto si está dispuesta a aceptar el hecho de *negarse* a aceptar el sentimiento. Una vez le pregunté esto a un cliente sacerdote y que tenía grandes dificultades para poseer o experimentar su enojo; con todo, era un hombre muy colérico. Mi petición le desorientó. «¿Voy a aceptar que no aceptaré mi cólera?», me preguntó. Cuando le respondí: «Exactamente», exclamó: «¡*Me niego* a aceptar mi cólera y *me niego* a aceptar mi negativa!» Yo le pregunté: «¿Aceptará usted su negativa a aceptar su negativa? Tenemos que empezar por algún lugar. Empecemos por aquí».

Le pedí que se dirigiese al grupo y dijese una y otra vez: «Estoy colérico». Pronto empezó a decirlo realmente encolerizado.

Entonces le hice decir: «Yo *me niego* a aceptar mi cólera», exclamando con un vigor cada vez mayor.

A continuación le hice decir: «*Me niego* a aceptar mi negativa a aceptar mi cólera», cosa que hizo en un tono feroz.

Luego le pedí que dijese: «Pero estoy dispuesto a aceptar mi negativa a aceptar mi negativa», y se lo hice repetir hasta que se descompuso y se unió a la risa del grupo.

«Si no puede aceptar la experiencia, acepte la resistencia», dijo y yo le respondí: «Está bien. Y si no puede aceptar la resistencia acepte su resistencia a aceptar la resistencia. Finalmente llegará a un punto que pueda aceptar. Entonces podrá avanzar a partir de ahí... Así pues, ¿está usted enojado?».

«Estoy lleno de cólera.»

«¿Puede usted aceptar ese hecho?»

«No me gusta.»

«¿Puede usted aceptarlo?»

«Puedo aceptarlo.»

«Bueno. Ahora podemos empezar a averiguar por qué está colérico.»

## Dos falacias

Normalmente nos encontramos con dos suposiciones falaces cuando las personas tienen dificultad con la idea de aceptarse a sí mismas. Una es la creencia en que si aceptamos quiénes somos y lo que somos, debemos aprobar todo lo que somos. La otra es la creencia de que si aceptamos quiénes y lo que somos, somos indiferentes al cambio o las mejoras. «¡No deseo aceptarme a mí mismo! ¡Quiero aprender a ser diferente!»

Pero por supuesto la pregunta es: si no podemos aceptar lo que es, ¿dónde encontraremos la motivación para mejorar? Si niego y rechazo lo que es, ¿cómo voy a estar motivado para crecer?

Hay aquí una paradoja (una paradoja, no una contradicción): la aceptación de lo que es, es la condición previa del cambio. Y la negación de lo que es me deja pegado en ello.

## Ejercicios de completar frases para facilitar la aceptación de uno mismo

A continuación se expone un programa de ejercicios de completar frases de cinco semanas pensado para facilitar la aceptación de uno mismo. Es más detallado que los ejercicios presentados para los demás pilares porque, tras haber enseñado estas ideas durante muchos años, he comprobado que muchas veces las personas tienen más dificultad para captar la aceptación de sí mismas que cualquier otra de las prácticas que recomiendo.

Repárese en que incluyo troncos de oración relativos a cuestiones que no he examinado de forma explícita, como aceptar los conflictos o aceptar la excitación. Por ejemplo, si puedo aceptar mis conflictos puedo afrontarlos y empezar a resolverlos; y si no los acepto, no podré hacerlo. Si puedo aceptar mi excitación, puedo vivirla, puedo buscar las salidas adecuadas; si temo mi excitación e intento extinguirla, puedo anular la parte mejor de mí mismo. En estos troncos de oración se incluyen ideas bastante complejas. Suponen estudio y reflexión, y tienen muchas más implicaciones de las que puedo analizar aquí.

### PRIMERA SEMANA. MAÑANAS:
La aceptación de mí mismo significa para mí—
Si acepto más mi propio cuerpo—
Cuando niego y rechazo mi cuerpo—
Si acepto más mis conflictos—

### TARDES:
Cuando niego o rechazo mis conflictos—
Si acepto más mis sentimientos—
Cuando niego y rechazo mis sentimientos—
Si acepto más mis pensamientos—
Cuando niego y rechazo mis pensamientos—

Durante los fines de semana lea lo que ha escrito y a continuación escriba de seis a diez finales para esta frase: **Si es verdad cualquiera de las cosas que he escrito, sería de utilidad que yo—**. Practique esto cada fin de semana durante todo el programa.

### SEGUNDA SEMANA. MAÑANAS:
Si acepto más mis acciones—
Cuando niego o rechazo mis acciones—
Estoy cobrando consciencia de—

### TARDES:
Si estoy dispuesto a ser realista sobre mis aspectos positivos y mis fallos—
Si acepto más mis temores—
Cuando niego y rechazo mis temores—

*TERCERA SEMANA.* MAÑANAS:
Si acepto más mi dolor—
Cuando niego y rechazo mi dolor—
Si acepto más mi cólera—
Cuando niego y rechazo mi cólera—

TARDES:
Si acepto más mi sexualidad—
Cuando niego y rechazo mi sexualidad—
Si acepto más mi excitación—
Cuando niego y rechazo mi excitación—

*CUARTA SEMANA.* MAÑANAS:
Si acepto más mi alegría—
Cuando niego y rechazo mi alegría—
Si estoy dispuesto a ver lo que veo y a conocer lo que conozco—

TARDES:
Si aporto un alto nivel de consciencia a mis temores—
Si aporto un alto nivel de consciencia a mi dolor—

*QUINTA SEMANA.* MAÑANAS:
Si aporto un alto nivel de consciencia a mi cólera—
Si aporto un alto nivel de consciencia a mi sexualidad—
Si aporto un alto nivel de consciencia a mi excitación—
Si aporto un alto nivel de consciencia a mi gozo—

TARDES:
Cuando pienso en las consecuencias de no aceptarme a mí mismo—
Si acepto el hecho de que lo que es, es, independientemente de que yo lo admita—
Estoy empezando a ver que—

Pueden encontrarse otros troncos de oración útiles para analizar este territorio en los libros *Cómo mejorar su autoestima* y *The art of self-discovery*.

## El supremo crimen contra nosotros mismos: El rechazo de los aspectos positivos

Cualquier cosa que tenemos la posibilidad de experimentar, tenemos la posibilidad de rechazar, bien de manera inmediata o bien posteriormente, en el recuerdo. Como escribió el filósofo Nietzsche: «"Lo hice", dice la memoria. "No pude tenerlo", dice el orgullo, y permanece implacable. Finalmente vence la memoria».

Puedo revelarme contra mis recuerdos, pensamientos, emociones y acciones. Puedo rechazar en vez de aceptar prácticamente todos los aspectos de mi experiencia y cualquier acto de expresión de mí mismo. Puedo afirmar: «No soy yo. No es mío».

---

*Podemos estar tan atemorizados de nuestros dones como de nuestros fallos.*

---

Puedo negarme a aceptar mi sensualidad; puedo negarme a aceptar mi espiritualidad. Puedo rechazar mi pesar; puedo rechazar mi alegría. Puedo reprimir el recuerdo de las acciones de las que me avergüenzo; puedo reprimir el recuerdo de las acciones de las que estoy orgulloso. Puedo negar mi ignorancia; puedo negar mi inteligencia. Puedo negarme a aceptar mis limitaciones; puedo negarme a aceptar mis potenciales. Puedo ocultar mis puntos débiles; puedo ocultar mis dotes. Puedo negar mis sentimientos de odio hacia mí mismo; puedo negar mis sentimientos de amor hacia mí mismo. Puedo pretender que soy más de lo que soy; puedo pretender que soy menos de lo que soy. Puedo rechazar mi cuerpo; puedo rechazar mi mente.

Podemos estar tan atemorizados de nuestros dones como de nuestros puntos débiles, tener tanto temor a nuestro genio, ambición, excitación o belleza como a nuestra vaciedad, pasividad, depresión o falta de atractivo. Si nuestras carencias plantean el problema de la insuficiencia, nuestros dones plantean el reto de la responsabilidad.

Podemos escapar no sólo de nuestro lado oscuro sino también de nuestro lado brillante, de todo aquello que amenaza con hacernos sobresalir o estar solos, o que exige despertar el héroe que llevamos dentro, o que pide que avancemos a un superior nivel de consciencia y alcancemos una base de integridad más elevada. El mayor crimen que cometemos contra nosotros mismos no es que podamos negar y rechazar nuestros errores sino que neguemos y rechacemos nuestros talentos porque nos asustan. Si una aceptación de sí mismo plenamente realizada no rehúye lo peor que hay en nosotros, tampoco rehúye lo mejor.

**La práctica de la aceptación de sí mismo es el segundo pilar de la autoestima.**

# 8. La práctica de la responsabilidad de sí mismo

Para sentirme competente para vivir y digno de la felicidad, necesito experimentar una sensación de control sobre mi vida. Esto exige estar dispuesto a asumir la responsabilidad de mis actos y del logro de mis metas. Lo cual significa que asumo la responsabilidad de mi vida y bienestar.

La responsabilidad de uno mismo es esencial para la autoestima, y es también un reflejo o manifestación de la autoestima. La relación entre la autoestima y sus pilares es siempre recíproca. Las prácticas que generan autoestima son también expresión natural y consecuencia de la autoestima, como veremos en un capítulo posterior.

La práctica de la responsabilidad de sí mismo supone la admisión de lo siguiente:

Yo soy responsable de la consecución de mis deseos.

Yo soy responsable de mis elecciones y acciones.

Yo soy responsable del nivel de consciencia que dedico a mi trabajo.

Yo soy responsable del nivel de consciencia que aporto a mis relaciones.

Yo soy responsable de mi conducta con otras personas: compañeros de trabajo, socios, clientes, cónyuge, hijos, amigos.

Yo soy responsable de la manera de jerarquizar mi tiempo.

Yo soy responsable de la calidad de mis comunicaciones.

Yo soy responsable de mi felicidad personal.

Yo soy responsable de aceptar o elegir los valores según los cuales vivo.

Yo soy responsable de elevar mi autoestima.

¿Qué implica cada uno de estos aspectos desde el punto de vista del comportamiento?

## Las implicaciones de la responsabilidad de uno mismo relativas a la acción

*Yo soy responsable de la consecución de mis deseos*. Nadie me debe el cumplimiento de mis deseos. No tengo una hipoteca sobre la vida o energía de nadie más. Si tengo deseos, soy yo quien tiene que descubrir cómo satisfacerlos. Tengo que asumir la responsabilidad del desarrollo y aplicación de un plan de acción.

Si mis metas requieren el concurso de otras personas, debo ser responsable de conocer lo que exigen de mí y si van a cooperar, así como de proporcionar todo lo que está en mi obligación racional de proporcionar. Respeto su interés por sí mismos y conozco que si deseo su cooperación o ayuda debo ser consciente de ello y hablar sobre el particular.

---

### *Nadie me debe el cumplimiento de mis deseos.*

---

Si no estoy dispuesto a asumir la responsabilidad por el logro de mis deseos, en realidad no son deseos, no son más que ensoñaciones. Para que un supuesto deseo se tome en serio, debo estar dispuesto a responder en términos realistas a lo siguiente: *¿Qué estoy dispuesto a hacer para conseguir lo que deseo?*

*Yo soy responsable de mis elecciones y acciones*. Ser «responsable» en este contexto significa responsable no como destinatario de imputación moral o culpa, sino responsable como principal agente causal en mi vida y conducta. Si mis elecciones y acciones son *mías*, yo soy su fuente. Tengo que reconocer este hecho. Tengo que estar vinculado a él cuando elijo y actúo. ¿Qué diferencia supondrá? Si desea descubrir la respuesta por usted mismo, escriba seis finales, lo más rápidamente que pueda, al tronco de frase siguiente: **Si asumo la responsabilidad de mis elecciones y acciones—**.

*Yo soy responsable del nivel de consciencia que tengo en mi trabajo*. Esto es un ejemplo de la idea que acabo de presentar acerca de la elección. Nadie puede dejar de ser responsable del nivel de consciencia que adopta en sus actividades cotidianas. Puedo dar a mi trabajo lo mejor que tengo, o puedo pretender pasar con el mínimo de consciencia posible o con cualquier grado intermedio. Si estoy ligado a mi responsabilidad en este ámbito, lo más probable es que actúe con un alto nivel de consciencia.

*Yo soy responsable del nivel de consciencia que aporto a mis relaciones*. El principio que se acaba de exponer vale igualmente para mi interacción con los demás, para mi elección de compañeros y para la consciencia que aporto o dejo de aportar a cualquier encuentro. ¿Estoy totalmente presente en mis encuentros con los demás? ¿Estoy presente a lo que se dice? ¿Pienso acerca de lo que implican mis afirmaciones? ¿Me doy cuenta de cómo resultan afectados los demás por lo que digo y hago?

*Soy responsable de mi conducta con los demás: compañeros de trabajo, socios, clientes, cónyuge, hijos y amigos.* Soy responsable de la manera en que hablo y escucho. Soy responsable de las promesas que mantengo o incumplo. Soy responsable de la racionalidad o irracionalidad de mis relaciones. Nos sustraemos a la responsabilidad cuando intentamos echar la culpa a otros de nuestros actos, como en expresiones tales como éstas: «Ella me está volviendo loco», «Él me saca de quicio», «Yo obraría razonablemente con sólo que ella...»

*Yo soy responsable de la manera en que jerarquizo mi tiempo.* Es responsabilidad mía el que las elecciones que hago sobre la disposición de mi tiempo y energía reflejen mis valores profesados o sean incongruentes con ellos. Si insisto en que amo a mi familia más que nadie y, sin embargo, rara vez estoy con ella y dedico la mayor parte de mi tiempo de ocio a jugar a las cartas o al golf, siempre rodeado de amigos, tengo que afrontar mi contradicción y pensar sobre sus implicaciones. Si declaro que mi tarea más importante en el trabajo es encontrar clientes nuevos para la empresa, pero dedico el 90 % de mi tiempo a asuntos burocráticos menores que me producen pocos ingresos, tengo que reexaminar cómo invierto mi energía.

En mi labor de consultoría, cuando presento a los ejecutivos el tronco de oración **Si asumo la responsabilidad de cómo jerarquizo mi tiempo—**. obtengo terminaciones como las siguientes: «Debo aprender a decir que no más a menudo»; «Yo eliminaría alrededor del 30 % de mis actividades actuales»; «Me gustaría ser mucho más productivo»; «Me gustaría disfrutar más de mi trabajo»; «Me sorprendería lo fuera de control que he estado»; «Realizaría mejor mi potencial».

*Yo soy responsable de la calidad de mis comunicaciones.* Yo soy responsable de ser lo más claro posible que sé; de comprobar si el oyente me ha entendido; de hablar alto y de manera suficientemente clara para que me oigan; del respeto o falta de respeto con que presento mis ideas.

*Yo soy responsable de mi felicidad personal.* Una de las características de la falta de madurez es la creencia de que es tarea de otra persona hacerme feliz, igual que antes era tarea de mis padres mantenerme con vida. Con sólo que alguien me quisiera, yo me querría a mí mismo. Con sólo que alguien me cuidase, yo me contentaría. Con sólo que alguien me ahorrase la necesidad de tomar decisiones, me despreocuparía. Con sólo que alguien me hiciese feliz...

He aquí un tronco de oración sencillo pero poderoso para despertarnos a la realidad: **Si asumo la plena responsabilidad de mi felicidad personal—**.

127

El asumir la responsabilidad de mi felicidad me vigoriza. Me devuelve la vida a mí mismo. Antes de asumir esta responsabilidad, puedo imaginar que será un lastre. Pero lo que descubro es que me libera.

---

*El asumir la responsabilidad de mi felicidad me vigoriza.*
*Me devuelve la vida a mí mismo.*

---

*Yo soy responsable de aceptar o elegir los valores de acuerdo con los cuales vivo.* Si vivo de acuerdo con unos valores que he aceptado o adoptado de forma pasiva e irreflexiva, es fácil imaginar que no son más que «mi naturaleza», sólo «quien yo soy» y evitar reconocer que implican una elección. Si estoy dispuesto a reconocer que las elecciones y decisiones son esenciales cuando se adoptan los valores, yo puedo adoptar una nueva perspectiva de mis valores, ponerlos en cuestión y si es preciso revisarlos. Una vez más, lo que me libera es asumir la responsabilidad.

*Yo soy responsable de elevar mi autoestima.* La autoestima no es un don que yo pueda recibir de alguien más. Se genera desde dentro. Esperar pasivamente a que suceda algo que eleve mi autoestima es condenarme a una vida de frustración.

En una ocasión cuando daba una conferencia a un grupo de psicoterapeutas acerca de los seis pilares de la autoestima, uno de ellos me preguntó lo siguiente: «¿Por qué pone tanto énfasis en lo que debe hacer la persona para aumentar su autoestima? ¿No está en la fuente de la autoestima el hecho de que somos hijos de Dios?». Esta pregunta me la han formulado muchas veces.

El que uno crea en Dios, y que uno crea que somos hijos de Dios, es irrelevante para la cuestión de lo que exige la autoestima. Imaginemos que Dios existe y que nosotros somos sus hijos. Así pues, en este respecto, todos somos iguales. ¿Se sigue de ello que todos deben tener una autoestima igual, independientemente de cómo viva cada cual, de manera consciente o inconsciente, responsable o irresponsable, honesta o deshonesta? Como vimos antes, esto es imposible. No hay manera de que nuestra mente evite registrar las elecciones que tomamos en nuestra forma de obrar y no hay manera de que nuestro sentido de la identidad no resulte afectado. Si somos hijos de Dios, subsiste esta pregunta: *¿qué vamos a hacer al respecto? ¿Qué vamos a sacar de ello? ¿Vamos a honrar nuestros dones o a traicionarlos?* Si nos traicionamos a nosotros mismos y a nuestros dones, si vivimos de manera despreocupada, sin propósito y sin integridad, ¿podemos fabricarnos una salida, podemos obtener la autoestima afirmando ser hijos de Dios? ¿Nos imaginamos que podemos liberarnos así de la responsabilidad personal?

Cuando la gente carece de una sana autoestima, a menudo identifica la autoestima con el ser «querido». Si no se sienten queridos por sus familias, a veces se reconfortan con la idea de que Dios les ama, e intentan vincular su autoestima a esta idea. Con la mejor voluntad del mundo, ¿cómo podemos comprender esta estrategia salvo como manifestación de pasividad?

No creo que se espere que permanezcamos como niños dependientes. Creo que se espera que crezcamos hasta ser adultos, lo que significa volverse responsable de uno mismo, ser autónomo tanto desde el punto de vista psicológico como financiero. Desempeñe el papel que desempeñe la creencia en Dios en nuestra vida, sin duda no vale para justificar una falta de consciencia, responsabilidad e integridad.

## Una aclaración

Al subrayar que necesitamos asumir la responsabilidad de nuestra vida y felicidad, no sugiero que una persona nunca sufra de manera accidental o por culpa de otras, o que una persona sea responsable de todo lo que puede sucederle.

No apoyo la idea grandilocuente de que «Yo soy responsable de todos los aspectos de mi vida y de todo lo que me sucede». Sobre algunas cosas tenemos control; sobre otras no lo tenemos. Si me considero responsable de los asuntos que escapan a mi control, pongo en peligro mi autoestima, pues inevitablemente mis expectativas están condenadas al fracaso. Si niego la responsabilidad en asuntos que están bajo mi control, de nuevo pongo en peligro mi autoestima. Tengo que conocer la diferencia entre lo que está bajo mi potestad y lo que no lo está. La única consciencia sobre la que tengo control voluntario es la mía propia.

## Ejemplos

En las situaciones de trabajo resulta bastante fácil observar la diferencia entre quienes practican la responsabilidad de sí mismos y quienes no. La responsabilidad de sí mismos se muestra como una orientación *activa* al trabajo (y a la vida) en vez de *pasiva*.

Si surge un problema, los hombres y mujeres responsables de sí mismos se preguntan: «¿Qué puedo hacer al respecto? ¿Qué vías de acción me están abiertas?» Si algo va mal, se preguntan: «¿Qué he pasado por alto? ¿Dónde he calculado mal? ¿Cómo puedo corregir la situación?» Lo que no hacen es protestar así: «¡Pero nadie me dijo qué tenía que hacer!» o: «¡No es asunto mío!» No incurren en coartadas ni en autoinculpaciones. Se trata de personas característicamente *orientadas a buscar soluciones*.

En toda organización encontramos personas de ambos tipos: quienes esperan que alguien les ofrezca una solución y quienes asumen la responsabilidad de encontrarla. Las organizaciones pueden funcionar de manera eficaz en virtud de personas de este segundo tipo.

He aquí algunos ejemplos tomados del ámbito personal, donde se utilizan los ejercicios de completar frases para esclarecer las cuestiones:

«Si dejase de culpar a mis padres de mi infelicidad», dijo un «niño» de 46 años, «asumiría la responsabilidad de mis actos; tendría que afrontar el hecho de que siempre he sentido pena de mí y he disfrutado de ello; tendría que reconocer que aún sueño con ser salvado por mi padre; tendría que admitir que me gusta verme como víctima; tendría que actuar de otra forma; tendría que salir de mi apartamento y buscar un empleo; no podría quedarme sufriendo sin más».

«Si aceptase que yo soy responsable de mi felicidad», dijo un hombre mayor que bebía demasiado, «dejaría de quejarme de que mi esposa me impulsa a beber; estaría lejos de los bares; no pasaría horas frente a la televisión, echando la culpa al "sistema"; iría al gimnasio y empezaría a ponerme en forma; daría a mi jefe más por su dinero; probablemente tengo que dejar de sentir pena de mí mismo; creo que no podría seguir abusando de mi cuerpo como hago ahora; sería una persona diferente; me respetaría más; conseguiría que mi vida cobrase un nuevo brío.»

«Si asumo la responsabilidad de mis emociones», dijo una mujer que agotaba a su familia y amigos con sus quejas, «no estaría tan deprimida; apreciaría de qué forma a menudo hago sentirme desgraciada; apreciaría cuánta rabia estoy negando; admitiría que gran parte de mi infelicidad es fantasiosa; me centraría más en las cosas buenas de mi vida; advertiría que estoy intentando hacer que la gente se sienta culpable por mí; vería que puedo ser feliz más a menudo.»

## Un ejemplo personal

En la conducción general de mi vida, yo diría que siempre he obrado a un nivel de responsabilidad personal bastante elevado. No espero que los demás abastezcan mis necesidades o deseos. Pero puedo pensar en una época en que traicioné a mis propios principios de manera flagrante, obteniendo unos penosos resultados.

Cuando tenía veinte años entablé una relación intensa con la filósofa-novelista Ayn Rand. A lo largo de dieciocho años nuestra relación asumió casi todas las formas imaginables: de estudiante y maestro a amigos y colegas, a amantes y pareja y, finalmente, a adversarios. La historia de esta relación es el núcleo dramático de mi obra *Judgment day*. Al comienzo y durante algunos años la relación era productiva, inspiradora y valiosa en muchos sentidos; yo aprendí y crecí enormemente. Pero finalmente se volvió limitadora, tóxica, destructiva, un obstáculo para mi desarrollo intelectual y psicológico posterior.

Yo no tomé la iniciativa y propuse que nuestra relación se redefiniese y reconstruyese en un régimen diferente. Me dije a mí mismo que no quería causar dolor. Esperé que ella viese lo que yo veía. Confié en que su racionalidad y sabiduría tomase la decisión correcta para los dos. En realidad, me estaba relacionando con una abstracción, con la autora de *El manantial* y de *La rebelión de Atlas*, en vez de con la mujer concreta que tenía delante. No afronté el hecho de que su calendario era muy diferente del mío y de que ella estaba totalmente absorta en sus necesidades. Pospuse el momento de afrontar el hecho de que no cambiaría nada a menos que yo lo hiciese cambiar. Y como me retrasé, provoqué sufrimiento y humillación en ambos. Evité una responsabilidad que era mía. Cualesquiera fuesen las explicaciones que me diese, no había forma de que mi autoestima no resultase afectada. Sólo cuando empecé a tomar la iniciativa comencé el proceso de recuperar lo que había perdido.

A menudo observamos esta pauta en los matrimonios. Un miembro de la pareja ve antes que el otro que la relación está acabada. Pero no desea ser «el malo», el que pone fin a las cosas. Entonces comienza la manipulación, para hacer que el otro tome la iniciativa. Es un proceso cruel, degradante, indigno y que causa daño a ambos. Es algo autodevaluador y que va en menoscabo de ambos.

En la medida que evito mi responsabilidad causo heridas a mi autoestima. Al aceptar la responsabilidad construyo mi autoestima.


## Productividad

No puede decirse que uno vive de manera responsable de sí mismo si no tiene propósitos productivos. Mediante el trabajo nos ganamos la vida. Mediante el ejercicio de nuestra inteligencia hacia fines útiles nos volvemos más humanos. Sin metas productivas y esfuerzo productivo, permanecemos niños para siempre.

Sin duda estamos limitados por las oportunidades que se nos presentan en un determinado momento y lugar. Pero en cualquier contexto lo característico de la independencia y de la responsabilidad de uno mismo es la orientación que pregunta lo siguiente: «¿Qué acciones me son posibles?» «¿Qué hay que hacer?» «¿Cómo puedo mejorar mi situación?» «¿Cómo puedo superar este *impasse*?» «¿Cuál es el mejor uso de mis energías en esta situación?»

La responsabilidad de uno mismo se expresa mediante una orientación *activa* hacia la vida. Se expresa mediante la comprensión de que no hay nadie en la tierra que nos evite la necesidad de ser independientes y mediante la comprensión de que sin trabajo no es posible la independencia.

### Pensar por uno mismo

El vivir activamente supone pensar de forma independiente, lo cual se contrapone a una conformidad pasiva a las creencias de los demás.

El pensamiento independiente es un corolario tanto de vivir de manera consciente como de la responsabilidad personal. Vivir conscientemente es vivir ejercitando la propia mente. Practicar la responsabilidad personal consiste en pensar por uno mismo.

Una persona no puede pensar mediante la mente de otra. Sin duda aprendemos de otros, pero el conocimiento supone comprensión, y no una mera imitación o repetición. Podemos o bien ejercitar nuestra propia mente o bien pasar a otros la responsabilidad del conocimiento y la valoración y aceptar sus veredictos de manera más o menos acrítica. La elección que realicemos es decisiva para la manera de experimentarnos a nosotros mismos así como para el tipo de vida que queremos.

*A menudo lo que la gente llama «pensar» no consiste más que en reciclar las opiniones de los demás.*

El que en ocasiones seamos influidos por otras personas de una manera que no advertimos no cambia el hecho de que existe una distinción entre la psicología de quienes intentan comprender las cosas, pensar por sí mismos y juzgar por sí mismos, y la de aquellos en los que rara vez se da esta posibilidad. Lo que cuenta aquí es la intención, la índole de la meta de una persona.

El hablar de «pensar de forma independiente» es útil porque la redundancia tiene valor en términos de énfasis. A menudo lo que las personas denominan «pensar» no es más que un mero reciclaje de las opiniones de los demás. Así pues podemos decir que el pensar de forma independiente —sobre nuestro trabajo, nuestras relaciones, sobre los valores que orientan nuestra vida, sobre las metas que nos proponemos— fortalece la autoestima. Y una autoestima sana determina una inclinación natural a pensar de manera independiente.

### El principio moral

El tener responsabilidad de uno mismo, no meramente como preferencia personal sino como principio filosófico, supone la aceptación de una idea moral profundamente importante. Al asumir la responsabilidad de nuestra existencia reconocemos implícitamente que los demás seres humanos no son siervos nuestros y no existen para satisfacer nuestras necesidades. Desde un punto de vista moral no tenemos ningún derecho a tratar a los demás seres humanos como un medio para nuestros fines, igual que nosotros no somos un medio para los suyos. Como he sugerido antes, la aplicación congruente del principio de la responsabilidad personal implica la siguiente regla en las relaciones humanas: *Nunca pida a una persona que actúe contra su interés personal tal y como lo comprende*. Si deseamos que una persona emprenda alguna acción o proporcione algún valor, estamos obligados a ofrecer razones que sean significativas y convincentes en términos de sus intereses y metas. Este criterio es el fundamento moral del respeto mutuo, de la buena voluntad y de la benevolencia entre los seres humanos. Va directamente en contra de la idea de que puede tratarse a algunas personas como víctimas de sacrificio para los fines de otras, que es la premisa subyacente a todas las dictaduras y, dicho sea de paso, de la mayoría de los sistemas políticos.

### Ejercicios de completar oraciones para facilitar la responsabilidad de uno mismo

En mi práctica terapéutica y en mis grupos de autoestima trabajo con un gran número de troncos de oración que permiten a los clientes analizar la psicología de la responsabilidad personal. A continuación presento una muestra representativa. Las tareas para casa deben descomponerse en ejercicios semanales, dispuestos del siguiente modo:

133

*PRIMERA SEMANA*
La responsabilidad de mí mismo significa para mí—
La idea de ser responsable de mi propia vida—
Si aceptase la responsabilidad de mi propia vida, eso significaría—
Cuando yo evito la responsabilidad de mi propia existencia—

*SEGUNDA SEMANA*
Si yo acepto un 5 % más de responsabilidad en el logro de mis propias metas—
Cuando yo evito la responsabilidad en el logro de mis metas—
Si asumo más responsabilidad en el éxito de mis relaciones—
En ocasiones me mantengo en actitud pasiva (describir de qué manera)—

*TERCERA SEMANA*
Si asumo la responsabilidad de lo que hago acerca de los mensajes que recibí de mi madre—
Si asumo la responsabilidad de lo que hago acerca de los mensajes que recibí de mi padre—
Si asumo la responsabilidad de las ideas que acepto o rechazo—
Si aporto una mayor consciencia a las ideas que me motivan—

*CUARTA SEMANA*
Si acepto un 5 % más de responsabilidad por mi felicidad personal—
Si evito la responsabilidad por mi felicidad personal—
Si acepto un 5 % más de responsabilidad por mi elección de compañías—
Cuando evito la responsabilidad de mi elección de compañías—

*QUINTA SEMANA*
Si acepto un 5 % más de responsabilidad por las palabras que salen de mi boca—
Cuando evito la responsabilidad de las palabras que salen de mi boca—
Si aporto una mayor consciencia a las cosas que me digo a mí mismo—
Si asumo la responsabilidad de las cosas que me digo a mí mismo—

*SEXTA SEMANA*
Me hago sentir desamparado cuando yo—
Me vuelvo deprimido cuando yo—
Me pongo ansioso cuando yo—
Si asumo la responsabilidad de volverme desamparado—

134

## SÉPTIMA SEMANA
Si yo asumo la responsabilidad por deprimirme—
Si yo asumo la responsabilidad por ponerme ansioso—
Cuando estoy dispuesto a comprender lo que he estado escribiendo—
No me resulta fácil admitir que—
Si asumo la responsabilidad de mi nivel de vida actual—

## OCTAVA SEMANA
Cuando más responsable de mí mismo me siento es cuando yo—
Cuando menos responsable de mí mismo me siento es cuando yo—
Si no estoy en el mundo para vivir de acuerdo con las expectativas de nadie—
Si mi vida me pertenece a mí—

## NOVENA SEMANA
Si abandono la mentira de ser incapaz de cambiar—
Si asumo la responsabilidad de lo que hago de mi vida a partir de este momento—
Si nadie va a venir a salvarme—
Me estoy volviendo consciente—

La utilidad de este método consiste en que produce cambios de la consciencia y orientación de la persona sin prolijas «discusiones» o «análisis». La solución se genera sustancialmente desde dentro.

Si mantiene un diario y durante un tiempo escribe de seis a diez terminaciones para cada una de estas frases incompletas, no sólo aprenderá mucho sino que será casi imposible no crecer en la práctica de la responsabilidad personal. La mejor manera de trabajar consiste en completar los troncos de la semana de lunes a viernes, y luego ejercitar el fin de semana con el tronco siguiente: **Si es verdad cualquier cosa de las que he estado escribiendo, sería de utilidad que yo**— para pasar entonces el lunes al tronco de la semana siguiente.


## No va a venir nadie

Tras haber trabajado muchos años con personas muy diferentes en el fomento de la autoestima, siempre he estado atento a encontrar los momentos decisivos de la psicoterapia, los momentos en que parece producirse un «click» en la mente del cliente y comenzar una nueva orientación.

Uno de estos momentos más importantes es cuando el cliente comprende que *nadie va a venir.* Nadie va a venir a salvarme; nadie va a enderezar mi vida en mi lugar; nadie va a resolver mis problemas. Si yo no hago algo, *nadie va a hacerlo mejor.*

El sueño de un salvador que nos redima puede ofrecer algún tipo de consuelo, pero nos deja en situación pasiva e impotente. Podemos sentir que *con sólo sufrir lo suficiente, con sólo anhelar desesperadamente, algún día acontecerá un milagro,* pero éste es el tipo de autoengaño que se paga con la vida, que se desvanece en un abismo de posibilidades irreversibles y de días, meses y décadas irrecuperables.

Hace algunos años, en mi sala de terapia de grupo colgamos en la pared algunas frases que a menudo habían resultado útiles en el curso de mi trabajo. Un cliente me regaló varias de estas frases tejidas a mano, cada una con su propio marco. Una de ellas era ésta: «No es lo que los demás piensan; es lo que uno sabe». Otra era la siguiente: «Nadie va a venir».

Un día, un miembro del grupo con sentido del humor me puso en cuestión la frase de «Nadie va a venir».

«Nathaniel, no es verdad», dijo. «Vino *usted.*»

«Correcto», dije, «pero yo vine para decir que nadie va a venir.»

**La práctica de la responsabilidad de sí mismo es el tercer pilar de la autoestima.**

# 9. La práctica de la autoafirmación

Hace unos años impartía una clase de licenciatura en psicología y quise que mis alumnos comprendiesen a qué sutil nivel puede evidenciarse el miedo a la autoafirmación.

Les pregunté si alguno de los presentes creía que tenía derecho a existir. Todos levantaron la mano. Entonces pedí a un voluntario que me ayudase con una demostración. Salió un joven al estrado y le dije: «Quédese por favor de pie frente a la clase, y diga en voz alta, varias veces "Tengo derecho a existir". Dígalo lentamente y vea cómo se siente al decirlo. Y mientras lo hace, quiero que todos los demás piensen en lo siguiente: ¿le creen? ¿Creen que realmente siente lo que está diciendo?»

El joven puso sus manos en las caderas y afirmó de forma beligerante: «Tengo derecho a existir». Lo dijo como si nos preparase para el combate. Cada repetición sonaba más desafiante.

«Nadie está discutiendo con usted», le señalé. «Nadie le está desafiando. ¿Puede usted decirlo sin desafío o actitud defensiva?»

No podía. Su voz delataba siempre la anticipación de un ataque. Nadie creía en su convicción en lo que estaba diciendo.

Se levantó una joven y dijo con una implorante voz y una sonrisa que pedía el perdón: «Yo tengo derecho a existir». Tampoco la creyó nadie.

Se levantó otro alumno. Parecía arrogante, orgulloso, afectado, parecía un actor que representaba su papel con una asombrosa ineptitud.

Un estudiante protestó del siguiente modo: «Ésta no es una prueba justa. Ellos son tímidos, no están acostumbrados a hablar frente a la gente, y por eso parecen en tensión». Yo le pedí que saliera a la palestra y dijera simplemente esto: «Dos y dos son cuatro». Lo dijo con una total soltura y convicción. Luego le pedí que dijese: «Tengo derecho a existir». Sus palabras sonaron tensas, dudosas y poco convincentes.

La clase rompió a reír. Habían comprendido. Situado frente a la clase, no era difícil decir que dos y dos son cuatro. Pero sí lo era afirmar el propio derecho a existir.

137

«¿Qué significa para usted la afirmación "Tengo derecho a existir"», le pregunté. «Obviamente en este contexto no lo consideramos principalmente como una declaración política, como en la Declaración de Independencia. Aquí aludimos a algo más psicológico. Pero ¿de qué se trata?» Un estudiante dijo: «Significa que mi vida me pertenece». Otro estudiante dijo: «Significa que puedo vivir a mi manera». Para otro significaba: «Que no tengo que cumplir las expectativas de mis padres en relación a mí, que puedo perseguir las mías propias». Otro estudiante dijo: «Significa que puedo decir no cuando quiero». «Significa que tengo el derecho a respetar mi interés personal.» «Significa que importa aquello que deseo.» «Significa que puedo decir y hacer lo que considero correcto.» «Significa que puedo seguir mi destino.» «Significa que mi padre no puede decirme qué tengo que hacer con mi vida.» «Significa que no tengo que construir toda mi vida en torno al objetivo de no irritar a mi madre.»

Éstas fueron algunas de las acepciones privadas de la afirmación «Tengo derecho a existir». Y esto es lo que no fueron capaces de afirmar con serenidad y confianza ante un grupo de compañeros. Aclarado esto, empecé a hablar con ellos sobre la autoafirmación y la autoestima.


### ¿Qué es la autoafirmación?

La autoafirmación significa respetar mis deseos, necesidades y valores y buscar su forma de expresión adecuada en la realidad.

Su opuesto es la entrega a la timidez consistente en confinarme a mí mismo a un perpetuo segundo plano en el que todo lo que yo soy permanece oculto o frustrado para evitar el enfrentamiento con alguien cuyos valores son diferentes de los míos, o para complacer, aplacar o manipular a alguien, o simplemente para «estar en buena relación con alguien».

La autoafirmación no significa beligerancia o agresividad inadecuada; no significa abrirse paso para ser el primero o pisar a los demás; no significa afirmar mis propios derechos siendo ciego o indiferente a los de todos los demás. Significa simplemente la disposición a valerme por mí mismo, a ser quien soy abiertamente, a tratarme con respeto en todas las relaciones humanas. Equivale a una negativa a falsear mi persona para agradar.

*La autoafirmación significa la disposición a valerme por mí mismo, a ser quien soy abiertamente, a tratarme con respeto en todas las relaciones humanas.*

Ejercer la autoafirmación es vivir de forma auténtica, hablar y actuar desde mis convicciones y sentimientos más íntimos una forma de vida, una regla (admitiendo el hecho obvio de que puede haber circunstancias particulares en las que está justificado que decida no hacerlo, por ejemplo, cuando me enfrento a un atracador).

La autoafirmación adecuada presta atención al contexto. Las formas de expresión de uno mismo adecuadas cuando estoy jugando en el suelo con un niño obviamente son diferentes de las adecuadas en una reunión de personal. El respetar la diferencia no equivale a «sacrificar nuestra autenticidad» sino meramente permanecer centrado en la realidad. En cada contexto hay formas de expresión de uno mismo adecuadas e inadecuadas. A veces la autoafirmación se manifiesta presentando voluntariamente una idea o haciendo un cumplido; a veces mediante un educado silencio que da a entender nuestro desacuerdo; a veces negándonos a sonreír ante un chiste tonto. En las situaciones de trabajo no podemos expresar todas nuestras ideas, y no es necesario hacerlo. Lo necesario es conocer lo que uno piensa y seguir siendo *auténtico*.

Si bien el contenido de la expresión adecuada de uno mismo varía con el contexto, en toda situación se da una elección entre ser auténtico o no auténtico, real o no real. Si no deseamos afrontar esto, por supuesto negaremos que hemos realizado semejante elección. Afirmaremos que estamos desamparados. Pero la elección está siempre ahí.

## Lo que es y no es la autoafirmación

1.  En una sociedad de clases, cuando vemos a un superior hablando con un inferior, este último baja su mirada. Quien mira hacia abajo es el esclavo, no el amo. Hubo una época en el Sur en la que podía azotarse a un negro por la ofensa de atreverse a mirar directamente a una mujer blanca. El *ver* es un acto de autoafirmación y siempre se ha entendido como tal.

El primer acto de autoafirmación, el más básico, es la afirmación de la consciencia. Esto supone la elección de ver, pensar, ser consciente, proyectar la luz de la consciencia al mundo exterior y al mundo interior, a nuestro ser más íntimo. El formular preguntas es un acto de autoafirmación. El

139

desafiar a la autoridad es un acto de autoafirmación. El pensar por uno mismo —y atenerse a lo que uno piensa— es la raíz de la autoafirmación. Faltar a esta responsabilidad es faltar a uno mismo en el nivel más básico.

No hay que confundir la autoafirmación con una rebeldía insensata. La «autoafirmación» sin consciencia no es autoafirmación; equivale a conducir ebrio.

A veces personas que tienen una dependencia y temor esencial optan por una forma de afirmación autodestructiva. Consiste en decir de manera refleja: «¡No!» cuando su mejor interés sería decir: «Sí». Su única forma de autoafirmación es la protesta —tanto si tiene sentido como si no—. A menudo vemos esta respuesta en los adolescentes —y también en adultos que nunca han madurado más allá de este nivel de consciencia adolescente—. La finalidad de esta conducta es proteger sus límites, lo que no está intrínsecamente mal, pero los medios que aplican les dejan pegados en una etapa de desarrollo primaria.

Si bien la autoafirmación supone la capacidad de decir que no, en última instancia se pone a prueba no tanto por aquello en contra de lo cual vamos sino por aquello a favor de lo cual estamos. Una vida que sólo consista en una serie de negaciones es una pérdida de tiempo y una tragedia. La autoafirmación nos exige no sólo oponernos a lo que rechazamos sino vivir de acuerdo con nuestros valores y expresarlos. En este sentido está estrechamente vinculada con la cuestión de la integridad.

La autoafirmación empieza con un acto de pensamiento, pero no debe terminar ahí. La autoafirmación supone volcarnos al mundo. El aspirar no es aún autoafirmación, o es una autoafirmación muy pobre; pero el proyectar nuestras aspiraciones en la realidad sí lo es. El tener valores no es aún autoafirmación, o apenas lo es; el perseguirlos y vivir de acuerdo con ellos en el mundo sí lo es. Uno de los grandes autoengaños consiste en concebirse a uno mismo como «una persona de valores» o como «un idealista», sin proyectar nuestros valores a la realidad. El pasar nuestra vida entre ensoñaciones no es autoafirmación; sí lo es ser capaz de decir al final lo siguiente: «Mientras ha transcurrido mi vida, *yo estaba ahí, yo la vivía*».

2.  Practicar la autoafirmación de manera lógica y congruente es comprometerse con nuestro derecho a existir, que consiste en el conocimiento de que mi vida no pertenece a los demás y de que no estoy en la tierra para vivir de acuerdo con las expectativas de otra persona. Para muchas personas ésta es una responsabilidad aterradora. Significa que su vida está en sus propias manos. Significa que no podemos contar con la madre y el padre y con otras figuras de autoridad en calidad de protectores. Significa que ellos son responsables de su vida y de crear su propio sentimiento de seguridad. El principal contribuyente a la subversión de la autoestima no es el

miedo de esta responsabilidad sino *la entrega a este miedo*. Si yo no puedo hacer valer mi derecho a existir —mi derecho a ser yo mismo— ¿cómo puedo experimentar un sentido de dignidad personal? ¿Cómo puedo experimentar un nivel de autoestima decente?

---

*Mi vida no pertenece a los demás y yo no estoy en la tierra para vivir de acuerdo con las expectativas de otra persona.*

---

Para practicar la autoafirmación de manera congruente necesito la convicción de que mis ideas y deseos son importantes. Desgraciadamente a menudo carecemos de esta convicción. Cuando éramos jóvenes, muchos de nosotros recibimos señales que nos indicaban que *no* era importante aquello que pensábamos, sentíamos o deseábamos. De hecho se nos enseñaba lo siguiente: «Lo que tú quieres no es importante; lo importante es lo que quieren *los demás*». Quizás nos intimidaban mediante acusaciones de «egoísmo» cuando intentábamos hacernos valer.

A menudo hay que tener valor para respetar lo que deseamos y pelear por ello. A mucha gente le resulta mucho más fácil rendirse y sacrificarse. No necesitan la integridad y la responsabilidad que requiere un egoísmo inteligente.

Un hombre de cuarenta y ocho años que durante muchos años había trabajado esforzadamente para mantener a su esposa y a sus tres hijos sueña con abandonar su trabajo, exigente y estresante, cuando llegue a los cincuenta años y con ocupar un trabajo en el que gane menos dinero pero que le permita algo del ocio que nunca ha tenido. Siempre ha deseado más tiempo para leer, viajar y pensar, sin la presión de sentir que estaba descuidando algo urgente de su trabajo. Cuando anuncia esta intención en una cena familiar, todos se agitan y manifiestan una única preocupación: cómo se verá afectado el nivel de vida de cada uno si el padre coge un empleo peor retribuido. Nadie muestra interés alguno por el contexto, las necesidades o los sentimientos. El padre se pregunta: «¿Cómo puedo oponerme a mi familia?» «¿No es la primera obligación de un hombre ser un buen proveedor?» Quiere que su familia piense que es un buen hombre, y si para ello ha de abandonar sus sueños, está dispuesto a ceder. Ni siquiera tiene que reflexionar sobre el particular. El hábito del deber se ha arraigado en él a lo largo de toda su vida. En el lapso de una conversación de cena atraviesa el umbral del comienzo de la vejez. Para mitigar el dolor que no puede acallar por completo se dice a sí mismo: «Por lo menos no soy egoísta. El egoísmo es malo, ¿no?».

La triste ironía es que cuando una persona deja de honrar o incluso de atender a sus necesidades y deseos más profundos, en ocasiones se vuelve egoísta no en el sentido noble sino mezquino, dedicándose a asuntos triviales una vez ha claudicado en sus anhelos más profundos, incluso conociendo rara vez lo que ha traicionado y abandonado.

3. En una organización se necesita autoafirmación no únicamente para tener una idea buena sino para desarrollarla, para pelear por ella, para trabajar a fin de ganar apoyos en su favor, para hacer todo lo que está en nuestras manos con objeto de que se aplique en la realidad. Es la falta de esta práctica lo que hace que muchas aportaciones potenciales fracasen antes de nacer.

En mi calidad de consultor, cuando me piden que colabore con un equipo que tiene dificultad en trabajar de manera efectiva en un proyecto, a menudo encuentro que una fuente de la disfunción está en una o más personas que en realidad no participan, no se aplican realmente al empeño, quizá por sentir que no tienen la facultad de aportar algo, no creen que pueda importar su contribución. Su pasividad les convierte en saboteadores. Un director de proyecto me hizo la siguiente observación: «Me preocuparía más enfrentarme a un egomaníaco que piensa que él es todo el proyecto que luchar con una persona de talento pero que duda de sí misma, cuya inseguridad le impide ofrecer lo que puede ofrecer».

Sin una autoafirmación adecuada, nos convertimos en espectadores en vez de en participantes. Una autoestima sana nos exige saltar al ruedo, estar dispuestos a mancharnos las manos.

4. Por último, la autoafirmación supone la disposición a enfrentarnos en vez de rehuir los retos de la vida y a luchar por dominarlos. Cuando ampliamos los límites de nuestra capacidad de hacer frente a las cosas, ampliamos nuestra eficacia personal y nuestro respeto hacia nosotros. Cuando nos comprometemos en nuevos ámbitos de aprendizaje, cuando asumimos tareas que nos enriquecen, aumentamos nuestro poder personal. Nos proyectamos más lejos en el universo. Afirmamos nuestra existencia.

Cuando intentamos comprender algo y encontramos una pared, es necesario un acto de autoafirmación para perseverar. Cuando nos proponemos desarrollar nuevas aptitudes, obtener conocimientos nuevos, ampliar el alcance de nuestra mente por espacios desconocidos —cuando nos comprometemos a pasar a un nivel de competencia superior— practicamos la autoafirmación.

*Una autoestima sana nos exige saltar al ruedo, estar dispuestos a mancharnos las manos.*

Cuando aprendemos a estar en una relación íntima sin abandonar nuestro sentido de la identidad, cuando aprendemos a ser amables sin sacrificarnos a nosotros mismos, cuando aprendemos a cooperar con los demás sin traicionar nuestras normas y convicciones estamos practicando la autoafirmación.

## Miedo a la autoafirmación

La tradición americana es una tradición de individualismo, y algunas expresiones de autoafirmación son relativamente más aceptables en los Estados Unidos que en otras culturas. No todas las culturas otorgan tanto valor al individuo como la nuestra. No todas las culturas otorgan el mismo mérito a la expresión de uno mismo. Incluso en los Estados Unidos, muchas formas de autoafirmación son más aceptables para los hombres que para las mujeres. Aún se penaliza a menudo a las mujeres cuando ejercen su autoafirmación natural, un derecho inalienable como seres humanos.

Tanto en nuestra sociedad como en cualquier otra, si uno cree que es más deseable amoldarse que hacerse valer, no abrazará la virtud de la autoafirmación. Si nuestra fuente primaria de seguridad está en la afiliación a la tribu, la familia, el grupo, la comunidad, la empresa, el colectivo, la autoestima puede percibirse incluso como algo amenazador y temible porque significa individuación (autorrealización, despliegue de la identidad personal), y por lo tanto separación.

La individuación eleva el espectro de aislamiento de quienes no la han conseguido y no comprenden que lejos de ser el enemigo de la comunidad es su condición previa necesaria. Una sociedad sana es una unión de personas que se respetan a sí mismas. No es un arbusto de coral.

Un hombre o mujer bien realizado es alguien que ha atravesado con éxito dos líneas de desarrollo que se sirven y complementan mutuamente: la línea de la individuación y la línea de la relación. Por una parte la autonomía; por otra, la capacidad de intimidad y de relación humana.

Las personas con un sentido de la identidad poco desarrollado a menudo se dicen a sí mismas lo siguiente: «Si me expreso a mí mismo puedo causar desaprobación. Si me quiero y afirmo a mí mismo, puedo provocar resentimiento. Si me muestro demasiado feliz conmigo mismo, puedo provocar celos. Si sobresalgo, me pueden obligar a permanecer solo». Frente a estas posibilidades se quedan inmóviles y pagan un terrible precio en pérdida de la autoestima.

En este país los psicólogos comprenden estos temores, que son muy comunes, pero (algunos de) nosotros tendemos a concebirlos como un signo de inmadurez. Decimos lo siguiente: Ten el valor de ser quien eres. Esto en ocasiones nos pone en conflicto con los portavoces de otras perspectivas culturales. Cuando escribí sobre los retos de la individuación en mi obra *El respeto hacia uno mismo,* un psicólogo de Hawaii me criticó diciendo lo siguiente: «¡Qué americano!» Afirmaba que su cultura otorga un valor superior a la «armonía social».

Si bien el término «individuación» es moderno, la idea que expresa es por lo menos tan antigua como Aristóteles. Pensamos que el afán del ser humano hacia la totalidad, la completitud, el impulso interior a la autorrealización recuerda la noción aristotélica de entelequia. El impulso a la autorrealización está estrechamente asociado a nuestras supremas expresiones de genio artístico y científico. En el mundo moderno también va asociado a la libertad política, a la liberación de la humanidad de siglos de servidumbre a uno u otro tipo de tribu.


### Ejemplos

Algunas personas viven y se comportan como si no tuviesen derecho al espacio que ocupan. Algunos hablan como si su intención fuese que no pudiesen oírles, bien porque murmuran o porque hablan confusamente o ambas cosas. Algunos muestran de forma crudamente obvia que no sienten tener derecho a existir. Éstos encarnan la forma más extrema de falta de autoafirmación. En la terapia, cuando estos hombres y mujeres aprenden a moverse y a hablar con más seguridad, invariablemente informan (después de cierta ansiedad inicial) de un aumento de la autoestima.

No todas las manifestaciones de la falta de autoafirmación son obvias. Una vida normal se caracteriza por miles de silencios, entregas, claudicaciones y representaciones erróneas de sentimientos y creencias que no se recuerdan y que erosionan la dignidad y el respeto de uno mismo. Cuando no nos expresamos a nosotros mismos, cuando no afirmamos nuestro ser, cuando no defendemos nuestros valores en los contextos en que es adecuado hacerlo, causamos heridas a nuestro sentido de la identidad personal. No es el mundo el que nos daña, lo hacemos nosotros.

Un joven se sienta solo en la oscuridad de un cine, profundamente emocionado por el drama que se desarrolla ante sus ojos. El relato le afecta de forma tan profunda que sus ojos se llenan de lágrimas. Sabe que dentro de más o menos una semana deseará volver a ver esta película otra vez. En el vestíbulo se encuentra con un amigo que estaba en la misma sesión y se saludan. Busca en la cara de su amigo indicios sobre sus sentimientos acerca de la película; pero la faz de su amigo es inexpresiva. El amigo le pregunta: «¿Te ha gustado la película?». El joven siente miedo por unos instantes; no desea parecer «afectado». No desea decir la verdad —«Me gustó. Me afectó profundamente»—. En su lugar mueve indiferentemente los hombros y dice: «No está mal». Desconoce que acaba de traicionar a su propia expresión; o más bien, no lo conoce de forma consciente. Pero su mermada autoestima sí lo sabe.

*Algunas personas viven y se comportan como si no tuviesen derecho al espacio que ocupan.*

Una mujer está en un cóctel y oye que alguien hace un feo comentario racista que le azota interiormente. Quiere decir: «Lo considero ofensivo». Sabe que el mal gana fuerza al no encontrar oposición. Pero teme encontrar desaprobación. En actitud perpleja, desvía la mirada y no dice nada. Posteriormente, para apaciguar su sensación de malestar, se dice a sí misma: «¿Y qué importa? Ese hombre estaba loco». Pero su autoestima sabe que sí importa.

Un estudiante universitario acude a una conferencia de una escritora cuya obra admira enormemente. Posteriormente se une al grupo que rodea a la escritora para hacerle preguntas. Desea decirle lo mucho que significan para él los libros de esta mujer, lo mucho que le han beneficiado, lo importantes que han sido en su vida. Pero se queda en silencio, diciéndose a sí mismo: «¿Qué importancia tendría mi reacción para una escritora famosa?» Le mira en actitud expectante, pero permanece en silencio. Siente que si habla... ¿Quién sabe qué podría suceder? Quizá se interesaría. Pero gana el miedo y se dice a sí mismo: «No quiero ser entrometido».

Una mujer casada oye a su marido expresar una opinión que considera errónea y censurable. Siente el impulso de criticarle, de expresar su propia idea. Pero teme «mover la barca» de su matrimonio, teme la posibilidad de que su marido le retire la aprobación si ella se muestra en desacuerdo con él. «Una buena esposa —le había enseñado su madre— apoya a su marido tanto si tiene como si no tiene razón.» En una ocasión había oído decir al sacerdote en el sermón dominical que «la relación de una mujer con su marido debe ser como la relación del hombre con Dios». En su mente aún resuena el recuerdo de estas voces. Entonces se queda en silencio, igual que había hecho otras veces en el pasado, y no advierte que la raíz de su vaga sensación de culpa es el conocimiento de su traición a sí misma.

## Un ejemplo personal

Ya he citado la relación que inicié con Ayn Rand un mes antes de cumplir veinte años y que nos llevó a una explosiva separación dieciocho años después. Entre los muchos beneficios que obtuve de ella en los primeros años, uno fue una experiencia de visibilidad profunda. Me sentí apreciado y comprendido por ella de una forma que no tenía precedentes. Lo que hizo tan importante su respuesta era la alta estima en que yo la tenía; yo la admiraba enormemente.

Sólo gradualmente me di cuenta de que no toleraba bien el desacuerdo. No lo toleraba entre las personas más cercanas. Entre los conocidos no exigía un total acuerdo, pero quien desease permanecer realmente cerca de ella había de mostrar un enorme entusiasmo por todas sus afirmaciones y actos. Yo no percibí los pasos mediante los cuales aprendí a censurar las reacciones negativas de sus conductas cuando, por ejemplo, encontraba excesivas sus observaciones de autocongratulación o encontraba preocupante su falta de empatía o su excesivo tono pontifical. Yo no le daba el tipo de retroalimentación correctora que todos necesitamos de vez en cuando; a falta de ésta podemos volvernos aislados de la realidad, como le sucedió a ella.

En los últimos años, después de la separación, a menudo reflexioné sobre las razones por las que no me expresé más a menudo yo, que tenía (relativamente) más libertad con ella que ninguna otra persona de nuestro círculo. La verdad era que apreciaba demasiado su estima para arriesgarla. En realidad me había vuelto adicto a ella. Retrospectivamente me parece que tenía talento para suscitar semejante adicción mediante la sutileza, dotes artísticas y una asombrosa perspicacia con la que podía hacer que la gente se sintiera mejor comprendida y apreciada de lo que se había sentido nunca. No niego la responsabilidad personal; nadie puede ser seducido sin su consentimiento. A cambio de la intoxicante gratificación de ser tratado como un semidiós por la persona a la que apreciaba por encima de todas las demás y cuya buena estima valoraba más que ninguna, yo había castigado mi autoestima de una forma que con el tiempo resultó dañina para mi concepto de mí mismo.

146

*En ocasiones la tentación de traicionarse a sí mismo puede ser peor*
*con aquellas personas que más nos interesan.*

Al final yo aprendí una lección de inestimable valor. Aprendí que las entregas de este tipo no funcionan; no hacen más que posponer enfrentamientos inevitables y necesarios. Aprendí que en ocasiones la tentación de traicionarse a sí mismo puede ser peor con aquellas personas que más nos interesan. Aprendí que ninguna medida de admiración hacia otro ser humano puede justificar el sacrificio del propio criterio.

**Ejercicios de completar frases para facilitar la autoafirmación**

A continuación se presentan troncos de oraciones que pueden facilitar el llegar a una comprensión más profunda de la autoafirmación, así como a vigorizar su ejercicio.

**PRIMERA SEMANA**
**Para mí la autoafirmación significa—**
**Si hoy viviese con un 5 % más de autoafirmación—**
**Si alguien me hubiese dicho que mis deseos eran importantes—**
**Si tuviese el valor de considerar importantes mis deseos—**

**SEGUNDA SEMANA**
**Si aporto una mayor consciencia a mis necesidades y deseos más profundos—**
**Cuando yo ignoro mis anhelos más profundos—**
**Si yo estuviera dispuesto a decir sí cuando deseo decir sí y no cuando deseo decir no—**
**Si estuviera dispuesto a expresar más a menudo mis ideas y opiniones—**

**TERCERA SEMANA**
**Cuando suprimo mis ideas y opiniones—**
**Si yo estoy dispuesto a pedir lo que deseo—**
**Cuando permanezco en silencio en relación a lo que deseo—**
**Si estoy dispuesto a dejar que los demás oigan mi melodía interior—**

**CUARTA SEMANA**
**Si estoy dispuesto a dejarme oír la melodía que llevo dentro—**

**Si hoy expreso un 5 % más de mí mismo—**
**Cuando yo oculto quién soy realmente—**
**Si yo deseo vivir de manera más completa—**

Y durante el fin de semana, después de volver a leer los troncos de oración de la semana, escriba de seis a diez terminaciones para el siguiente tronco: **Si es verdad cualquiera de las cosas que he estado escribiendo, puede ser útil que yo—**.

Obviamente hay otras formas de trabajar con estos troncos. Por ejemplo, en mis grupos de autoestima podemos trabajar con todos los troncos de esta lista en una sesión de tres horas, pronunciando en voz alta nuestras terminaciones, discutiendo luego éstas y sus implicaciones para la acción.

## Coraje

Una vez más podemos apreciar que las acciones que apoyan una sana autoestima son también expresiones de sana autoestima. La autoafirmación apoya la autoestima y es a la vez una manifestación de ella.

Es erróneo fijarse en alguien que tiene seguridad de sí mismo y decir: «A ella le resulta fácil la autoafirmación, tiene una buena autoestima». Una de las maneras de levantar la autoestima es autoafirmándonos cuando no es fácil hacerlo. Siempre hay ocasiones en las que la autoafirmación nos exige coraje.

**La práctica de la autoafirmación es el cuarto pilar de la autoestima.**

# 10.  La práctica de vivir con propósito

Tengo un amigo de casi setenta años que es uno de los conferenciantes de empresa más brillantes y buscados del país. Hace unos años volvió a conectar con una mujer a la que había conocido y amado muchos años antes, y de la que había perdido el contacto hacía treinta años. También ella estaba ahora en la sesentena. Se enamoraron apasionadamente.

Cuando me lo contaba durante una cena, mi amigo nunca había tenido un aspecto tan feliz. Era maravilloso estar con él y ver el semblante de felicidad en su expresión. Pensando quizás en los dos divorcios anteriores, dijo de manera ingeniosa y apresurada: «Dios mío, espero hacer bien las cosas esta vez. Quiero que esta relación dure mucho. Deseo, quiero decir que quiero —que espero— ya sabes que no soy atolondrado». Yo permanecí en silencio y él me preguntó: «¿Me das algún consejo?»

«Bien, te doy uno», le respondí, «si quieres que funcione debes tener el *propósito consciente* de que funcione». Se inclinó intencionadamente hacia delante y yo seguí hablando: «Puedo imaginar cual sería tu reacción si estuvieses en IBM y un ejecutivo te dijese: "Gee, *espero* que consigamos comercializar bien este nuevo producto. Realmente quiero que lo consigamos, lo deseo". Tú te dirigirías a él al instante diciéndole: "¿Qué quiere decir *espero*? ¿Qué quieres decir por *deseo*?". Mi consejo es que apliques lo que sabes sobre la importancia del propósito —y de los planes de acción— a tu vida personal. Y que dejes el "esperar" y el "desear" para los niños».

Su sonrisa de satisfacción reveló expresivamente que me había comprendido.

Esto me lleva a la cuestión de vivir con propósito.

Vivir sin propósito es vivir a merced del azar —del acontecimiento fortuito, de la llamada telefónica fortuita, del encuentro casual— porque no tenemos una norma mediante la cual juzgar lo que vale la pena y no vale la pena hacer. Las fuerzas exteriores nos impulsan, como un corcho que flota en el agua, sin una iniciativa nuestra que fije un curso específico. Nuestra orientación hacia la vida es reactiva en vez de proactiva. Vamos a la deriva.

Vivir con propósito es utilizar nuestras facultades para la consecución de las metas que hemos elegido: la meta de estudiar, de crear una familia, de ganarnos la vida, de empezar un negocio nuevo, de introducir un producto nuevo en el mercado, de resolver un problema científico, de construir una casa de vacaciones, de mantener una feliz relación romántica. Son nuestras metas las que nos impulsan, las que nos exigen aplicar nuestras facultades, las que vigorizan nuestra vida.

## Productividad y propósito

Vivir con propósito es, entre otras cosas, vivir productivamente, una exigencia de nuestra capacidad para afrontar la vida. La productividad es el acto de conservación de la vida plasmando nuestras ideas en la realidad, fijando nuestras metas y actuando para conseguirlas, el acto de dar vida a los conocimientos, bienes o servicios.

Los hombres y mujeres responsables de sí mismos no traspasan a los demás la carga de soportar su existencia. Lo que importa aquí no es el grado de capacidad productiva de una persona sino la elección de ésta de ejercer las capacidades que posea. Lo importante no es el tipo de trabajo elegido, siempre que este trabajo no vaya intrínsecamente en contra de la vida, sino si una persona busca un trabajo que le permita una salida a su inteligencia, si hay una oportunidad.

Los hombres y mujeres con propósitos se fijan metas productivas en consonancia con sus capacidades, o intentan hacerlo. Una de las maneras en que se revela su concepto de sí mismos es el tipo de metas que se fijan. Admitido que puede ser necesaria una interpretación particular en razón de la complejidad de los contextos privados, si conocemos el tipo de metas que elige la gente, es mucho lo que podemos saber sobre su visión de sí mismos y sobre lo que consideran posible y adecuado a ellos.

## Eficacia y propósito

Si la autoestima supone una experiencia básica de competencia (o eficacia), ¿cuál es la relación entre esa competencia y los ámbitos de competencia más restringidos y circunscritos en ámbitos particulares?

*Construimos nuestro sentido de eficacia básica mediante el dominio de formas particulares de eficacia relacionadas con el logro de tareas particulares.*

La eficacia fundamental no puede generarse en el vacío; debe crearse y expresarse mediante algunas tareas específicas que se dominan con éxito.

No es que los logros «prueben» nuestra valía sino más bien que el proceso de su consecución es el medio por el que corroboramos nuestra eficacia, nuestra competencia en la vida. Yo no puedo ser eficaz en abstracto sin ser eficaz sobre algo en particular. Así pues, el trabajo productivo tiene el potencial de ser una actividad poderosa de edificación de la autoestima.

---

*La gente tiene más facilidad de comprender estas ideas en su aplicación al trabajo que a las relaciones personales. Ésta puede ser la razón de que más gente busque el éxito en su vida laboral que en su matrimonio.*

---

Los propósitos que nos animan, para poder ser realizados, tienen que ser específicos. Yo no puedo organizar mi conducta de manera óptima si mi objetivo es únicamente «hacer lo que pueda». Esta meta es demasiado vaga. Mi meta tiene que ser algo así: hacer ejercicio sobre el tapiz rodante treinta minutos cuatro veces a la semana; completar mi tarea (definida con precisión) en diez días; comunicar a mi equipo en nuestra próxima reunión exactamente lo que exige el proyecto; ganar una suma de dinero concreta en comisiones al final del año; conseguir un nicho de mercado determinado por unos medios concretos y en una fecha concreta. Con esta concreción puedo controlar mi progreso, comparar las intenciones con los resultados, modificar mi estrategia o mi táctica en respuesta a la información nueva y ser responsable de los resultados que consigo.

El vivir con propósito es interesarse por estas preguntas: ¿qué estoy intentando conseguir? ¿Cómo estoy intentando conseguirlo? ¿Por qué pienso que estos medios son adecuados? ¿La retroalimentación del entorno me informa de que lo voy a conseguir o que voy a fracasar? ¿Tengo que contemplar una información nueva? ¿Tengo que hacer algún ajuste en mi conducta, mi estrategia o mis prácticas? ¿Tengo que reelaborar mis metas y objetivos? Así pues, vivir con propósito significa vivir con un alto nivel de consciencia.

A la gente le resulta más fácil comprender estas ideas aplicadas al trabajo que a las relaciones personales. Ésa puede ser la razón por la que más personas triunfan en su vida laboral que en sus matrimonios. Todos sabemos que no basta con decir: «Yo amo mi trabajo». Tenemos que presentarnos en el despacho y hacer algo. En caso contrario, el negocio irá a la ruina.

Sin embargo, en las relaciones íntimas es fácil imaginar que con el «amor» basta, que la felicidad llegará algún día, y si no llega esto significa que no encajamos. La gente rara vez se pregunta: «Si mi meta es tener una relación con éxito, ¿qué debo hacer? ¿Qué acciones son precisas para crear y mantener la confianza, la intimidad, una continuada autorrevelación, excitación, crecimiento?»

Cuando una pareja está recién casada y se encuentra muy feliz, conviene preguntar: «¿Cuál es vuestro plan de acción para mantener estos sentimientos?»

Si una pareja está en situación de conflicto y tiene deseo de resolverlo, es útil preguntar: «Si os proponéis recuperar la armonía, ¿qué acciones estáis dispuestos a adoptar para conseguirla? ¿Qué acciones desea cada uno en su pareja? ¿Qué piensa cada cual que tiene que hacer el otro para mejorar?»

Los propósitos no relacionados con un plan de acción no se realizan. Sólo existen como anhelos frustrados.

Las ensoñaciones no se traducen en una experiencia de eficacia.


### Autodisciplina

Vivir con propósito y productivamente exige cultivar en nosotros mismos la capacidad de autodisciplina. La autodisciplina es la capacidad de organizar nuestra conducta en el tiempo al servicio de tareas concretas. Nadie puede sentirse competente para afrontar los retos de la vida si carece de capacidad de autodisciplina. La autodisciplina consiste en la capacidad de posponer la gratificación inmediata al servicio de una meta lejana. Es la capacidad de proyectar las consecuencias al futuro de pensar, planificar y actuar a largo plazo. A falta de esta práctica ni el individuo ni un negocio pueden funcionar con eficacia.

Al igual que todas las virtudes o prácticas que apoyan la autoestima, la autodisciplina es una virtud de supervivencia —lo que quiere decir que para el ser humano es una exigencia de una vida realizada—. Uno de los retos de la paternidad o de la enseñanza efectiva consiste en comunicar un respeto por el presente que no desdeñe el futuro, y un respeto del futuro que no desdeñe el presente. El dominar este equilibrio es un reto para todos nosotros. Es esencial para que disfrutemos del sentido de controlar nuestra vida.

Quizá debería mencionar que una vida con propósito y autodisciplina no significa una vida sin tiempo o espacio para descansar, relajarse, aprovechar el ocio y tener actividades superficiales o incluso frívolas. Simplemente significa que estas actividades se eligen conscientemente, sabiendo que participar en ellas es algo seguro y adecuado. Y en cualquier caso, el abandono temporal de todo propósito también tiene un propósito, tanto si se busca conscientemente como si no: la regeneración.

152

## Lo que supone vivir con propósito

Como forma de actuar en el mundo, la práctica de vivir con propósito supone las siguientes cuestiones básicas:

Asumir la responsabilidad de la formulación de nuestras metas y propósitos de manera consciente.

Interesarse por identificar las acciones necesarias para conseguir nuestras metas.

Controlar la conducta para verificar que concuerda con nuestras metas.

Prestar atención al resultado de nuestros actos, para averiguar si conducen a donde queremos llegar.

*Asumir la responsabilidad de la formulación de nuestras metas y propósitos de manera consciente.* Para tener el control de nuestra propia vida, tenemos que saber lo que queremos y dónde queremos llegar. Tenemos que interesarnos por interrogantes como éstos: ¿qué quiere para mí en cinco, diez, veinte años? ¿En qué quiero que consista mi vida? ¿Qué quiero lograr como profesional? ¿Qué quiero en el ámbito de las relaciones personales? Si deseo casarme, ¿por qué? ¿Qué propósito tengo? En el ámbito de una relación particular, ¿cuáles son mis metas? ¿Cuáles son mis metas en mi relación con mis hijos? Si he tenido aspiraciones intelectuales o espirituales, ¿cuáles son? ¿Están mis metas enfocadas con claridad o bien son vagas y poco definibles?

*Interesarse por identificar las acciones necesarias para conseguir nuestras metas.* Si nuestros propósitos son propósitos y no ensoñaciones, tenemos que preguntarnos lo siguiente: ¿cómo voy a llegar hasta allí desde aquí? ¿Qué acciones son necesarias? ¿Qué subpropósitos tengo que conseguir hasta llegar a mi propósito final? Si son precisos conocimientos nuevos, ¿cómo voy a conseguirlos? Si se necesitan recursos nuevos, ¿cómo voy a adquirirlos? Si nuestras metas son a largo plazo, los planes de acción sin duda supondrán planes de acciones subordinadas, es decir, planes para la consecución de propósitos subordinados.

¿Asumimos la responsabilidad de concretar estos pasos?

En la vida sólo tienen éxito quienes hacen esto.

*Controlar la conducta para verificar que concuerda con nuestras metas.* Podemos tener propósitos definidos claramente y un plan de acción razonable pero salimos del camino a causa de distracciones, de que aparecen problemas inesperados, de que presionan otros valores, de una reordenación inconsciente de prioridades, de la falta de un enfoque mental adecuado o de la resistencia para hacer lo que nos hemos comprometido a hacer. Una política consciente de controlar las acciones relativas a los propósitos fijados nos ayuda a afrontar los problemas de este tipo. A veces la solución será volver a dedicarnos a nuestras intenciones originales. Otras veces tendremos que volver a pensar cuáles son realmente nuestras metas más importantes y quizás tengamos que reformular nuestros propósitos.

*Prestar atención al resultado de nuestros actos, para averiguar si conducen a donde queremos llegar.* Nuestras metas pueden estar claras y nuestros actos ser congruentes, pero pueden resultar incorrectos nuestros cálculos iniciales sobre los pasos que tenemos que dar. Quizá no tuvimos en cuenta algunos hechos. Quizás algún elemento nuevo ha cambiado el contexto. Así pues, tenemos que seguir preguntándonos lo siguiente: ¿funcionan mi estrategia y mi táctica? ¿Estoy llegando a donde quiero ir? ¿Están produciendo mis acciones los resultados esperados?

A menudo vemos, en el contexto de los negocios, que muchas personas traicionan este principio recitando ciegamente lo siguiente: «Pero lo que estamos haciendo siempre funcionó en el pasado». En una economía dinámica la estrategia y la táctica actuales no son necesariamente eficaces hoy.

Veamos un ejemplo: décadas antes de que se pusiesen de manifiesto abiertamente los problemas de la General Motors, cuando la empresa estaba aún en la cima de su éxito, el consultor de gestión Peter Drucker advirtió que las políticas que habían funcionado en el pasado no servirían en los próximos años y que General Motors entraría en crisis si no reformulaba sus políticas. Los ejecutivos de GM ridiculizaron o manifestaron hostilidad ante sus comentarios. Pero la realidad confirmó su análisis.

Nuestras acciones pueden no conseguir las consecuencias que pretendemos y también pueden producir otras consecuencias que no previmos y no deseamos. Pueden funcionar a un nivel y sin embargo no ser deseables a otro. Por ejemplo, el vociferar y gritar sin parar puede conseguir una conformidad a corto plazo pero provocando resentimiento y rebeldía a largo plazo. Una empresa puede obtener beneficios rápidos vendiendo mercancías defectuosas y arruinar el negocio en un año, cuando los clientes desertan. Si prestamos atención a los resultados, podremos conocer no sólo si estamos consiguiendo nuestras metas sino también que podemos estar consiguiendo algo que nunca pretendimos y que puede no agradarnos.

Una vez más el vivir con propósito supone vivir de manera consciente.


**Pensar con claridad sobre el vivir con propósito**

1. Como muestra de las confusiones que pueden rodear la cuestión de vivir con propósito veamos la extraordinaria afirmación que hizo el psi-

quiatra Irvin D. Yalom en su obra *Psicoterapia existencial*. Yalom escribe lo siguiente: «La creencia de que la vida está incompleta sin un cumplimiento de objetivos no es tanto una trágica realidad existencial como un mito occidental, un producto cultural».

Si algo sabemos es que la vida es *imposible* sin una «consecución de metas», imposible en todos los niveles de la evolución, desde la ameba hasta el ser humano. No es ni «una trágica realidad existencial» ni un «mito occidental» sino tan sólo la simple naturaleza de la vida una realidad que a menudo produce júbilo.

---

*La raíz de nuestra autoestima no está en nuestros logros sino en aquellas prácticas generadas desde el interior que, entre otras cosas, nos permiten alcanzar aquellos logros.*

---

En cuanto orientación de la vida, la alternativa a la «consecución de metas» es la pasividad y la carencia de propósito. ¿Es trágico que un estado así no produzca un gozo igual a los gozos que producen los logros?

Dicho sea de paso, recordemos que la «consecución de metas» no se limita a las metas «mundanas». Una vida de estudio o meditación tiene su propio propósito o puede tenerlo. Pero una vida sin propósito apenas puede considerarse humana.

2.   El observar que la práctica de vivir con propósito es esencial para una autoestima plenamente realizada no debe entenderse como que la medida de la valía de una persona son sus logros externos. Admiramos los logros —tanto en los demás como en nosotros— y es natural y adecuado que lo hagamos. Pero esto no es lo mismo que decir que nuestros logros son la medida o la razón de nuestra autoestima. La raíz de nuestra autoestima no está en nuestros logros sino en aquellas prácticas generadas desde el interior que, entre otras cosas, *nos permiten alcanzar aquellos logros*, todas las virtudes de la autoestima que estamos examinando aquí.

El empresario del acero Andrew Carnegie dijo en una ocasión: «Podéis quitarnos nuestras fábricas, nuestro comercio, nuestras vías de transporte y nuestro dinero —no dejarnos más que nuestra organización— y en cuatro años podríamos rehacernos». Lo que quería decir es que el poder está en la fuente de la riqueza, no en la riqueza; en la causa, no en el efecto. Lo mismo vale para la relación entre la autoestima y los logros exteriores.

3.   El logro productivo puede ser una expresión de alta autoestima, pero no es su causa primaria. Una persona de brillante talento y con éxito en el trabajo pero irracional e irresponsable en su vida privada puede *querer*

creer que el único criterio de la virtud es el rendimiento productivo y que ningún otro ámbito de acción tiene una significación moral o para la autoestima. Una persona así puede ocultarse tras el trabajo para rehuir sus sentimientos de vergüenza y culpa que tienen su origen en otros ámbitos de la vida (o en experiencias dolorosas infantiles) de forma que el trabajo productivo se convierta no tanto en una pasión sana cuanto en una estrategia de evitación, en un refugio de realidades que tememos afrontar.

Además, si una persona comete el error de identificarse con su trabajo (en vez de con las virtudes internas que lo hacen posible), si la autoestima se vincula principalmente a los logros, al éxito, a los ingresos o a ser un buen proveedor de la familia, el peligro está en que las circunstancias económicas que escapan a nuestro control pueden conducir al fracaso del negocio o a la pérdida del empleo, llevándonos a la depresión o a una desmoralización aguda. Cuando una gran compañía aérea cerró una planta en una ciudad, las líneas del teléfono de la esperanza se saturaron. (Este problema afecta principalmente a los varones, que han sido socializados en la identificación de la valía —y la masculinidad— con la condición de proveedor de una familia. Las mujeres son menos proclives a identificar la valía personal —y menos aún la feminidad— con la capacidad de ingresos.)

Hace unos años, cuando daba una conferencia sobre este tema en Detroit, con miembros de la industria del automóvil en el auditorio, hice la siguiente observación: «En este momento Washington intenta decidir si echar o no un cable a Chrysler garantizando un gran préstamo. No importa por el momento si piensan que es una función adecuada del Estado; yo creo que no, pero eso es irrelevante. La cuestión es si usted trabaja para Chrysler y vincula su autoestima a tener un buen rendimiento en esa empresa o a ganar un buen sueldo ese año, lo que eso significa prácticamente es que usted está dispuesto a que algunas personas de Washington literalmente tomen su alma en sus manos, para tener un control total de su sentido de valía personal. ¿Le ofende esa idea? Espero que sí. A mí me ofende».

Durante las épocas de penuria económica bastante malo es tener que preocuparse por el dinero y por el bienestar y el futuro de nuestra familia, pero aún es peor si permitimos que en este proceso se menoscabe nuestra autoestima diciéndonos, de hecho, que nuestra eficacia y valía están en función de nuestros ingresos.

Una vez aconsejé a hombres y mujeres mayores que se encontraban sin empleo, desplazados en favor de personas mucho más jóvenes pero no mejor dotadas, o incluso igual dotadas, para su trabajo particular. También he trabajado con jóvenes de gran talento que sufrieron la forma contraria del mismo prejuicio, una discriminación contra la juventud en favor de la edad donde, una vez más, la competencia y la capacidad no eran la norma prevaleciente. En estas circunstancias las personas implicadas sufren un sentimiento de pérdida de eficacia personal. Este sentimiento está sólo a un paso del sentimiento de autoestima disminuida y a menudo se convierte en él. El no caer en la trampa de este error exige ser un tipo de persona poco frecuente. Supone ser una persona bien centrada y que comprende que algunas de las fuerzas que actúan escapan al control personal y, en sentido estricto, no tienen (o no deberían tener) un significado para la autoestima. No es que no sufran o sientan temor ante el futuro; es que no interpretan el problema en términos de valía personal.

Cuando está implicada una cuestión relativa a la autoestima, lo que hay que preguntarse es lo siguiente: ¿está este asunto bajo mi control volitivo directo? ¿O por lo menos está vinculado con una línea causal directa a asuntos que están bajo mi control volitivo directo? Si no lo está, no es relevante para nuestra autoestima o no debería considerarse como tal, por doloroso o devastador que pueda ser el problema por otras razones.

Algún día la enseñanza de este principio se incluirá en la comprensión de los padres de la educación correcta de sus hijos. Algún día se enseñará en las escuelas.

4. Un día pregunté a un amigo, un hombre de negocios cerca de la sesentena, qué metas tenía para el resto de su vida. Me respondió lo siguiente: «No tengo meta alguna. He vivido toda mi vida volcado hacia el futuro, en sacrificio del presente. Rara vez me he parado a disfrutar de mi familia o de la naturaleza o de las cosas hermosas que ofrece el mundo. Ahora ya no hago ninguna previsión o plan. Por supuesto aún gestiono mi dinero, y a veces hago negocios. Pero mi principal meta es disfrutar de la vida cada día, apreciar plenamente todo lo que pueda. En ese sentido supongo que podrías decir que sin embargo vivo con propósito».

Le dije que me parecía que nunca había aprendido a equilibrar la proyección de metas en el futuro y el disfrute de la vida en el presente. «Eso siempre ha sido un problema para mí», coincidió.

Como hemos visto, esto no es lo que significa o supone el vivir con propósito. Lo correcto no es vivir de espaldas ni al futuro ni al presente, sino integrar ambos en nuestra experiencia y percepciones.

En la medida en que nuestra meta es «probarnos» o excluir el miedo al fracaso, este equilibrio es difícil de conseguir. Todos estamos demasiado atareados. Nuestro motor no es el gozo sino el temor.

Pero si tenemos por objetivo la expresión de nosotros mismos en vez de la autojustificación, el equilibrio tiende a surgir de forma más natural. Aún tendremos que pensar sobre su realización cotidiana, pero el temor de la autoestima herida no hará casi imposible esta tarea.

## Ejemplos

Durante toda su vida, Jack soñó con ser escritor. Se imaginaba a sí mismo ante su máquina de escribir, veía una pila cada vez mayor de capítulos terminados, veía su imagen en la portada de *Time*. Sin embargo, tenía sólo una vaga idea de lo que quería escribir. No podía concretar qué es lo que deseaba expresar. Esto no alteraba sus placenteras ensoñaciones. Nunca pensaba cómo conseguir aprender a escribir. De hecho, no escribía. Simplemente soñaba con escribir. Pasaba de un empleo de bajo sueldo a otro, diciéndose a sí mismo que no deseaba atarse o distraerse, pues su «verdadera» profesión era escribir. Pasaron los años y su vida parecía cada vez más vacía. Su miedo a empezar a escribir fue en aumento porque ahora, con cuarenta años, sentía que sin duda ya debía haber comenzado. «Algún día», dijo, «cuando esté preparado.» Al observar a las personas de su entorno, se decía que la vida de los demás, en comparación con la suya, era muy mundana. «No tienen grandes visiones pensaba. Carecen de grandes sueños. Mis aspiraciones son mucho más elevadas que las suyas.»

María era ejecutiva de una agencia de publicidad. Su responsabilidad principal consistía en la comercialización en la obtención de cuentas nuevas. Pero era una persona compasiva y disfrutaba mucho siendo útil a quienes le rodeaban. Siempre animaba a sus socios a entrar en el despacho y hablar sobre sus problemas; no sólo los problemas de trabajo sino también los personales. Le gustaban tanto los chistes que la llamaban la «chistosa de la oficina». No se daba cuenta de la gran cantidad de tiempo que perdía en actividades para las cuales no había sido contratada. Cuando la valoración de su trabajo reflejaba insatisfacción con su rendimiento se ponía muy nerviosa. Pero tuvo dificultades en cambiar de pauta; su gratificación del yo como «ayudadora de los demás» se había vuelto adictiva. Por consecuencia, había una pobre concordancia entre sus metas de trabajo conscientes y su conducta, entre sus metas conscientes y su reparto del tiempo. Una meta que no había elegido conscientemente tenía preferencia sobre otra que había elegido de manera consciente. Como no tenía la disciplina de controlar sus acciones en relación a esta posibilidad, pasaba la mayor parte de su tiempo sin explorar en su consciencia, hasta que fue despedida.

Mark quería ser un padre efectivo. Quería enseñar a su hijo a respetarse a sí mismo y a ser responsable de sí mismo. Pensaba que una buena manera de conseguirlo era dándole sermones. No se daba cuenta de que cuanto más le sermoneaba más le atemorizaba y le volvía más inseguro. Cuando el muchacho mostraba algún temor, el padre le decía: «¡No temas!» Cuando su hijo empezó a ocultar sus sentimientos para evitar los reproches, el padre le dijo: «¡Habla! Si tienes algo que decir, ¡dilo!» Cuando el muchacho se encerraba en sí mismo, el padre le decía: «¡Un verdadero hombre participa en la vida!» El padre se preguntaba: «¿Qué pasa con el muchacho? ¿Por qué no quiere escucharme nunca?» En el trabajo, si el padre intentaba algo y no funcionaba, intentaba otra cosa. No echaba la culpa a sus clientes o al universo; buscaba qué podía hacer que fuese más eficaz. Prestaba atención al resultado de sus acciones. Sin embargo, en casa, cuando no funcionaban ni sus sermones, ni sus reproches, ni sus gritos, los utilizaba más a menudo y con mayor intensidad. En este contexto no pensaba en repasar el resultado de sus acciones. Lo que sabía en el ámbito profesional lo había olvidado en el personal: seguir haciendo algo que no funciona, no funciona.

### Ejemplos personales

Cuando yo pienso lo que significa en mi vida vivir con propósito, primero pienso en asumir la responsabilidad de emprender las acciones necesarias para conseguir mis metas. El vivir con propósito coincide bastante con ser responsable de uno mismo.

Recuerdo una época en que quería algo que no podía conseguir y que representaba una importante mejora de mi forma de vida. Suponía un gran gasto de dinero. Durante varios años permanecí anormalmente pasivo en la búsqueda de soluciones. Un día tuve una idea que sin duda no era nueva en mí pero que de algún modo tuvo un efecto nuevo: si yo no hago algo, no va a cambiar nada. Esto me sacó de mis dudas y dilaciones, de las que había sido poco consciente y no había afrontado en mucho tiempo.

Empecé por idear y poner en práctica un proyecto estimulante, desafiante, profundamente satisfactorio y valioso y eso me aportó los ingresos adicionales que necesitaba.

En principio yo podía haberlo hecho varios años antes. Sólo cuando me sentí aburrido e irritado por mis propias dudas y dilaciones; sólo cuando apliqué lo que sé acerca de vivir con propósito a mi propia situación empecé a actuar y a encontrar una solución.

Cuando lo hice, me di cuenta de que no sólo estaba más feliz sino también de que había aumentado mi autoestima.

*Si yo no hago algo, no va a cambiar nada.*

Cuando conté esta historia en uno de mis grupos de autoestima, alguien me desafió diciendo: «Eso vale para usted. Pero no todos estamos en posición de crear proyectos nuevos. ¿Qué hemos de hacer?» Yo le invité a hablar sobre sus propias dudas y sobre el deseo no satisfecho subyacente. «Si tuviese usted el *propósito consciente* de conseguir ese deseo», le pregunté,

159

«¿qué haría usted?» Después de algunas sugerencias afortunadas, empezó a contármelo.

He aquí otro ejemplo personal que supone autodisciplina.

Mi esposa, Devers, tiene un grado excepcional de benevolencia, generosidad y amabilidad para con los demás y, sobre todo, para conmigo. Su consciencia —y congruencia— en este aspecto de la vida es muy alto. Si bien por lo general mis intenciones han sido buenas, nunca he podido igualarle en este terreno. Mi generosidad ha sido más impulsiva. Esto significa que a veces he podido mostrarme descortés y poco compasivo sin intención y sin darme cuenta, simplemente por pensar en otra cosa.

Un día Devers dijo algo que me causó una profunda impresión. «Eres muy amable, generoso y solícito cuando reflexionas lo suficiente sobre lo que haces. Lo que nunca has aprendido es *la disciplina de la amabilidad*. Esto significa una amabilidad que no es cuestión de estado de ánimo o de conveniencia. Significa una amabilidad como conducta básica. Está en ti en estado potencial, pero no aparece sin consciencia y disciplina, algo en lo que quizá nunca has pensado».

Más de una vez tuvimos variantes de esta discusión. Un importante paso de mi crecimiento tuvo lugar cuando integré estas discusiones en el principio de vivir con propósito *de forma que la amabilidad se convirtiese no solo en una inclinación sino en una meta consciente*.

Para la autoestima la amabilidad congruente intencionada es una experiencia muy diferente de la amabilidad impulsiva.


## Ejercicios de completar frases para facilitar el vivir con propósito

A continuación presento algunos troncos de oración que han sido útiles a mis clientes para profundizar su comprensión de las ideas que hemos examinado.

**Para mí, vivir con propósito significa—**
**Si aporto un 5 % más de propósito a mi vida de hoy—**
**Si actúo con un 5 % más de propósito en el trabajo—**
**Si tengo un 5 % más de propósito en mis comunicaciones—**
**Si aporto un 5 % más de propósito en mis relaciones en el trabajo—**
**Si actúo con un 5 % más de propósito en mi matrimonio—**
**Si actúo con un 5 % más de propósito con mis hijos—**
**Si actúo con un 5 % más de propósito con mis amigos—**
**Si tengo un 5 % más de propósito en relación a mis anhelos más profundos—**
**Si tengo un 5 % más de propósito en el cuidado de mis necesidades—**

**Si asumo más responsabilidad en el cumplimiento de mis deseos—**
**Si es verdad cualesquiera de las cosas que he escrito, sería útil que yo—**

El vivir con propósito es una orientación fundamental aplicable a todas las facetas de nuestra vida. Significa que vivimos y obramos *de acuerdo con las intenciones*. Es una característica distintiva de quienes gozan de un alto nivel de control sobre sus vidas.

**La práctica de vivir con propósito es el quinto pilar de la autoestima.**

# 11.  La práctica de la integridad personal

A medida que maduramos y desarrollamos nuestros propios valores y normas (o los absorbemos de otras personas) la cuestión de la integridad personal asume una importancia cada vez mayor en nuestra valoración de nosotros mismos.

La *integridad* consiste en la integración de ideales, convicciones, normas, creencias, por una parte, y la conducta, por otra. Cuando nuestra conducta es congruente con nuestros valores declarados, cuando concuerdan los ideales y la práctica, tenemos integridad.

Repárese en que antes de que pueda siquiera plantearse la cuestión de la integridad necesitamos principios de conducta —convicciones morales sobre lo apropiado y lo no apropiado—, juicios sobre las acciones correctas e incorrectas. Si no tenemos aún normas, estamos en un nivel de desarrollo demasiado bajo incluso para ser acusados de hipocresía. En este caso, nuestros problemas son demasiado graves como para ser definidos meramente como una falta de integridad. La cuestión de la integridad sólo se plantea para quienes tienen normas y valores, es decir, por supuesto, para la gran mayoría de los seres humanos.

Cuando nos comportamos de una forma que entra en conflicto con nuestro criterio acerca de lo que es adecuado, se nos cae el alma a los pies. Nos respetamos menos. Si esta conducta se vuelve habitual, confiamos menos en nosotros mismos o dejamos de confiar por completo.

No es que perdamos el derecho a practicar la aceptación de nosotros mismos en el sentido básico antes examinado; hemos señalado que la aceptación de uno mismo es una condición previa del cambio o la mejora. Pero la autoestima se resiente necesariamente. Cuando una quiebra de la integridad hiere la autoestima lo único que puede curarlo es la práctica de la integridad.

*Cuando nos comportamos de una manera que entra en conflicto con nuestro criterio acerca de lo que es adecuado, se nos cae el alma a los pies.*

Al nivel más elemental la integridad personal supone cuestiones como éstas: ¿soy una persona honesta, fiable y digna de confianza? ¿Mantengo mis promesas? ¿Hago las cosas que digo y admiro y evito las cosas que afirmo deplorar? ¿Soy una persona justa en mis relaciones con los demás?

A veces podemos encontrarnos presos en un conflicto entre valores diferentes que chocan en un determinado contexto, y la solución puede estar lejos de ser obvia. La integridad no garantiza que hagamos la mejor elección; sólo exige que sea auténtico nuestro esfuerzo por tomar la mejor elección, que *permanezcamos conscientes*, conectados a nuestro conocimiento, que apliquemos nuestra mejor claridad racional, asumamos la responsabilidad de nuestra elección y sus consecuencias y no pretendamos huir en una confusión mental.

## Congruencia

La integridad significa congruencia, concordancia entre las palabras y el comportamiento.

De las personas a que conocemos, confiamos en algunas y en otras no. Si nos preguntamos la razón, veremos que es básica esa congruencia. Confiamos en la congruencia y sospechamos de la incongruencia.

Los estudios revelan que en las organizaciones hay muchas personas que no confían en sus superiores. ¿Por qué? Por falta de congruencia. Por hermosas declaraciones de intenciones que no se cumplen en la práctica. Por la doctrina del respeto al individuo que no se aplica en realidad. Por los eslóganes sobre el servicio al cliente en las paredes que no se corresponden con la realidad del trabajo cotidiano. Por los sermones sobre honestidad traicionados mediante las trampas. Por las promesas de equidad traicionadas por el favoritismo.

Sin embargo en la mayoría de las organizaciones hay hombres y mujeres en quienes los demás confían. ¿Por qué? Porque mantienen su palabra. Porque cumplen sus compromisos. Porque no se limitan a prometer que defienden a su gente, sino que lo hacen. Porque no predican la equidad sino que la practican. Porque no se limitan a aconsejar honestidad e integridad sino que la viven.

En una ocasión presenté a un grupo de ejecutivos este tronco de oración: **Si yo deseo que los demás me perciban como alguien digno de confianza—**. Éstas fueron algunas de las terminaciones típicas. *«Yo debo mantener mi palabra.»* *«Yo debo ser ecuánime en mis relaciones con todos.»* *«Yo debo cumplir lo que digo.»* *«Yo debo atenerme a mis compromisos.»* *«Yo debo proteger a mis personas aun en contra de mis superiores.»* *«Yo debo ser congruente.»* Para cualquier ejecutivo que desee ser percibido como una persona fiable, no es ningún misterio qué necesita hacer.

Hay padres en quienes sus hijos confían y hay padres en quienes no confían. ¿Por qué? El principio es el mismo que el anterior: congruencia. Los niños pueden no ser capaces de expresar lo que saben, pero lo saben.


## Cuando traicionamos nuestras normas

Para comprender por qué son perjudiciales para la autoestima los fallos de la integridad, pensemos en lo que supone un fallo de la integridad. Si yo obro en contradicción con un valor moral que acepta otra persona distinta a mí, puedo estar o no equivocado, pero no se me puede culpar de haber traicionado mis convicciones. Sin embargo, si obro en contra de lo que yo considero correcto, si mis actos chocan con mis valores afirmados, entonces *obro en contra de mi criterio, me traiciono a mí mismo*. Por su misma naturaleza, la hipocresía se invalida a sí misma. Es un rechazo de la mente por sí misma. Una falta de integridad me socava y contamina mi sentido de la identidad. Me causa un daño mayor del que me puede causar cualquier censura exterior o rechazo.

Si yo doy sermones a mis hijos sobre la honestidad pero miento a mis amigos y vecinos; si me siento indignado cuando la gente no cumple sus compromisos conmigo pero yo incumplo mis compromisos con los demás; si predico estar preocupado por la calidad pero vendo indiferentemente mercancías defectuosas a mis clientes; si me deshago de bonos cuyo valor sé que va a bajar con un cliente que confía en mi palabra; si pretendo tener en cuenta las ideas de mis empleados pero ya me he formado un criterio; si utilizo a una colega del despacho y me apropio de sus logros; si pido una retroalimentación sincera y penalizo al empleado que está en desacuerdo conmigo; si pido sacrificios en el sueldo a los demás en razón de que corren tiempos difíciles y yo me procuro una gigantesca gratificación, puedo rehuir a mi hipocresía, puedo aducir cualesquiera racionalizaciones, pero el hecho es que cometo una agresión a mi respeto de mí mismo que no paliará ninguna racionalización.

165

Si estoy en una posición única para aumentar mi autoestima, también estoy en una posición única para reducirla.

Uno de los grandes autoengaños consiste en decirse a sí mismo: «Sólo yo lo sabré». Sólo yo sabré que soy un mentiroso; sólo yo sabré que me comporto de forma poco ética con las personas que confían en mí; sólo yo sabré que no tengo intención de cumplir mi promesa. Esto implica que *mi juicio no es importante y que lo único que cuenta es el juicio de los demás*. Pero cuando se trata de cuestiones relativas a la autoestima, tengo más que temer de mi propio juicio que del juicio de nadie. En el tribunal interior de mi mente, *mi juicio es el único que cuenta*. Mi ego, el «yo» que ocupa el centro de mi consciencia es el juez del que no hay escapatoria. Puedo evitar a las personas que han conocido la humillante verdad acerca de mí. Pero no puedo evitarme a mí mismo.

---

*La mayoría de las cuestiones relativas a la integridad que afrontamos no son grandes cuestiones sino cuestiones menores, pero el peso acumulado de nuestras elecciones tiene una incidencia en nuestro sentido de la identidad.*

---

Recuerdo un artículo del periódico que leí hace algunos años sobre un investigador médico de gran reputación de quien se descubrió había estado falseando sus datos desde hacía tiempo mientras acumulaba beca tras beca y distinción tras distinción. No había forma de que su autoestima saliese indemne a raíz de esta conducta, incluso antes de descubrirse el fraude. Conscientemente había elegido vivir en un mundo irreal, en el que sus logros y prestigio eran igualmente irreales. Mucho antes de que los demás lo supieran, *él* lo sabía. Los impostores de este tipo, que viven gracias a un engaño en la mente de otra persona, que consideran más importante que su propio conocimiento de la verdad, no gozan de una buena autoestima.

La mayoría de las cuestiones relativas a la integridad que afrontamos no son grandes cuestiones sino cuestiones menores, pero el peso acumulado de nuestras elecciones tiene una incidencia en nuestro sentido de la identidad. Yo dirijo «grupos de autoestima» estable durante la semana para personas que han venido juntas a mí para un fin concreto, para aumentar su sentido de la eficacia personal y del respeto a sí mismas, y una tarde presenté al grupo este tronco de oración: **Si aporto un 5 % más de integridad a mi vida**—. Tras hacer la rueda de respuestas, éstas son las terminaciones que se ofrecieron:

**Si yo aporto un 5 % más de integridad a mi vida—**

Yo diría a los demás cuándo hacen cosas que me molestan.

Yo no maquillaría mi cuenta de gastos.

Yo diría a mi marido cuánto me cuestan realmente mis vestidos.

Yo diría a mis padres que no creo en Dios.

Yo reconocería cuándo flirteo con alguien.

Yo no sería tan conciliador con las personas que detesto.

Yo no me reiría ante los chistes que considero estúpidos y vulgares.

Yo me esforzaría más en mi trabajo.

Yo ayudaría más a mi mujer en las tareas domésticas, tal como le prometí.

Yo diría a los clientes la verdad sobre lo que están comprando.

Yo no diría simplemente a los demás lo que desean oír.

Yo no vendería mi alma con tal de tener éxito.

Yo diría no cuando quiero decir no.

Yo reconocería mi responsabilidad hacia las personas a las que he hecho daño.

Yo me enmendaría.

Yo mantendría mis promesas.

Yo no pretendería un acuerdo.

Yo no negaría cuándo estoy enfadado.

Yo me esforzaría más por ser justo y no perdería los papeles.

Yo reconocería cuándo los demás me ayudan.

Yo lo reconocería a mis hijos cuando sé que estoy equivocado.

Yo no me llevaría cosas del despacho a casa.

La espontaneidad y velocidad de las respuestas de estas personas señalan que estas cuestiones no están muy alejadas de la superficie de la consciencia, aunque hay una comprensible motivación por rehuirlas. (Una de las razones por las que considero tan útil la labor de completar frases es su poder de evitar la mayoría de los bloqueos y evitaciones.) Una tragedia para muchas vidas es que las personas subestiman considerablemente los costes para su autoestima y las consecuencias de la hipocresía y de la falta de honestidad. Se imaginan que en el peor de los casos todo lo que producen es cierto malestar. Pero lo que se mancha es el propio espíritu.

## Hacer frente a los sentimientos de culpa

La esencia de la culpa, tanto si es mayor como menor, es el autorreproche moral. Yo hice algo mal cuando podía haber hecho otra cosa. La culpa siempre implica la elección y la responsabilidad, tanto si somos conscientes de ella como si no. Por esta razón es esencial que tengamos claro lo que está o no en nuestras manos, lo que es y lo que no es una quiebra de la integridad. En caso contrario corremos el riesgo de aceptar la culpa de forma inadecuada.

---

*La idea del pecado original es por su misma naturaleza contraria a la autoestima.*

---

Por ejemplo, supongamos que alguien a quien queremos (un marido, una esposa, un hijo) muere en un accidente. Aun cuando sepamos que este pensamiento es irracional, podemos decirnos a nosotros mismos: «Tuve que haberlo evitado de algún modo». Quizás este sentimiento de culpa se alimenta en parte por nuestro lamento de las acciones adoptadas o no cuando la persona aún vivía. En el caso de la muerte que parece carecer de sentido, como cuando una persona es atropellada por un conductor imprudente o fallece durante una intervención quirúrgica menor, el superviviente puede sentir una sensación insoportable de estar fuera de control, de estar a merced de un suceso que carece de significación racional. Entonces la autoinculpación o los reproches a uno mismo pueden paliar la angustia, pueden disminuir la sensación de impotencia. El superviviente siente algo así: «Con sólo que hubiese hecho esto y lo otro de forma diferente, no habría ocurrido este terrible accidente». Así pues, la «culpa» puede servir al deseo de eficacia proporcionando una *ilusión* de eficacia. Vemos el mismo principio cuando los niños se culpan de cosas que han hecho mal sus padres. («Si yo no fuese malo, papá no habría pegado a mamá.» «Si yo no fuese malo, mamá no se habría embriagado e incendiado la casa.») Este problema lo examino en mi libro *El respeto hacia uno mismo*.

La protección de la autoestima exige una comprensión clara de los límites de nuestra responsabilidad personal. Cuando no podemos hacer nada, no puede existir responsabilidad, y cuando no hay responsabilidad no es razonable reprocharse algo a uno mismo. Lamentarse, sí; culpabilizarse, no.

La idea de pecado original —de una culpa a la que no podemos sustraernos, no somos libres de elegir, ante la que no tenemos alternativa— es por su misma naturaleza contraria a la autoestima. La idea misma de culpa sin voluntad o responsabilidad es una agresión tanto a nuestra razón como a la moralidad.

Pensemos sobre la culpa y sobre cómo puede resolverse en las situaciones en las que *somos* responsables personalmente. En términos generales son precisos cinco pasos para recuperar nuestro sentido de la integridad con respecto a una ruptura particular.

1. Debemos admitir el hecho de que somos nosotros quienes hemos cometido la acción particular. Debemos afrontar y aceptar la plena realidad de lo que hemos hecho, sin desvincularnos o evitarlo. Lo asimilamos, lo aceptamos, asumimos nuestra responsabilidad.

2. Intentamos comprender por qué hicimos lo que hicimos. Lo hacemos de forma compasiva (como dijimos en relación con la práctica de la aceptación de uno mismo) pero sin justificaciones evasivas.

3. Si han participado otras personas, como sucede a menudo, reconocemos expresamente a la persona o personas en cuestión el daño que hemos causado. Manifestamos nuestra comprensión de las consecuencias de nuestra conducta. Reconocemos lo mucho que les ha afectado. Expresamos una comprensión de sus sentimientos.

4. Emprendemos todas las acciones posibles que puedan enmendar o minimizar el daño que hemos causado.

5. Nos comprometemos firmemente a comportarnos de manera diferente en el futuro.

Si no damos todos estos pasos, podemos seguir sintiéndonos culpables por la conducta indebida, aun cuando haya tenido lugar hace años, aun cuando nuestro psicoterapeuta puede habernos dicho que todos cometemos errores, e incluso aunque la persona afectada pueda habernos perdonado. Puede no bastar nada de eso; la autoestima sigue sin encontrar satisfacción.

En ocasiones intentamos enmendarnos sin reconocer o afrontar lo que hemos hecho. O bien decimos: «Lo siento». O bien nos esforzamos por ser amables con la persona a la que hemos afectado sin afrontar nunca expresamente la mala acción. O bien ignoramos el hecho de que hay acciones específicas con las que podríamos paliar el daño que hemos causado. Por supuesto, en ocasiones no hay manera de deshacer el daño, y debemos aceptar y reconciliarnos con ello; no podemos hacer más de lo posible. Pero si no hacemos lo posible y adecuado, la culpa nos domina.

Cuando el sentimiento de culpa es consecuencia de un fracaso de la integridad, sólo un acto de integridad puede enderezar esa quiebra.

## ¿Qué sucede si nuestros valores son irracionales?

Si bien es bastante fácil reconocer a nivel del sentido común la relación entre autoestima e integridad, no siempre es simple vivir de acuerdo con nuestras normas. ¿Qué sucede si nuestras normas son irracionales o están equivocadas?

Podemos aceptar o absorber un código de valores que vaya en contra de nuestra naturaleza y necesidades. Por ejemplo, determinadas enseñanzas religiosas condenan de forma implícita o explícita la sexualidad, el placer, el cuerpo, la ambición, el éxito material, condenan (para todos los fines prácticos) el disfrute de la vida en la tierra. Si adoctrinamos a los niños con estas enseñanzas, ¿qué puede significar en su vida la práctica de la «integridad»? Lo que les mantiene vivos pueden ser algunos elementos de «hipocresía».

---

*Tan pronto percibimos que el seguir nuestras normas parece llevarnos a la autodestrucción, ha llegado el momento de poner en cuestión nuestras normas.*

---

Tan pronto percibimos que el seguir nuestras normas parece llevarnos a la autodestrucción, ha llegado el momento de poner en cuestión nuestras normas en vez de simplemente limitarnos a vivir sin integridad. Debemos hacer acopio del valor para desafiar algunos de nuestros supuestos más profundos acerca de lo que se nos ha enseñado en relación al bien. Que hace falta coraje se evidencia en las siguientes terminaciones de frase comúnmente escuchadas en mis sesiones terapéuticas. Cualquier psicoterapeuta que experimente con estos troncos de oración puede descubrir por sí mismo lo típicas que son estas terminaciones.

**La sola idea de ir contra los valores de mis padres—**

Me aterroriza.

Me siento perdido.

Me percibo a mí mismo como un perdido.

Dejo de sentirme unido a mi familia.

Me siento solo.

Tendría que pensar por mí mismo.

170

Tendría que confiar en mi mente.

¿Qué haría entonces?

Perdería el cariño de mis padres.

Tendría que crecer.

**Si tuviese que pensar por mí mismo los valores según los cuales quiero vivir—**

Mi madre tendría un ataque al corazón.

Me liberaría.

Tendría que decir a mis padres que creo que están equivocados acerca de un montón de cosas.

¿Es esto lo que hacen los adultos?

Necesitaría un enorme temple.

¿No sería arrogante?

Tendría que valerme por mí mismo.

No podría ser ya más la pequeña de papá.

Como ejemplos de la confusión y conflicto que puede significar la práctica de la integridad en la vida cotidiana puedo citar los siguientes:

Las mujeres que se atormentan con los dilemas morales planteados por la prohibición de los medios de control de natalidad y del aborto por la Iglesia católica.

Los funcionarios que, perplejos por la magnitud de la corrupción burocrática entre sus colegas y superiores, se ven inmersos en un conflicto entre su sentido patriótico y de buenos ciudadano por un lado, y las exigencias de la conciencia individual, por otro.

Los hombres de negocios esforzados y ambiciosos a los que al comienzo de su carrera se les ha animado a ser productivos y activos pero que, cuando finalmente cometieron el pecado de triunfar, se enfrentaron a la desorientadora alegoría bíblica de que es más fácil que un camello entre por el ojo de una aguja que un hombre rico entre en el reino de los cielos.

Las esposas que sienten que la concepción tradicional de la mujer como sierva del hombre conlleva una moralidad de autoaniquilación.

Los jóvenes que se enfrentan al dilema de hacer el servicio militar o escapar de él.

Las antiguas monjas y sacerdotes desencantados por las instituciones religiosas a las que se habían comprometido y que se esfuerzan por definir sus valores fuera del contexto de una tradición que ya no pueden aceptar.

Los rabinos o antiguos rabinos con este mismo problema.

Los jóvenes que se rebelan contra los valores de sus padres y no conocen otros valores alternativos.

En todos estos conflictos vemos lo esenciales que son otras prácticas, como la de vivir de manera consciente y responsable para con uno mismo, para la integridad. No podemos practicar la integridad en un vacío intelectual. Para resolver cualesquiera de los conflictos citados, o muchos otros como ellos, tendríamos que reformular nuestros valores, compromisos y prioridades más profundos —o quizá pensar sobre ellos por vez primera— y estar dispuestos, si es preciso, a desafiar a todas las figuras de autoridad.

———

*Uno de los aspectos más positivos del movimiento feminista es su insistencia en que las mujeres deben pensar por sí mismas quiénes son y lo que quieren. Pero los hombres tienen que aprender tanto como las mujeres este tipo de reflexión independiente.*

———

Un ámbito en el que vivir de manera consciente y la integridad se intersectan claramente es en la necesidad de reflexionar sobre los valores que se nos han enseñado, sobre los supuestos comunes de nuestra familia o cultura, sobre los papeles que se nos ha asignado e interrogarnos si encajan en nuestras percepciones y conceptos o bien si chocan con lo que hay de más profundo y mejor en nosotros, con lo que en ocasiones se denomina «nuestra verdadera naturaleza». Uno de los aspectos más positivos del movimiento feminista es su insistencia en que las mujeres deben pensar por sí mismas quiénes son y lo que quieren. (No lo que otro quiere que deseen.) Pero los hombres tienen que aprender tanto como las mujeres este tipo de reflexión independiente. Una de las penas que comporta el vivir de forma inconsciente —tanto en uno como en otro sexo— es la de tener que soportar una vida no recompensante al servicio de metas que nos idiotizan y nunca son examinadas o elegidas conscientemente por las personas afectadas.

Cuanto más alto sea el nivel de consciencia a que actuamos, más seguros estaremos de una *elección* explícita y más naturalmente enriqueceremos nuestra integridad.

## Acerca del principio de «ser felices a nuestro modo»

Examinando la complejidad de la toma de decisiones morales en una conferencia se me preguntó en una ocasión qué pensaba del consejo de Joseph Campbell de «Ser felices a nuestro modo». ¿Creía yo que era éticamente adecuado? Yo respondí que si bien me gustaba la que creía la intención básica de Campbell, su afirmación podía ser peligrosa si se separaba de un contexto racional. Sugerí entonces esta modificación (si se me obligase a condensar en una sola frase mis ideas acerca de la moralidad): «Vive conscientemente, asume la responsabilidad de tus elecciones y acciones, respeta los derechos de los demás y sé feliz a tu modo». Añadí que como máxima moral me gustaba mucho el proverbio español de «"Tomad lo que queráis", dijo Dios, "y pagadlo"». Pero por supuesto las decisiones morales complejas no pueden tomarse simplemente sobre la base de máximas como éstas, por útiles que puedan ser en ocasiones. Una vida moral exige una reflexión seria.

## Ejemplos

Philip es amigo íntimo de un actor famoso. Es su confidente. Escucha atentamente cuando su amigo le llama —a veces a medianoche— para hablarle durante horas acerca de sus problemas personales y profesionales. Los sentimientos de valía personal de Philip se crecen con las revelaciones íntimas que le hace este hombre famoso. Cuando está con sus otros amigos, no puede resistirse a señalar de vez en cuando lo íntima que es su relación. «Conozco a millones de mujeres que le adoran, pero os sorprendería conocer lo inseguro que es. Siempre está preguntando: "¿Soy yo lo que desean, o es mi fama?".» «Tiene una terrible sensación de ser un impostor. ¿No es triste? Es una persona maravillosa.» «A veces —esto es confidencial, por supuesto— tiene problemas para mantener la erección.» Philip insiste en que quiere a su amigo y en que le es absolutamente fiel. ¿Qué se está diciendo a sí mismo, a las tres de la madrugada, con sus docenas de traiciones, motivadas por su deseo de estatus a los ojos de sus demás amigos? ¿Se da cuenta de que cada traición disminuye en vez de elevar su autoestima? ¿Ha establecido esta vinculación?

Sally es miembro de un club de libros a cuyas reuniones mensuales asiste con entusiasmo. Estas reuniones dan apoyo a su deseo de sentirse culta. La presidenta es una persona carismática y muy culta a quien todos admiran. La mayoría de las mujeres se sienten orgullosas cuando comparte sus apreciaciones literarias. Quieren estar «a buenas con ella», porque eso refuerza sus sentimientos de valía personal. En cierta ocasión la presidenta tuvo un altercado con un miembro del club, una persona que había sido buena amiga de Sally durante años.

Nadie conoce el motivo de la disputa. La presidenta prefiere no hablar sobre el particular más que en términos muy generales. Pero se las arregla para que todos sepan que esta persona, que fue expulsada del club, es *persona non grata*. Desde entonces, si alguien habla con ella, no quiere que nadie lo sepa. Cuando esta mujer telefonea a Sally ansiosa por hablar sobre su punto de vista en relación al conflicto, Sally encuentra una excusa para colgar. Teme que si oye la posición de su amiga y le conmueve se vea inmersa en un conflicto imposible. No quiere perder estatus con sus demás amigos o con la presidenta. Por ello no devuelve las llamadas a su amiga. Cada vez encuentra más reproches hacia su amiga. Con frecuencia empieza a divulgar su propia relación de agravios, de los cuales nunca había hablado antes. Su recompensa es la sonrisa de aprobación en la cara de la presidenta y su posterior aumento de la intimidad. Ella conoce la recompensa pero no es igualmente consciente de su precio: una merma del respeto a sí misma.

Hasta que su empresa de electrónica empezó a acusar la competencia extranjera, Irving fue siempre defensor del libre comercio. Se mofaba de los hombres de negocios que buscaban la ayuda estatal para conseguir privilegios, favores o diversas formas de protección especiales. «Eso no es capitalismo verdadero», decía. Ahora está aterrorizado; sabe que sus productos no son tan buenos como los de sus competidores extranjeros, que no cesan de introducir innovaciones en el mercado. Así pues, se pone en contacto con una empresa de relaciones públicas que le ayude a escribir discursos en favor de las restricciones estatales a las importaciones que le amenazan. Contrata a una empresa de Washington para que presione en favor de medidas legislativas que le protejan. Cuando sus socios intentan señalar que las industrias protegidas tienen una historia de debilidad crónica, no tiene en cuenta sus observaciones. No desea pensar sobre el particular; le resulta irritante pensar en ello. «Esto es diferente», dice sin explicar cómo o en qué manera. Cuando le dicen que la gente debe ser libre de comprar el mejor producto existente a cambio de su dinero, responde indignado: «El capitalismo debe atemperarse por el interés hacia el bien común». Cuando le retan observando que él compra mercancía extranjera cuando es superior a la nacional, responde: «¿Acaso no tengo derecho a conseguir lo mejor a cambio de mi dinero?». Cuando le invitaron a ofrecer la conferencia inaugural en la Universidad en la que se licenció, elige como tema: «Vivir con integridad».

## Un ejemplo personal

Ya he dicho que las decisiones morales no son siempre fáciles y que a veces, correcta o incorrectamente, sentimos que nuestras elecciones son penosamente complejas y difíciles.

Hace muchos años me casé con una mujer con la que estaba muy unido pero a la que ya no quería; mi romance con Ayn Rand se marchitaba pero no terminaba «oficialmente». Ambas relaciones estaban dolorosamente sin resolver cuando conocí y me enamoré apasionadamente de una tercera mujer con la que me casaría después: Patricia, que moriría con treinta y siete años de edad. Durante mucho tiempo mi mente estuvo en un caos de lealtades en conflicto, y yo manejé las cosas muy mal. No conté la verdad a mi esposa o a Ayn tan pronto como pude haberlo hecho por razones que no vienen al caso. Las «razones» no modifican los hechos.

### *Las mentiras no funcionan.*

Fue un largo camino, pero al final cobré dolorosamente consciencia de algo que ya sabía desde el principio: que ha de decirse la verdad y que el andar con dilaciones y retrasos no hizo más que empeorar las cosas para todos. No conseguí proteger a nadie, y menos a mí mismo. Si parte de mi motivo era proteger a personas a las que quería, les causé una herida peor de la que habrían tenido de otro modo. Si parte de mis motivos fue proteger mi autoestima evitando un conflicto entre mis valores y lealtades, la que salió perdiendo fue mi autoestima. Las mentiras no funcionan.

### Ejercicios de completar frases para facilitar la práctica de la integridad

Si examinamos nuestra vida, podemos advertir que nuestra práctica de la integridad muestra incongruencias. Hay ámbitos en los que la practicamos más y otros en los que la practicamos menos. En vez de sustraernos a este hecho, es útil analizarlo. Vale la pena reflexionar en lo siguiente: ¿qué me impide practicar la integridad en todos los ámbitos de mi vida? ¿Qué sucedería si viviese mis valores de manera congruente?

A continuación presento algunos troncos de oración que pueden ayudar en el proceso de exploración:

**Para mí la integridad significa—**

**Si pienso acerca de los ámbitos en que tengo dificultad en practicar una total integridad—**

**Si aporto un mayor nivel de consciencia a los ámbitos en los que tengo dificultad en practicar la integridad plenamente—**

**Si aporto un 5 % más de integridad a mi vida—**

**Si aporto un 5 % más de integridad a mi trabajo—**

**Si aporto un 5 % más de integridad a mis relaciones—**

**Si mantengo la lealtad a los valores que realmente creo correctos—**
**Si me niego a vivir de acuerdo con valores que no respeto—**
**Si considero mi autoestima algo prioritario—**

Una sugerencia: practique con los cuatro primeros comienzos de frase durante la primera semana, y con los segundos durante la semana siguiente. Durante los fines de semana practique con el siguiente principio de frase: **Si es verdad cualquiera de las cosas que estoy escribiendo, podría ser útil que yo—**. Si opta por tener un mayor grado de consciencia de lo que hace, quizás constate que ahora resulta factible vivir con una mayor integridad.

### Una aplicación práctica

Un cliente me preguntó: «¿Cree usted que es realmente tan vergonzoso hinchar mi cuenta de gastos? Todo el mundo lo hace».

«Imagino», le dije, «que hacerlo debe de molestarle algo, pues de lo contrario no lo habría mencionado.»

«He estado completando estos comienzos de frase: "Si aporto un 5 por ciento más de integridad a mi vida—" y el otro día, cuando empecé a rellenar mi hoja de gastos con partidas ficticias, no sé, no me sentí cómodo, me sentí mal.»

«Mentir le hizo sentirse mal», le dije.

«Sí, por eso la rellené correctamente y entonces, más tarde, me pregunté si no era un mamón.»

«Lo que se preguntó es ¿por qué preocuparme de mi integridad si los demás no se preocupan de ella?»

«No, rayos, si hubiese pensado de ese modo, habría...» Interrumpió la frase y se quedó mirando al vacío en actitud pensativa.

«¿Qué?»

«Lo que usted acaba de decir es realmente el fondo de la cuestión, ¿no?»

«Y si así es, la pregunta que se impone de forma natural es: ¿acaso estoy sondeando qué es lo que considero una conducta aceptable?»

«¡Pero yo creo que mentir acerca de mis gastos es *incorrecto*!», dijo con actitud perpleja.

«Entonces, ¿cuál es el problema...?»

«Cuando hago algo que considero malo, me deja un mal sabor de boca, ya sabe.»

«Me gustaría saber qué criterio va a seguir en el futuro.»

«Cuando soy honrado me siento más limpio.»

176

«¿Lo que quiere usted decir es que, desde la perspectiva de la autoestima, la honradez es la mejor política?»

«Eso parece.»

«Creo que ésa es una observación muy importante.»

## Mantener su integridad en un mundo corrupto

En un mundo en el que nos consideramos —y los demás nos consideran— responsables de nuestros actos, la práctica de la integridad es relativamente más fácil que en un mundo en el que no existe el principio de responsabilidad personal. Una cultura de la responsabilidad tiende a prestar apoyo a nuestras aspiraciones morales.

---

*El desafío a que se enfrenta la gente en la actualidad —un reto nada fácil— consiste en mantener altas normas personales aun sintiendo que se vive en un estercolero moral*

---

Si viviésemos en una sociedad en la que los socios, los directivos de empresa, las figuras políticas, los líderes religiosos y otros personajes públicos se atuviesen a altas normas morales, a una persona normal le resultaría relativamente más fácil comportarse de manera íntegra que en una sociedad en la que prevalecen la corrupción, el cinismo y la amoralidad. En una sociedad así, lo más probable es que las personas piensen que la búsqueda de la integridad personal es un empeño fútil e irreal a menos que sean individuos extraordinariamente independientes y autónomos.

El desafío a que se enfrenta la gente en la actualidad —un reto nada fácil— consiste en mantener altas normas personales aun sintiendo que se vive en un estercolero moral. Este sentimiento se explica por la forma de comportarse de las figuras públicas, por el horror que suscitan los acontecimientos del mundo y por muchas de nuestras actividades (llamadas) artísticas y de entretenimiento, una gran parte de las cuales exaltan la depravación, la crueldad y la violencia gratuita. Todo ello concurre para que la práctica de la integridad personal sea un empeño solitario y heroico.

Si la integridad es una fuente de la autoestima, también lo es —y hoy más que nunca— una *expresión* de la autoestima.

## El principio de causalidad recíproca

En realidad, esto nos lleva a una cuestión importante. Con respecto a los seis pilares, podría preguntarse: «Para ponerlos en práctica, ¿no es necesario poseer ya autoestima? ¿Cómo pueden servir entonces de fundamento de la autoestima?»

Para responder a esta pregunta tengo que introducir el que yo llamo *principio de la causalidad recíproca*. Este principio dice que las conductas que generan una buena autoestima son también expresión de una buena autoestima. El vivir de manera consciente es a la vez causa y efecto de la eficacia de uno mismo y del respeto de sí mismo. Y también lo son la aceptación de sí mismo, la responsabilidad de uno mismo y todas las demás prácticas que describo.

Cuanto más vivo de manera consciente, más confío en mi mente y respeto mi valía; y si confío en mi mente y respeto mi valía, resulta natural vivir de manera consciente. Cuanto más vivo con integridad, más gozo de una buena autoestima; y si gozo de una buena autoestima, resulta natural vivir con integridad.

Otro aspecto que vale la pena mencionar de la dinámica de este proceso es que, con el tiempo, la práctica de estas virtudes tiende a generar la sensación de que son necesarias. Si habitualmente obro con un alto nivel de consciencia, la falta de claridad y la sensación de ofuscamiento me harán sentir incómodo: habitualmente sentiré un deseo de despejar la oscuridad. Si he dejado pasar a un segundo plano la responsabilidad de mí mismo, me resultarán onerosas la pasividad y la dependencia. Sentiré entonces una presión interior para reafirmar el control de mi vida, algo sólo posible con la autonomía. Si he mantenido una congruencia en mi integridad, sentiré que la falta de honestidad por mi parte me resulta molesta y sentiré la necesidad de eliminar la disonancia y recuperar una sensación interior de limpieza moral.

Tan pronto comprendemos las prácticas que he descrito, tenemos la potestad (al menos en cierta medida) de elegirlas. La potestad de elegirlas es la potestad de elevar el nivel de nuestra autoestima, sea cual sea nuestro nivel de partida y por muy difícil que pueda ser el proyecto en las primeras etapas.

Puede ser de utilidad una analogía con el ejercicio físico. Si estamos en baja forma física, el ejercicio nos suele resultar difícil; a medida que mejora nuestra forma, el ejercicio se vuelve más fácil y agradable. Empezamos donde estamos, y a partir de ahí acumulamos nuestra fuerza. El elevar la autoestima sigue el mismo principio.

Estas prácticas son ideales pensados para servirnos de orientación: ello quiere decir —y esto es algo que no sabríamos recalcar en exceso— que no tienen que cumplirse «perfectamente» en todo momento para que ejerzan una influencia beneficiosa sobre nuestra vida. Los pequeños progresos son importantes.

Cuando reflexione sobre esta lista de prácticas de la autoestima, el lector puede sentirse sorprendido al constatar que se parecen mucho a un código moral —o a una parte de un código—. Esto es verdad. Las virtudes que nos exige la autoestima son también las que nos pide la vida.

**La práctica de la integridad personal es el sexto pilar de la autoestima.**

# 12. La filosofía de la autoestima

Si integramos en nuestra vida cotidiana estas seis prácticas, la autoestima se reforzará y tendrá un mayor apoyo. En caso contrario, socavaremos y dañaremos a nuestra autoestima. Ésta es la tesis central de lo que hemos visto en esta segunda parte. Pero ¿qué decir de las creencias, premisas e ideas de una persona? ¿Son las prácticas lo único que importa o también las convicciones desempeñan un papel en el apoyo de la autoestima?

La respuesta es que las convicciones son importantes porque generan emociones y acciones (prácticas). Son un factor decisivo en el desarrollo de la autoestima de una persona. Lo que piensan las personas, lo que creen, lo que se dicen a sí mismas, influye en lo que sienten y en lo que hacen. A su vez, las personas experimentan lo que sienten y hacen como factores significativos de su identidad.

La segunda parte comenzó con un capítulo titulado «El enfoque centrado en la acción». La acción tiene la última palabra, por cuanto sin ella no puede conseguirse o mantenerse ningún valor vivo. Las creencias en un vacío, separadas de la acción, no significan nada. Pero como las creencias afectan a las acciones, como tienen implicaciones para la acción, tenemos que examinarlas en sí mismas.

Hay creencias que conducen a las prácticas que he descrito, y hay creencias que nos separan de ellas. Cuando hablo de «creencias» en este contexto, me refiero a convicciones profundamente arraigadas en nuestro ser. No me refiero a nociones a las que rendimos pleitesía de forma nominal o a ideas que nos imponemos en la esperanza de que nos inciten una motivación deseada. Me refiero a premisas que tienen la facultad de provocar emociones y estimular y guiar la conducta.

No siempre somos plenamente conscientes de nuestras creencias. Éstas pueden no existir en nuestra mente en la forma de proposiciones explícitas. Pueden estar tan implícitas en nuestro pensamiento que apenas seamos conscientes de ellas o no seamos nada conscientes. Sin embargo están claramente subyacentes a nuestros actos.

Podemos concebir estas ideas como «la filosofía de la autoestima», un conjunto de premisas relacionadas entre sí que inspiran las conductas que producen una firme sensación de eficacia y valía personal. También podemos ver en ellas una explicación, en forma resumida, de la filosofía básica que anima este libro.

Divido las creencias que tienen importancia para la autoestima en dos categorías: las creencias sobre uno mismo y las creencias sobre la realidad. En cada caso es obvia la relevancia de la idea para la autoestima.

### Creencias sobre uno mismo que apoyan la autoestima

#### De tipo general

Yo tengo derecho a existir.

Yo tengo un gran valor para mí mismo.

Yo tengo el derecho a satisfacer mis necesidades y deseos, a considerarlos importantes.

No estoy en la tierra para cumplir las expectativas de nadie; mi vida me pertenece. (Y esto vale igualmente para cualquier otro ser humano. Cada persona es el propietario de su vida; nadie está en la tierra para cumplir mis expectativas.)

Yo no me considero propiedad de nadie y no considero a nadie propiedad mía.

Yo soy una persona encantadora.

Yo soy una persona admirable.

Normalmente las personas a las que admiro y respeto me apreciarán y respetarán.

Debo tratar con los demás de manera justa y equitativa y los demás deben tratarme justa y equitativamente.

Merezco ser tratado cortésmente y con respeto por todos.

Si la gente me trata de manera descortés o irrespetuosa, eso es un reflejo de ellos, no de mí. Sólo será un reflejo de mí si acepto como correcto el trato que me dispensan.

Si alguien a quien aprecio no me corresponde, puede resultar desalentador o incluso doloroso, pero no es un reflejo de mi valía personal.

Ninguna otra persona o grupo tiene la potestad de determinar cómo tengo que pensar y sentir respecto a mí mismo.

Yo confío en mi mente.

Yo veo lo que veo y sé lo que sé.

Me conviene más conocer la verdad que «darme la razón» a expensas de los hechos.

Si yo persevero, puedo comprender las cosas que tengo que comprender.

---

*Ninguna otra persona o grupo tiene la potestad de determinar cómo tengo que pensar y sentir respecto a mí mismo.*

---

Si yo persevero, y si mis metas son realistas, yo soy competente para conseguirlas.

Yo soy competente para hacer frente a los retos básicos de la vida.

Yo merezco la felicidad.

Yo soy «suficiente» (esto no quiere decir que no tenga que aprender nada más ni crecer más; significa que tengo el derecho a aceptarme a mí mismo, como vimos antes).

Yo soy capaz de recuperarme de una derrota.

Yo tengo el derecho a cometer errores; ésta es una de las maneras de aprender. Los errores no son razón para condenarse a uno mismo.

Yo no sacrifico mi criterio, ni pretendo que mis convicciones son diferentes de lo que son para conseguir popularidad o aprobación.

No es lo que «ellos» piensan; es lo que yo sé. Lo que yo sé es más importante para mí que una errónea creencia en la mente de otra persona.

Nadie tiene el derecho a imponerme ideas y valores que no acepto, igual que yo no tengo derecho a imponer a los demás mis ideas y valores.

Si mis metas son racionales, merezco conseguir lo que intento.

La felicidad y el éxito son condiciones naturales para mí —igual que la salud— y no aberraciones temporales del orden real de las cosas; al igual que la enfermedad, el desastre es la aberración.

El desarrollo de uno mismo y la satisfacción de uno mismo son metas morales adecuadas.

Mi felicidad y mi autorrealización son propósitos nobles.


## Vivir de manera consciente

Cuanto más consciente soy de lo que atañe a mis intereses, valores, necesidades y metas, mejor me irán las cosas.

Es agradable ejercitar mi mente.

Me conviene más corregir mis errores que pretender que no existen.

Me conviene más mantener mis valores consciente que inconscientemente y examinarlos en vez de mantenerlos acríticamente como «axiomas» incuestionables.

Tengo que estar atento a las tentaciones para evitar hechos desagradables; tengo que hacer frente a mis impulsos de evitación y no ser gobernado por ellos.

Si yo comprendo el contexto más amplio en el que vivo y actúo, seré más eficaz; vale la pena que intente comprender mi entorno y el mundo general que me rodea.

Para ser eficaz tengo que ampliar mi conocimiento; el aprendizaje tiene que ser una forma de vida.

Cuanto más me conozco y comprendo, mejor será la vida que puedo crear. El autoexamen es un imperativo de una existencia consumada.

### Aceptación de sí mismo

Al nivel más fundamental yo estoy a mi favor.

Yo me acepto a mí mismo al nivel más fundamental.

Yo acepto la realidad de mis pensamientos, aun cuando no pueda aceptarlos y no decidiría obrar según ellos; yo no los niego ni desautorizo.

Yo puedo aceptar mis sentimientos y emociones sin que necesariamente me gusten, sin aprobarlos o ser controlado por ellos; yo no los niego ni desautorizo.

Yo puedo aceptar que he hecho lo que he hecho, aun cuando lo lamente o condene. Yo no niego o desautorizo mi conducta.

Yo acepto que lo que pienso, siento o hago es una expresión de mí mismo, al menos en el momento en que sucede. Yo no estoy limitado por pensamientos, sentimientos o acciones que no puedo sancionar, pero tampoco me sustraigo a su realidad o pretendo que no son míos.

Yo acepto la realidad de mis problemas, pero no me defino por ellos. Mis problemas no son mi esencia. Mi temor, dolor, confusión o mis errores no están en el núcleo de mi ser.

*Al nivel má fundamental yo estoy a mi favor.*

### Responsabilidad de uno mismo

Yo soy responsable de mi existencia.

Yo soy responsable de la satisfacción de mis deseos.

Yo soy responsable de mis elecciones y acciones.

Yo soy responsable del nivel de consciencia que aporto a mi trabajo y a otras actividades.

Yo soy responsable del nivel de consciencia que aporto a mis relaciones.

Yo soy responsable de mi conducta con los demás colaboradores, socios, clientes, cónyuge, hijos y amigos.

Yo soy responsable de cómo jerarquizo mi tiempo.

Yo soy responsable de la calidad de mis comunicaciones.

Yo soy responsable de mi felicidad personal.

Yo soy responsable de elegir o aceptar los valores de acuerdo con los cuales vivo.

Yo soy responsable de elevar mi autoestima; nadie puede darme autoestima.

En definitiva, acepto mi soledad. Es decir, acepto que nadie va a venir para enderezar mi vida, o para salvarme, para salvar mi niñez, o para salvarme de las consecuencias de mis elecciones y acciones. En determinadas cuestiones algunas personas me pueden ayudar, pero nadie puede asumir la responsabilidad primaria de mi existencia. Al igual que nadie puede respirar por mí, nadie puede asumir ninguna de mis restantes funciones vitales básicas, como la de ganar la experiencia de la eficacia personal y del respeto a mí mismo.

La necesidad de ser responsable de uno mismo es natural; no la considero una tragedia.


## Autoafirmación

En general, es adecuado que exprese mis pensamientos, convicciones y sentimientos, a menos que me encuentre en un contexto en el que estimo que no es objetivamente deseable hacerlo.

Yo tengo el derecho a expresarme por mí mismo de forma adecuada en los contextos adecuados.

Yo tengo el derecho a defender mis convicciones.

Yo tengo el derecho a considerar importantes mis valores y sentimientos.

El percibir y conocer quién soy yo redunda en beneficio de los demás.


## Vivir con propósito

Sólo yo puedo elegir las metas y propósitos para los cuales vivo. Nadie puede diseñar mi vida.

Si quiero triunfar, tengo que aprender a conseguir mis metas y propósitos. Tengo que elaborar y luego aplicar un plan de acción.

Si quiero triunfar, tengo que prestar atención al resultado de mis actos.

Yo fomento mis intereses con un alto nivel de comprobación en la realidad, es decir, buscando la información y retroalimentación relacionada con mis creencias, acciones y propósitos.

Yo debo practicar la autodisciplina no como un «sacrificio» sino como una condición previa natural de ser capaz de conseguir mis deseos.

*Integridad personal*

Yo debo hacer lo que predico.

Yo debo mantener mis promesas.

Yo debo cumplir mis compromisos.

Yo debo tratar a los demás de forma equitativa, justa, benévola y compasiva.

Yo debo perseguir la congruencia moral.

---

*Mi autoestima es más valiosa que cualesquiera recompensas a corto plazo derivadas de traicionarla.*

---

Yo debo esforzarme por hacer que mi vida sea un reflejo de mi visión interior del bien.

Mi autoestima es más valiosa que cualesquiera recompensas a corto plazo derivadas de traicionarla.

**Creencias acerca de la realidad que apoyan la autoestima**

Lo que es, es; los hechos son los hechos.

La ceguera elegida por uno mismo no vuelve real lo irreal ni irreal lo real.

El respeto a los hechos reales (de la mejor manera que pueda comprenderlos) arroja resultados más satisfactorios que desafiar los hechos reales.

La supervivencia y el bienestar dependen del ejercicio adecuado de la consciencia. El evitar la responsabilidad de la consciencia no es adaptativo.

En principio, la consciencia es fiable; el conocimiento es posible; la realidad es cognoscible.

Los valores que fomentan y apoyan la vida y satisfacción de una persona en la tierra son superiores a los valores que la ponen en peligro o la amenazan.

Los seres humanos son fines en sí mismos, y no medios para los fines de los demás, y deben ser tratados como tales. Un ser humano individual no pertenece ni a la familia ni a la comunidad ni a la Iglesia ni al Estado ni a la sociedad ni al mundo. Un ser humano no es propiedad de nadie.

Todas las asociaciones humanas adultas deberían ser electivas y voluntarias.

No deberíamos sacrificarnos a los demás ni sacrificar los demás a nosotros; deberíamos descartar la idea de sacrificio humano como ideal moral.

Las relaciones basadas en el intercambio de valores son superiores a las basadas en el sacrificio de unas personas a otras.

Un mundo en el que nos consideramos a nosotros mismos y a los demás responsables de nuestras elecciones y acciones funciona mejor que un mundo en el que negamos esta responsabilidad.

La negación de la responsabilidad no sirve para la autoestima de nadie, y menos la de la persona que la niega.

Lo moral, entendido racionalmente, es lo práctico.


## Comentario

Decir respecto a cualquiera de estas ideas: «Yo estoy de acuerdo con eso» no indica aún que formen parte del sistema de creencias de quien lo dice. Como indiqué antes, las ideas sólo pueden considerarse creencias en el sentido a que aquí nos referimos si se experimentan como verdaderas a un nivel muy profundo y se manifiestan en la conducta.

Esta lista de creencias no se ofrece con carácter exhaustivo. Probablemente hay otras que son tan relevantes para la salud de la autoestima. Las que he identificado son las que conozco que apoyan más claramente las seis prácticas. En la medida en que se experimenten de forma genuina tienden a inspirar la consciencia, la aceptación de uno mismo, la responsabilidad de uno mismo, la autoafirmación, la vida con propósito y la integridad.

Confío que quede claro que considero que estas creencias están justificadas racionalmente. No son meros «postulados» arbitrarios. Pero como no estoy dispuesto en este contexto a ofrecer una defensa rigurosa de cada una de ellas, simplemente indicaré que son poderosos motivadores del tipo de acciones que apoyan el bienestar psicológico. Consideradas desde la perspectiva de los seis pilares, tienen claramente una utilidad funcional. Son adaptativas; son la energía de la autoestima.

187

## Una norma de valor

Igual que los seis pilares proporcionan un marco de referencia desde el cual examinar las creencias, proporcionan una norma por la que examinar las prácticas de crianza de los hijos, las prácticas educativas, las políticas organizativas, los sistemas de valores de las diferentes culturas y las actividades de los psicoterapeutas. En cada uno de estos contextos podemos preguntar lo siguiente: ¿esta práctica, política, valor o doctrina apoya y fomenta los seis pilares o nos disuade de ellos y los socava? ¿Es más probable que produzca una mayor autoestima o que vaya en dirección contraria?

No quiero decir que la autoestima es el único criterio por el que tengan que juzgarse las cuestiones. Pero si nos proponemos fomentar la autoestima, es adecuado conocer cómo es probable que ésta se vea afectada por las diferentes estrategias y doctrinas.

Las prácticas y creencias que hemos examinado se refieren a factores «internos» que tienen que ver con la autoestima; es decir, existen o se generan desde dentro de la persona. Ahora pasaremos a examinar los factores «externos», es decir, los factores que se originan en el entorno.

¿Cuál es el papel y la aportación de los demás? ¿Cuál es el impacto potencial de padres, maestros, directivos, psicoterapeutas y de la cultura en que uno vive? Éstas son algunas de las cuestiones que examino en la tercera parte.

TERCERA PARTE

**LAS INFLUENCIAS EXTERIORES: UNO MISMO Y LOS DEMÁS**

# 13. El fomento de la autoestima del niño

La meta adecuada de la crianza de los padres consiste en preparar a un hijo para que sobreviva de forma independiente en la edad adulta. El bebé empieza en una situación de total dependencia. Si su crianza tiene éxito, el joven o la joven pasarán de esa dependencia a ser seres humanos que se respetan a sí mismos y son responsables de sí mismos, capaces de responder a los retos de la vida de forma competente y entusiasta. De este modo serán «autosuficientes» y no sólo desde el punto de vista económico, sino también intelectual y psicológicamente.

Un recién nacido no tiene aún un sentido de la identidad personal; no tiene consciencia de separación o al menos no la tiene tal y como la sentimos nosotros los adultos. La tarea humana primaria consiste en llegar a ser nosotros mismos. También es el reto humano primario, porque no está garantizado el éxito. En cualquier punto del camino puede interrumpirse el proceso, frustrarse, bloquearse o desvirtuarse, de forma que la persona quede fragmentada, escindida, alienada, detenida en uno u otro nivel de madurez mental o emocional. No es difícil observar que la mayoría de las personas se quedan atascadas en uno u otro punto de este camino de desarrollo. No obstante, como he examinado en mi libro *El respeto hacia uno mismo*, la meta central del proceso de maduración es la *evolución hacia la autonomía*.

Un adagio antiguo y excelente afirma que la paternidad consiste en dar a un hijo primero raíces (para crecer) y luego alas (para volar). La seguridad de una base firme y la confianza en sí mismo para abandonarla un día. Los hijos no crecen en un vacío. Crecen en un contexto social. De hecho gran parte del drama del desarrollo de la individuación y la autonomía tiene lugar y sólo puede tener lugar mediante la relación con otros seres humanos. En las primeras relaciones de la niñez un hijo puede experimentar la seguridad que hace posible la aparición del yo o bien el terror y la inestabilidad que descompone el yo antes de que se forme por completo. En las relaciones posteriores un hijo puede tener la experiencia de ser aceptado y respetado o rechazado y postergado. Un niño puede experimentar el equilibrio adecuado entre protección y libertad o bien *a)* la sobreprotección que le infantiliza o bien *b)* la subprotección que exige al niño recursos que puede no tener aún. Estas experiencias, así como otras que examinaremos, contribuyen al tipo de identidad y de autoestima que se forma con el tiempo.

*La tarea humana primaria consiste en llegar a ser nosotros mismos. También es el reto humano primario, porque no está garantizado el éxito.*

### Los antecedentes de la autoestima

Parte de los mejores trabajos de los psicólogos sobre la autoestima han tenido lugar en el ámbito de las relaciones entre padres e hijos. Como ejemplo puede citarse el importante estudio de Stanley Coopersmith *The antecedents of self-esteem*. El objetivo de Coopersmith era identificar las conductas de los padres encontradas con más frecuencia cuando los niños crecían manifestando una autoestima sana. Como prólogo a la exposición que sigue voy a resumir lo esencial de este trabajo.

Coopersmith no halló correlaciones significativas con factores como la riqueza familiar, la educación, la zona geográfica, la clase social, la profesión del padre o el hecho de que la madre siempre estuviera en casa. Lo que halló era la importancia de la calidad de la relación entre el hijo y los adultos importantes de su vida.

En concreto encontró cinco condiciones asociadas a una alta estima en los niños:

1. El niño experimenta una total aceptación de los pensamientos, sentimientos y el valor de su propia persona.

2. El niño funciona en un contexto de límites definidos e impuestos con claridad que son justos, no opresores y negociables. No se le da una «libertad» ilimitada. Por consiguiente, el niño experimenta una sensación de seguridad; tiene una base clara para evaluar su comportamiento. Además, por lo general los límites suponen normas elevadas, así como la confianza en que el niño será capaz de cumplirlas. Por consiguiente, el niño las cumple normalmente.

3. El niño experimenta respeto hacia su dignidad como ser humano.

Los padres no utilizan la violencia, humillación o el ridículo para controlar y manipular. Los padres se toman en serio las necesidades y deseos del niño, tanto si pueden satisfacerlos como si no en cada caso. Los padres están dispuestos a negociar las reglas familiares dentro de límites escrupulosamente fijados. En otras palabras, impera la autoridad, pero no el autoritarismo.

Como expresión de esta actitud general, los padres tienden menos a la disciplina punitiva (y tiende a haber menos necesidad de disciplina punitiva) y son más propensos a poner énfasis en la recompensa y refuerzo de la conducta positiva. Se centran en lo que desean en vez de en lo que no desean, más en lo positivo que en lo negativo.

Los padres muestran interés por el hijo, por su vida social y académica y por lo general están disponibles para hablar cuando el niño lo desea.

4.  Los padres tienen normas elevadas y altas expectativas por lo que respecta al comportamiento y al rendimiento. Su actitud no es la de «vale todo». Tienen expectativas morales y de rendimiento que transmiten de forma respetuosa, benévola y no opresiva; se reta al niño a que sea lo mejor que puede ser.

5.  Los propios padres tienden a tener un alto nivel de autoestima. Son modelos de (lo que yo llamo) eficacia personal y respeto hacia uno mismo. El niño ve ejemplos vivos de lo que tiene que aprender. Tras explicar cuidadosamente los antecedentes de la autoestima que pudo encontrar su investigación, Coopersmith dice lo siguiente: «Hemos de señalar que prácticamente no existen pautas de conducta o actitudes de los padres comunes a todos los padres de niños con alta autoestima».

Esta observación subraya nuestra convicción de que la conducta de los padres por sí sola no determina el curso del desarrollo psicológico de un niño.

Aparte del hecho de que en ocasiones la influencia más importante de la vida del niño es la de un maestro, la de un abuelo o la de un vecino, los factores externos son sólo parte de la historia, nunca toda la historia, como he destacado varias veces. Somos causas, y no meramente efectos. En cuanto seres cuya consciencia es volitiva, que comienza en la niñez y prosigue a lo largo de toda nuestra vida, tomamos decisiones que tienen consecuencias para el tipo de persona que llegamos a ser y el nivel de autoestima que alcanzamos.

Decir que los padres pueden facilitar o dificultar el desarrollo de una sana autoestima en el niño es decir que los padres pueden facilitar o dificultar que un joven aprenda las seis prácticas y las convierta en una parte natural e integrante de su vida. Las seis prácticas proporcionan una norma para valorar las estrategias de los padres: ¿fomentan o no fomentan estas estrategias la consciencia, la aceptación de sí mismo, la responsabilidad de uno mismo, la autoafirmación, el vivir con propósito y la integridad?

¿Aumentan o disminuyen la probabilidad de que un niño aprenda comportamientos de apoyo de la autoestima?

## Seguridad básica

Tras comenzar su vida en un estado de total dependencia, el niño no tiene necesidad más básica —por lo que se refiere a la conducta de los padres— que la de seguridad física y emocional. Esto consiste en la satisfacción de las necesidades fisiológicas, la protección de los elementos y los cuidados básicos en todos sus aspectos obvios. Supone la creación de un entorno en el que el niño puede sentirse protegido y seguro.

En este contexto puede desplegarse el proceso de separación e individuación. Puede empezar a formarse una mente que más tarde aprenderá a confiar en sí misma. Puede desarrollarse una persona con un sentido confiado de sus límites.

En este nivel se sientan los fundamentos para que el niño aprenda a confiar en los demás y a tener confianza en que la vida no es malévola.

Por supuesto, la necesidad de seguridad física y psíquica no se limita a los primeros años. El yo está aún en formación durante la adolescencia, y una vida familiar de caos y ansiedad puede imponer serios obstáculos a la secuencia del desarrollo normal en la adolescencia.

En mi trabajo con adultos a menudo constato los efectos a largo plazo de una forma de trauma asociada a la frustración de esta necesidad: la reiterada experiencia de terror del niño ante los adultos. Algunos clientes de terapia expresan un tipo de miedo o ansiedad que parece remontarse a los primeros meses de vida y afectar a la estructura más profunda de la psique. Estos clientes se caracterizan no sólo por una intensa ansiedad ni por la profundidad de ésta, sino por el hecho de que se percibe que quien experimenta la ansiedad no es el adulto sino más bien el niño o incluso el bebé que hay dentro del cuerpo del adulto o, más concretamente, dentro de la psique del adulto. Estos clientes afirman que han tenido sentimientos de terror básico en los momentos más lejanos que pueden recordar.

Dejando a un lado la posibilidad de un trauma de nacimiento, hay que considerar aquí dos factores. El primero es la circunstancia objetiva de su entorno y el trato que recibieron en la infancia. El segundo es la cuestión de la disposición innata a sentir ansiedad: el umbral de algunas personas es sin duda más bajo que el de otras, de forma que lo que no es traumático para un niño lo es para otro.

El terror puede estar relacionado con un padre violento, con una madre voluble, impredecible y alterada emocionalmente, con un familiar amenazante cuya expresión despierta imágenes de una extraordinaria tortura, un terror del que no hay escapatoria y que sume al niño en sentimientos intolerables de desamparo.

---

*Cuanto mayor es el terror de un niño y cuanto antes lo experimente, más difícil será la tarea de construir un sentimiento de la identidad fuerte y sano.*

---

Sonia, una enfermera de treinta y ocho años, se sobresaltaba de manera involuntaria si yo, sin darme cuenta, elevaba ligeramente la voz, especialmente cuando estaba sentado en mi silla. Decía que sus recuerdos más tempranos le evocaban a su madre y su padre gritándose mutuamente mientras ella permanecía en la cuna, siendo ignorados sus llantos. Su sensación de que el mundo es un lugar hostil y peligroso era casi nuclear. En casi todas las decisiones y acciones que emprendió estuvo motivada por el miedo, con consecuencias negativas para su autoestima. Yo sospeché que había llegado al mundo con una disposición a sentir temor mayor de la normal, que empeoró enormemente por la conducta irracional de sus padres.

Edgar, profesor de filosofía de treinta y cuatro años de edad, dijo que sus primeros recuerdos eran de cuando le obligaban a permanecer en cama mientras su padre —un distinguido y respetado médico de su comunidad— le golpeaba violentamente con una correa. «Mis gritos nunca le paraban. Era como si estuviese loco. Podía destruirme y yo no podía hacer nada. Ese sentimiento nunca me abandonó. Tengo treinta y cuatro años y aún siento que no tengo medio alguno de defenderme frente a cualquier tipo de peligro. Siempre he tenido miedo. No puedo imaginar quién sería yo sin mi miedo.»

Cuanto mayor es el terror del niño y cuanto antes lo experimente, más difícil será la tarea de construir un sentimiento de la identidad fuerte y sano. Es muy difícil aprender las seis prácticas sobre la base de una omnipresente sensación de impotencia —una impotencia *traumática*—. Una buena paternidad tiene por objeto proteger a los hijos de esta sensación destructiva.

## La crianza mediante el tacto

En la actualidad sabemos que el tacto es esencial para el desarrollo sano de un niño. A falta de él, un niño puede morir aun cuando vea satisfechas todas sus demás necesidades.

Mediante el tacto enviamos una estimulación sensorial que ayuda al niño a desarrollar su cerebro. Mediante el tacto expresamos amor, cariño, confort, apoyo y protección. Mediante el tacto establecemos contacto entre un ser humano y otro. La investigación revela que el tacto —por ejemplo el masaje— puede afectar profundamente a la salud. A cierto nivel esto se conoce intuitivamente porque en las regiones no occidentales del mundo el masaje de los bebés es una práctica normal. En Occidente no lo es, y una de las razones que se ha sugerido es el sesgo contra el cuerpo característico del cristianismo.

Una de las formas más poderosas en que los padres pueden transmitir cariño es mediante el tacto. Mucho antes de que un niño pueda comprender las palabras, comprende el tacto. Las declaraciones de amor sin tacto son poco convincentes y vacías. Nuestros cuerpos reclaman la realidad de lo físico. Queremos sentir que se quiere-valora-abraza-a nuestra *persona* y no a una abstracción descorporeizada.

---

*Mucho antes de que un niño pueda comprender las palabras comprende el tacto.*

---

Los niños que crecen con escasa experiencia de contacto a menudo crecen con un profundo dolor en su interior que nunca se desvanece por completo. Su consideración de sí mismos tiene un punto ciego. «¿Por qué nunca me pude sentar en las rodillas de mi padre?», dicen algunos clientes. «¿Por qué mi madre expresó tanta reticencia —incluso disgusto— hacia el contacto físico?» La frase que no dicen con palabras es: «¿Por qué no me quisieron lo suficiente como para desear cogerme?». Y en ocasiones: «Si mis propios padres no quisieron tocarme, ¿cómo puedo esperar que alguien quiera hacerlo?»

El dolor de esta privación infantil es difícil de soportar. Normalmente se reprime. Se produce entonces una restricción de la consciencia y una insensibilización psíquica como una estrategia de supervivencia, para hacer tolerable la vida. Se evita la consciencia de uno mismo. A menudo éste es el inicio de un patrón que dura toda la vida.

En función de los demás factores psicológicos, podemos ver dos respuestas diferentes a la privación del tacto en una etapa posterior de la vida. A un nivel parecen opuestas, pero ambas expresan alienación y son perjudiciales para la autoestima. Por una parte podemos ver en un adulto una evitación del contacto íntimo con otras personas, una retirada de toda relación humana, que expresa sentimientos de temor y falta de valía; un fracaso, entre otras cosas, de la autoafirmación. O bien podemos ver una promiscuidad sexual compulsiva, un esfuerzo inconsciente por curar las heridas de la inanición táctil, pero de una forma que humilla sin resolver nada, en la que hay una gran merma de la integridad personal y del respeto a uno mismo. Ambas respuestas aíslan al individuo de todo contacto humano auténtico.

### Amor

Un niño tratado con amor tiende a interiorizar este sentimiento y a experimentarse a sí mismo como alguien digno de cariño. El amor se manifiesta por la expresión verbal, por las acciones de cuidados y por el gozo y placer que mostramos en el mero hecho de la existencia del niño.

Un padre efectivo puede manifestar cólera o decepción sin dar muestras de retirada de amor. Un padre efectivo puede enseñar sin recurrir al rechazo. Con ello no se cuestiona el valor del niño en cuanto ser humano.

El amor no se siente como algo real cuando siempre se vincula al rendimiento, se vincula a la conformidad con las expectativas de mamá o papá, y se retira de vez en cuando para manipular la obediencia y la conformidad. El amor no se siente como algo real cuando el niño recibe mensajes sutiles o no sutiles que le dicen: «No eres suficiente».

Desgraciadamente muchos de nosotros hemos recibido estos mensajes. Tú puedes tener el potencial, pero ahora eres inaceptable. Tienes que corregirte. Un día puedes ser suficiente, pero no ahora. Sólo serás suficiente si cumples nuestras expectativas.

«Yo soy suficiente» no significa: «No tengo nada que aprender y nada que crecer». Significa: «Me acepto a mí mismo con el valor que tengo». No podemos construir la autoestima sobre la base: «Yo no soy suficiente». El manifestar a un niño: «Tú no eres suficiente» es subvertir el núcleo de su autoestima. Ningún niño que ha recibido estos mensajes se siente querido.

### Aceptación

Un niño cuyos pensamientos y sentimientos son tratados con aceptación tiende a interiorizar la respuesta y a aprender a aceptarse a sí mismo. Se manifiesta esta aceptación no estando de acuerdo (lo que no siempre es posible) sino atendiendo y reconociendo los pensamientos y sentimientos del niño y no castigándole, discutiendo, sermoneándole, psicologizando o insultándole.

197

Si reiteradas veces se le dice a un niño que no debe sentirse así, que no debe sentir eso, se le anima a negar y extrañar sus sentimientos o emociones para complacer o aplacar a sus padres. Si se tratan las expresiones normales de excitación, cólera, felicidad, sexualidad, deseo y miedo como conductas inaceptables, incorrectas, pecaminosas o desagradables de otro modo para los padres, el niño puede distanciarse de ellas y rechazar cada vez más su persona para integrarse, ser querido, para evitar el terror del abandono. No fomentamos el desarrollo del niño haciendo que se rechace a sí mismo al precio de nuestro amor.

Pocas actitudes de los padres pueden ser tan útiles para el desarrollo sano del niño como la experiencia de éste de que su naturaleza, temperamento, intereses y aspiraciones son aceptados *tanto si sus padres los comparten como si no.* No es realista imaginar, en un caso extremo, que los padres van a disfrutar o a estar cómodos con todos los actos de expresión del niño. Pero la aceptación en el sentido que se utiliza en este libro no exige disfrute o confort ni conformidad.

---

*No fomentamos el desarrollo del niño haciendo que se rechace a sí mismo al precio de nuestro amor.*

---

Un padre puede ser atlético, y no serlo su hijo o lo contrario. Un padre puede tener afición artística, y su hijo no o lo contrario. El ritmo natural de un padre puede ser rápido, el del niño puede ser lento o lo contrario. Un padre puede ser ordenado, y su hijo puede ser caótico o lo contrario. Un padre puede ser extrovertido, y su hijo puede ser introvertido o lo contrario. Un padre puede ser muy «social», su hijo puede serlo menos o lo contrario. Un padre puede ser competitivo, y su hijo no serlo o lo contrario. *Si se aceptan las diferencias, puede crecer la autoestima.*

### Respeto

Un niño que recibe respeto de los adultos tiende a aprender a respetarse a sí mismo. El respeto se manifiesta deparando al niño la cortesía que normalmente se tiene con los adultos. (Como solía indicar el psicólogo infantil Haim Ginott, si a un visitante se le derrama accidentalmente una bebida, no le decimos: «¡Oh, qué patoso eres! ¿Qué te pasa?». Sin embargo, ¿por qué consideramos adecuadas estas afirmaciones con nuestros niños, que son mucho más importantes para nosotros que el visitante? Sin duda

198

sería más correcto decir al niño algo como: «Se te ha derramado la bebida. ¿Puedes coger unas toallitas de papel de la cocina?»)

Recuerdo que una vez un cliente me dijo lo siguiente: «Mi padre se dirige a cualquier chico con más cortesía de la que nunca ha tenido conmigo». «Por favor» y «Gracias» son palabras que reconocen dignidad, tanto la del hablante como la del oyente.

Hay que informar a los padres: «Cuidado con lo que le decís a vuestros hijos. Éstos pueden estar de acuerdo con vosotros». Antes de llamar a un hijo «estúpido» o «torpe» o «malo» o «una decepción», piense en la pregunta siguiente: «¿Es así como quiero que mi hijo se experimente a sí mismo?»

Si un hijo crece en un hogar en el que todos se relacionan con los demás con una cortesía natural y cordial, aprende principios que valen tanto para sí mismo como para los demás. El respeto de uno mismo y de los demás parecerá el orden normal de las cosas, que es como debería ser.

El hecho de que queramos a un hijo no garantiza que el respeto sea automático. Siempre son posibles lapsos de consciencia, por cariñosos que sean nuestros sentimientos. En una ocasión cuando mi nieta Ashley tenía cinco años yo le hacía la noria, riendo con ella y disfrutando tanto que no me detuve cuando dijo: «Abuelo, quiero parar ahora». Pero caí en la cuenta unos momentos después cuando me dijo solemnemente: «Abuelo, no me estás escuchando». «Lo siento cariño», le respondí, obedeciéndola.


## Visibilidad

Una experiencia especialmente importante para el fomento de la autoestima de un hijo es la experiencia de lo que he denominado la *visibilidad psicológica*. He escrito sobre la necesidad humana de visibilidad, aplicada a todas las relaciones humanas, en mi obra *The psychology of romantic love*. Aquí sólo voy a exponer algunas ideas básicas relacionadas con la interacción del niño con sus padres. Pero antes que nada voy a hacer algunos comentarios generales sobre la visibilidad.

Si yo digo o hago algo y tú me respondes de una manera que yo considero congruente en términos de mi propia conducta —si yo me pongo en situación de juego y tú te pones en la misma situación, o si yo expreso alegría y tú muestras comprender mi estado, o si yo expreso tristeza y tú manifiestas empatía, o si yo hago algo de lo que estoy orgulloso y tú sonríes con admiración— me siento observado y comprendido por ti. Me siento visible. En cambio, si yo digo o hago algo y tú respondes de una forma que carece de sentido para mí en términos de mi propia conducta —si yo me pongo en actitud de broma y tú reaccionas como si yo estuviese hostil, o si yo expreso alegría y tú muestras impaciencia y me dices que no sea tonto, o si yo expreso tristeza y tú me acusas de fingir, o si yo hago algo de lo que estoy orgulloso y tú reaccionas condenándolo— no me siento visto y comprendido, me siento invisible.

Para sentirme visible para ti no necesito tu consentimiento en relación a lo que estoy diciendo. Podemos estar teniendo una discusión filosófica o política y podemos suscribir puntos de vista diferentes, pero si mostramos una comprensión de lo que dice el otro, y si nuestras respuestas son congruentes con ello, podemos seguir sintiéndonos mutuamente visibles e incluso, en medio de una discusión, pasar unos momentos verdaderamente buenos.

Cuando nos sentimos visibles, sentimos que la otra persona y yo estamos en la misma realidad, en el mismo universo, hablando en términos metafóricos. Cuando no nos sentimos visibles, es como si estuviésemos en realidades diferentes. Pero todas las interacciones humanas satisfactorias exigen congruencia a este nivel; si no sentimos estar en la misma realidad, no podemos relacionarnos de una forma mutuamente satisfactoria.

El deseo de visibilidad es el deseo de una forma de objetividad. Yo no puedo percibirme a mí mismo, no puedo percibir a mi persona de forma «objetiva», sólo interiormente, desde una perspectiva exclusivamente privada. Pero si tus respuestas tienen sentido en términos de mis percepciones internas, te vuelves un espejo que me permite la experiencia de objetividad acerca de mi persona. Yo me veo reflejado en tus respuestas (adecuadas).

La visibilidad es una cuestión de grado. Desde la niñez recibimos de los seres humanos cierta dosis de respuesta adecuada; sin ella, no podríamos sobrevivir. Durante toda la vida hay personas cuyas respuestas nos permitirán sentirnos superficialmente visibles y, si tenemos suerte, algunas personas con las que nos sentiremos visibles de una forma más profunda.

A título de inciso diré que es en el amor romántico donde la visibilidad psicológica tiende a consumarse de manera más plena. Alguien que nos quiere de forma apasionada está motivado a conocernos y comprendernos con mayor profundidad que alguien con quien nuestra relación es más casual. ¿Qué solemos oír de las personas enamoradas? «Él (ella) me *comprende* como nunca antes me he sentido comprendido.»

Un niño tiene un deseo natural de ser visto, oído, comprendido y de que se le responda adecuadamente. Para una persona aún en formación ésta es una necesidad especialmente urgente. Ésta es una de las razones por las que un niño se fijará en la respuesta de sus padres tras haber hecho algo. Un niño que experimenta su excitación como algo bueno, como un valor, pero es castigado o censurado por ello por parte de un adulto siente una

confusa experiencia de invisibilidad y desorientación. Un niño elogiado por
«ser siempre un ángel» y que sabe que esto no es verdad también experimenta invisibilidad y desorientación.

Tras trabajar con adultos en psicoterapia, veo la frecuencia con que el
dolor de la invisibilidad en su vida doméstica durante la infancia es claramente un factor central de sus problemas de desarrollo y de sus inseguridades en las relaciones adultas. He aquí algunas de las respuestas a este tronco de frase:

**Si yo me hubiese sentido visible para mis padres—**

Hoy no me sentiría tan alienado de la gente.

Me hubiese sentido miembro de la especie humana.

Me hubiese sentido seguro.

Me hubiese sentido visible a mí mismo.

Me hubiese sentido querido.

Hubiese sentido que había esperanza.

Me hubiese sentido como uno más de la familia.

Me hubiese sentido unido.

Yo estaría normal.

Me habrían ayudado a comprenderme a mí mismo.

Hubiese sentido que tenía un hogar.

Me hubiese sentido identificado con mi familia.

Si un niño dice, con tono triste: «Hoy no pude participar en el juego
de la escuela» y la madre le responde con una mirada comprensiva: «Eso
debe de doler», el niño se siente visible. Pero, si su madre le responde secamente: «¿Crees que siempre lo vas a conseguir todo en la vida?», ¿qué sentirá el niño?

Si un niño entra en casa, lleno de alegría y excitación, y su madre le
dice sonriendo: «Hoy estás feliz», el niño se siente visible. Pero si su madre
le grita: «¿Tienes que hacer tanto ruido? ¡Eres tan egoísta y desconsiderado! ¿Qué te pasa?», ¿cómo se sentirá el niño?

Si un niño se esfuerza por construir una cabaña en el jardín de casa
y su padre le dice con admiración: «A pesar de que es difícil, lo estás consiguiendo», el niño se siente visible. Pero si su padre le dice con impaciencia:
«Dios mío, ¿es que no tienes nada que hacer?», ¿cómo se sentirá el niño?

Si un niño ha salido a pasear con su padre y hace comentarios sobre una gran cantidad de cosas que ve a lo largo del camino, y su padre le dice: «Realmente te fijas en muchas cosas», el niño se siente visible. Pero si su padre le dice, irritado: «¿Es que nunca paras de hablar?», ¿cómo se sentirá el niño?

Cuando manifestamos cariño, estima, empatía, aceptación, respeto, hacemos al niño visible. Cuando transmitimos indiferencia, desdén, condena, ridículo, impulsamos el sentido de identidad del niño al solitario subsuelo de la invisibilidad.

Los psicólogos y educadores, al reflexionar sobre los elementos de la infancia que apoyan la autoestima, a menudo hablan de mostrar al niño el aprecio de su singularidad y también de transmitirle una sensación de integración o pertenencia (el sentido de estar arraigado). Ambas metas se consiguen en la medida en que al niño se le permite la experiencia de la visibilidad.

*Cuando manifestamos cariño, aprecio, empatía, aceptación y respeto, hacemos al niño visible.*

No hay que identificar visibilidad con elogio. El ver a un niño luchando con los deberes de casa y decirle: «Parece que tienes dificultad con las matemáticas», no es elogio. El decirle: «Parece que estás muy inquieto ahora ¿quieres dar un paseo?», no es elogio. El decirle: «Desearías no tener que ir al dentista», no es elogio. El decirle: «Realmente parece que disfrutas de la química», no es elogio. Pero estas afirmaciones transmiten la sensación de ser visto y comprendido.

Para poder amar de manera eficaz —tanto si el objeto es nuestro hijo, nuestra pareja o un amigo— es esencial la capacidad de posibilitar la experiencia de visibilidad. Esto presupone la capacidad de ver. Y esto presupone el ejercicio de la consciencia.

Y al dar esto a nuestro hijo —visibilidad, consciencia— actuamos como un modelo que él puede aprender a emular.

### Crianza adecuada a la edad

Que los niños requieren una crianza es algo obvio. Lo que a veces es menos obvio es su necesidad de que la crianza sea adecuada a la edad o, más exactamente, adecuada al nivel de desarrollo del niño.

Algunas formas de crianza que son correctas para un bebé de tres meses serían obviamente infantilizadoras para un niño de seis años. El bebé es vestido por un adulto; un niño de seis años se viste bien por sí mismo. Algunas formas de crianza que son correctas para un niño de seis años socavarían el crecimiento hacia la autonomía en un muchacho de dieciséis años. Cuando un niño de seis años formula una pregunta puede ser constructivo tomársela en serio y responderla. Cuando un adolescente formula una pregunta puede ser constructivo preguntarle por sus propias ideas sobre la cuestión o recomendarle que lea un libro o acuda a una biblioteca a indagar.

Recuerdo a una mujer de veintiséis años que acudió a mí en situación de crisis porque le había abandonado su marido *y no sabía cómo ir de compras sola*. Durante los primeros diecinueve años de vida su madre le había comprado toda su ropa; a los diecinueve, cuando se casó, su marido asumió esa responsabilidad y no sólo para la ropa sino para todos los enseres del hogar, incluida la comida. Desde el punto de vista emocional se sentía como una niña, con el nivel de autosuficiencia de una niña. La idea de tener que tomar decisiones y realizar elecciones de forma independiente, incluso las más simples, sobre los asuntos más cotidianos, la aterrorizaba.

Si un padre tiene por meta apoyar la independencia del hijo, una de las maneras de conseguirlo es ofrecerle elecciones adecuadas con su nivel de desarrollo. Una madre puede no considerar aconsejable preguntar a su hijo de cinco años si desea llevar un jersey; pero puede ofrecerle una elección de dos jerseys. Algunos niños buscan ansiosos el consejo del adulto cuando no es necesario. En estos casos es útil responder: «¿Qué piensas *tú*?»

Es deseable delegar las elecciones y la toma de decisión a los niños tan rápido como éstos pueden manejarlas cómodamente. Ésta es una exigencia de juicio, que exige consciencia y sensibilidad al adulto. La cuestión es tener presente el objetivo final.

## Elogio y crítica

Los padres cariñosos, preocupados por apoyar la autoestima de sus hijos, pueden creer que la manera de hacerlo es con elogios. Pero un elogio inadecuado puede ser tan perjudicial para la autoestima como una crítica inadecuada.

Hace muchos años aprendí de Haim Ginott una distinción importante: la existente entre elogio evaluativo y elogio apreciativo. El elogio evaluativo es aquel que no sirve a los intereses del niño. En cambio, el elogio apreciativo puede ser productivo tanto como apoyo de la autoestima como en calidad de refuerzo de la conducta deseada.

Como dice el propio Ginott en su obra *Teacher and child*:

En psicoterapia no se dice nunca al niño: «Eres un niñito bueno». «Vas muy bien.» «Sigue haciendo bien las cosas.» Se evita el elogio valorativo. ¿Por qué? Porque no es de utilidad. Crea ansiedad, fomenta la dependencia y provoca una actitud defensiva. No propicia la confianza en uno mismo, la dirección por uno mismo y el autocontrol. Estas cualidades exigen estar libre de la valoración exterior. Exigen confianza en la motivación y la valoración interior. Para ser uno mismo, hay que estar libre de la presión del elogio evaluativo.

Si decimos lo que nos gusta y apreciamos las acciones y logros del niño, permanecemos a un nivel fáctico y descriptivo; dejamos que sea el niño quien evalúa. Ginott ofrece estos ejemplos del proceso:

Marcia, de doce años de edad, ayudó al maestro a ordenar los libros de la biblioteca de la clase. El maestro evitó el elogio personal. («Has hecho un buen trabajo. Eres una gran trabajadora. Eres una buena bibliotecaria.») En cambio describió lo que había hecho Marcia: «Los libros están ahora todos ordenados. Será fácil que los niños encuentren el libro que quieren. Ha sido un trabajo difícil. Pero tú lo hiciste. Gracias». Las palabras de reconocimiento del maestro permitieron a Marcia sacar su propia conclusión: «A mi maestro le gusta el trabajo que he hecho. Soy una buena trabajadora».

Phyllis, de diez años, escribió un poema en el que explicaba su reacción a las primeras nieves del año. La maestra le dijo: «Tu poema refleja mis propios sentimientos; me encantó ver mis impresiones sobre el invierno expresadas en frases poéticas». En la cara de la poetisa se dibujó una sonrisa. Ésta, volviéndose a su amiga le dijo: «A la señorita A. *le gusta* realmente mi poema. Piensa que soy terrible».

Rubén, de siete años, se había estado esforzando para escribir bien. Tenía dificultad en mantener alineadas las letras. Por último, consiguió escribir una página bien, con letras bien formadas. El maestro escribió en su libreta lo siguiente: «Las letras están claras. Fue un placer leer tu escrito». Cuando les devolvieron las libretas, los niños empezaron a leer, llenos de curiosidad, las notas que había escrito el maestro. De repente, el maestro oyó un chasquido de labios. ¡Era Rubén *besando* su trabajo! «Soy un buen escritor», dijo.

Cuanto más específicamente está enfocado nuestro elogio, más sentido tiene para el niño. El elogio generalizado y abstracto lleva al niño a preguntarse qué es exactamente lo que se elogia. No es de utilidad.

El elogio no sólo tiene que ser específico, sino ser adecuado a su objeto. Un elogio excesivo o grandilocuente tiende a ser abrumador y provoca ansiedad porque el niño sabe que no concuerda con su percepción de sí mismo (un problema que se evita con las descripciones de conducta, unidas a expresiones de aprecio, que omiten estas valoraciones no realistas).

Algunos padres intentan fomentar la autoestima de sus hijos, pero les elogian de forma global, indiscriminada y extravagante. En el mejor de los casos, esto no funciona. En el peor, es contraproducente: el niño se siente invisible y ansioso. Además, esta política tiende a crear «adictos a la aprobación», niños que no pueden dar un paso sin buscar elogios y que se sienten descalificados cuando no los tienen. Muchos buenos padres, con las mejores intenciones del mundo pero sin las aptitudes adecuadas, han convertido a sus hijos en semejantes adictos de la aprobación saturando su entorno familiar con sus evaluaciones «encantadoras».

*El elogio inadecuado puede ser tan perjudicial para la autoestima como la crítica inadecuada.*

Si lo que deseamos es fomentar la autonomía, *hay que dejar siempre espacio para que el niño haga sus propias evaluaciones*, después de haber descrito la conducta. Hay que liberar al niño de la presión de nuestros juicios. Ayudarle a crear un contexto en el que pueda pensar de forma independiente.

Cuando manifestamos nuestro placer y estima de las preguntas, observaciones o del carácter reflexivo de un niño, estimulamos el ejercicio de la consciencia. Cuando respondemos de forma positiva y respetuosa a los esfuerzos del niño por expresarse por sí mismo, estimulamos su autoafirmación. Cuando reconocemos y mostramos aprecio de la veracidad del niño, estimulamos la integridad. Cuando vea al niño haciendo algo bien, manifiéstele la satisfacción por ello. Confíe en que el niño saque las conclusiones adecuadas. Ésta es la formulación más simple del refuerzo eficaz.

Por lo que respecta a la crítica, tiene que ir dirigida sólo a la conducta del niño, y nunca a éste. El principio es el siguiente: describa la conducta (pegar a un hermano, incumplir una promesa), describa sus sentimientos al respecto (cólera, decepción), describa lo que quiere que haga (si quiere algo) *y omita el asesinato del carácter.*[1]

1. Para un examen detallado de este principio, véase los siguientes libros de Haim Ginott: *Between parent and child; Between parent and teenager* (trad. cast.: *Entre padres y adolescentes*, Barcelona, Plaza & Janés, 1970) y *Teacher and child.* Todos han sido publicados por Avon.

Cuando hablo de describir sus sentimientos, me refiero a afirmaciones como éstas: «Estoy decepcionado», o bien: «Estoy defraudado» o «Estoy muy enfadado». *No* me refiero a afirmaciones como: «Creo que eres el niño más perverso que ha existido nunca», que no es una descripción de un sentimiento sino de una idea, juicio o valoración disfrazada en el lenguaje de un sentimiento. No existe una emoción como: «Eres el niño más perverso que ha existido jamás». La emoción real aquí es la de rabia y el deseo de causar dolor.

Nunca se consigue nada bueno atacando a la autoestima del niño. Ésta es la primera regla de la crítica eficaz. No inspiramos una conducta mejor criticando la valía, inteligencia, moralidad, carácter, intenciones o la psicología del niño. Nunca se ha hecho «bueno» a nadie diciéndole que es «malo» (ni diciéndole «Eres como [alguien ya considerado censurable]»). Los ataques a la autoestima tienden a aumentar la probabilidad de que se produzca de nuevo la conducta no deseada: «como soy malo, me comportaré mal».

*Nunca se ha hecho «bueno» a nadie diciéndole que es «malo».*

En psicoterapia muchos adultos se quejan de oír aún la voz interiorizada de su madre o su padre diciéndoles que son «malos», «perversos», «estúpidos», «indignos». A menudo se esfuerzan por conseguir una vida mejor con el lastre de estos términos abusivos, luchando por no sucumbir a la oscura concepción que sus padres tenían de ellos. No siempre lo consiguen. Como el concepto de uno mismo tiende a convertirse en el destino mediante el principio de la profecía que se cumple a sí misma, tenemos que pensar en qué concepto de sí mismo queremos fomentar.

Si podemos censurar sin violar o rebajar la dignidad de un niño, si podemos respetar la autoestima de un niño incluso cuando estamos encolerizados, habremos dominado uno de los aspectos más desafiantes e importantes de la paternidad competente.

## Expectativas de los padres

Ya he comentado los hallazgos de Coopersmith relativos a las expectativas de los padres. De nada sirve a los niños el no esperar nada de ellos. Los padres racionales decretan unas normas éticas y exigen a los niños ser responsables por sí mismos. También tienen normas de rendimiento: esperan que los niños aprendan, dominen conocimientos y aptitudes y consigan una madurez cada vez mayor.

206

Estas expectativas tienen que ajustarse al nivel de desarrollo del niño y respetar sus atributos específicos. No hay que abrumar al niño con expectativas que no tengan en cuenta su contexto y necesidades. Pero tampoco hemos de asumir que un niño va a actuar siempre con un alto nivel «de forma natural», guiado por su mero impulso emocional.

Está claro que los niños muestran un deseo de conocer lo que se espera de ellos y que no se sienten seguros cuando la respuesta es «nada».

## Recomendaciones para seguir leyendo

De todos los libros escritos sobre el arte de la crianza de los hijos, hay seis que he considerado extraordinariamente útiles por la sabiduría y claridad que aportan a los problemas «técnicos» de la vida familiar cotidiana. Aunque rara vez mencionan la autoestima como tal, son soberbias guías para el fomento de la autoestima en los menores. Los cito aquí porque desarrollan de forma muy inteligente e imaginativa los detalles de la manifestación de cariño, aceptación, respeto y de elogios y críticas adecuados frente a los innumerables retos que los niños plantean tanto a sus padres como a otros adultos.

Tres de estos libros son de Haim Ginott: *Between parent and child; Entre padres y adolescentes* y *Teacher and child.*\* Los otros tres libros son de dos antiguos estudiantes de Ginott, Adele Faber y Elaine Mazlish: *Liberated parents, Liberated children; How to talk so kids will listen and listen so kids will talk* y *Siblings without rivalry.*

Otro libro extraordinario es el titulado *Parent effectiveness training* del doctor Thomas Gordon. Uno de sus grandes méritos está en que ofrece principios bastante detallados unidos a técnicas concretas para resolver una gran variedad de conflictos entre padres e hijos. El enfoque de Gordon coincide sustancialmente con el de Ginott, aunque parece haber algunas diferencias. Por citar una, Ginott insiste en que los padres deben fijar en algunas circunstancias los límites y normas; Gordon critica esta idea y parece afirmar que hay que resolver todos los conflictos «democráticamente». En relación a esta cuestión tomo partido por Ginott, aunque no estoy seguro de si se trata de una verdadera diferencia, pues Gordon no permitiría que un niño

---

\*   Mis únicas reservas acerca de los dos primeros libros son: *a)* una orientación psicoanalítica en algunos de los comentarios de Ginott que yo no comparto; *b)* un tratamiento asombrosamente evasivo de la cuestión de la masturbación y *c)* una perspectiva trasnochada y tradicional sobre los roles masculino y femenino. Sin embargo, éstas son cuestiones menores comparadas con lo mucho que ofrecen estos libros.

pequeño jugase en la calle a su libre discreción. Ambos autores comparten (con Faber y Mazlish) una apasionada aversión a la disciplina mediante el castigo físico. Yo lo apruebo porque estoy convencido de que el temor al castigo físico es perjudicial para el crecimiento de la autoestima del niño.

## Manejo de los errores

La forma en que los padres responden cuando los niños cometen errores puede ser fatídica para la autoestima.

Un niño aprende a caminar mediante una serie de movimientos falsos. Poco a poco elimina los movimientos que no sirven y recuerda los que sirven; el cometer errores es parte esencial del proceso de aprender a andar. El cometer errores es una parte esencial de todo aprendizaje.

Si se castiga a un niño por cometer un error, o se le ridiculiza, humilla o reprende —o si uno de los padres se dirige a él de forma impaciente y le dice: «¡Quita, déjamelo hacer a mí!»—, éste no puede sentirse libre para luchar y aprender. Se sabotea un proceso natural de crecimiento. El evitar errores llega a ser una prioridad mayor que dominar nuevos retos.

Un niño que no se siente aceptado por sus padres si comete un error puede aprender a practicar el rechazo de *sí mismo* en respuesta a los errores. Con ello se anula su consciencia, se socava su aceptación de sí mismo, se suprime la responsabilidad de sí mismo y su autoafirmación.

Si se le da la oportunidad, normalmente el niño aprende de sus errores de forma natural y espontánea. A veces puede ser útil preguntar, en tono no crítico y no pedante: «¿Qué aprendiste? ¿Qué puede cambiar la próxima vez?»

---

*El cometer errores es una parte esencial de todo aprendizaje.*

---

Es más deseable estimular la búsqueda de respuestas que proporcionar respuestas. Sin embargo, el pensar en estimular la mente del niño suele exigir un mayor nivel de consciencia (y de paciencia) del padre que la práctica de imponer soluciones preparadas de antemano. A menudo la impaciencia es enemiga de una buena crianza.

Cuando trabajo con adultos que recibieron mensajes destructivos sobre los errores en la infancia, suelo utilizar una serie de troncos de oración. A continuación presento una secuencia típica y las terminaciones típicas:

## Cuando mi madre me vio cometer un error—

Se puso impaciente.

Me manifestó que era un caso perdido.

Me llamó su niño grande.

Se encolerizó y dijo: «¡Quita, deja que te enseñe cómo se hace!»

Se puso a reír y me miró despectivamente.

Se rió de mí con mi padre.

## Cuando mi padre me vio cometer un error—

Se puso furioso.

Me dio un sermón.

Prorrumpió en juramentos.

Me comparó con mi hermano mayor.

Se burló.

Me espetó una conferencia de media hora.

Empezó a hablar de lo bien que hacía todo.

Me dijo: «Eres hijo de tu madre».

Se marchó de la habitación.

## Cuando me sorprendo en un error—

Me digo que soy estúpido.

Me llamo inútil.

Me siento perdedor.

Me siento asustado.

Me pregunto qué sucederá cuando lo descubran.

Me digo a mí mismo que es inútil insistir.

Me digo a mí mismo que es imperdonable.

Siento desprecio de mí mismo.

## Si alguien me hubiese dicho que es normal cometer errores—

Yo sería una persona diferente.

Yo no cometería tantos errores.

209

Yo no tendría tanto miedo de intentar algo.

No sería tan crítico conmigo mismo.

Yo sería más abierto.

Yo sería más atrevido.

Yo rendiría más.

## Lo que me digo a mí mismo es—

Me estoy haciendo a mí mismo todo lo que antes me hicieron mi madre y mi padre.

Mis padres están aún en mi cabeza.

No tengo más compasión de mí mismo de la que tuvo mi padre.

Yo me juzgo a mí mismo peor de lo que me juzgó mi madre.

Si no puedo cometer errores, no puedo crecer.

Me estoy asfixiando a mí mismo.

Mi autoestima se destroza con los errores.

## Si yo tuviese el valor de permitirme cometer errores—

Yo no cometería tantos errores.

Sería cuidadoso pero estaría más relajado.

Podría disfrutar de mi trabajo.

Daría más oportunidad a las ideas nuevas.

Tendría más ideas.

Podría ser más creativo.

Sería más feliz.

No sería irresponsable.

## Si tuviera una actitud más comprensiva hacia mis errores—

No me sentiría fracasado y me esforzaría más.

Daría más.

Me gustaría más a mí mismo.

No estaría deprimido.

Sería más consciente.

No lucharía con todo este miedo.

Sería el hombre que soy y no el niñito de mis padres.

**Cuando aprenda a tener una mejor actitud hacia mis errores—**

Me sentiré menos tenso.

Mejorará mi trabajo.

Creo que ensayaré cosas nuevas.

Tendré que decir adiós a mi antiguo guión.

Me volveré un mejor padre para mí mismo.

Me esforzaré más.

Tendré que aprender que eso no es indulgencia para con uno mismo.

Tendré que practicar.

Tendré que acostumbrarme a ello.

Me siento esperanzado.

Me siento excitado.

Los seis últimos troncos citados indican una de las maneras en que podemos empezar a deshacer la programación negativa. En la terapia o en mis grupos de autoestima pido a los clientes que escriban de seis a diez terminaciones a varios de estos últimos troncos, cada día durante dos o tres semanas éste es un poderoso instrumento de desprogramación. El principio consiste en «radiar» las ideas destructoras con una consciencia muy concentrada (lo que es muy diferente de preocuparse, «calentarse», obsesionarse o quejarse de ellas).

## La necesidad de cordura

Quizá no hay nada más importante a saber acerca de los niños que la necesidad que tienen de dar sentido a su experiencia. En realidad, tienen que saber que el universo es racional y que la vida humana se puede conocer, es predecible y estable. Sobre esta base pueden levantar un sentido de la eficacia personal; sin ella, esta tarea es más que difícil.

La realidad física tiende a ser mucho más «fiable» que la mayoría de los seres humanos. Por consiguiente, los niños que se sienten ineficaces en el ámbito del contacto humano a menudo buscan la sensación de poder en

211

la naturaleza, las máquinas, la ingeniería, la física o las matemáticas, todas las cuales le ofrecen un grado de consistencia y «cordura» rara vez encontrado entre las personas.

Pero la «cordura» en la vida familiar es una de las necesidades más urgentes del niño para que sea posible su desarrollo normal.

¿Qué significa la *cordura* en este contexto? Significa un tipo de ser adulto que, la mayoría de las veces, dice lo que quiere decir y quiere decir lo que dice. Significa reglas que son comprensibles, congruentes y justas. Significa no ser castigado hoy por una conducta que fue ignorada o incluso recompensada ayer. Significa ser criado por unos padres cuya vida emocional es más o menos comprensible y predecible en contraste con una vida emocional marcada por brotes de ansiedad, rabia o euforia no relacionada a causa o patrón discernible alguno. Significa un hogar en el que se reconoce adecuadamente la realidad frente a un hogar en el que, por ejemplo, un padre ebrio no acierta a sentarse en una silla y se cae al suelo mientras la madre sigue comiendo y hablando como si no hubiese pasado nada. Significa unos padres que practican lo que predican. Que están dispuestos a admitir sus errores cuando los cometen y a pedir disculpas cuando saben que no han sido justos o razonables. Que apelan al deseo de comprender del niño más que al deseo de evitar el dolor. Que recompensan y refuerzan la consciencia en un hijo en vez de desalentarla y penalizarla.

*Quizá no hay nada más importante a saber acerca de los niños que la necesidad que tienen de dar sentido a su experiencia.*

Si, en vez de obediencia, deseamos la cooperación de nuestros hijos; si, en vez de conformidad, deseamos la responsabilidad de sí mismos, podemos conseguirlo en un entorno doméstico que apoye la *mente* del niño. No podemos conseguirlo en un entorno intrínsecamente hostil al ejercicio de la mente.

### La necesidad de estructura

Las necesidades de seguridad y crecimiento de los niños se satisfacen en parte por la existencia de una estructura adecuada.

El término «estructura» se refiere a las reglas, implícitas o explícitas, que funcionan en una familia, reglas sobre lo que es o no es aceptable y permisible, lo que se espera, sobre la forma de afrontar los diferentes tipos de conducta, sobre quién es libre de hacer cada cosa, sobre cómo se toman las decisiones que afectan a los miembros de la familia y sobre el tipo de valores que se tienen.

Una buena estructura es aquella que respeta las necesidades, la individualidad y la inteligencia de cada miembro de la familia. En la que se valora mucho la comunicación abierta. Esta estructura es flexible más que rígida, abierta y susceptible de discusión en vez de cerrada y autoritaria. En una estructura semejante los padres ofrecen explicaciones, y no mandatos. Apelan a la confianza en vez de al temor. Estimulan la expresión de uno mismo. Mantienen el tipo de valores que asociamos a la individualidad y la autonomía. Sus normas inspiran en vez de intimidar.

Los niños no desean una «libertad» ilimitada. La mayoría de los niños se sienten más seguros y protegidos en una estructura algo autoritaria que en una situación carente de estructura. Los niños necesitan límites y se sienten ansiosos a falta de ellos. Necesitan saber que *alguien conduce el avión.*

Los padres abiertamente «permisivos» tienden a crear unos hijos muy ansiosos. Entiendo por padres permisivos aquellos que renuncian a toda función de liderazgo; que tratan por igual a todos los miembros de la familia, no sólo en cuanto a su dignidad sino también a su conocimiento y autoridad; que no se esfuerzan por enseñar valor alguno y no defienden norma alguna por temor a «imponer» sus «sesgos» a sus hijos. En cierta ocasión una cliente me dijo lo siguiente: «Mi madre hubiese considerado "no democrático" decirme que quedar embarazada a los trece años no es una buena idea. ¿Sabe usted lo terrible que es crecer en un hogar en el que todos se comportan como si no supiesen qué es verdadero o correcto?»

Cuando se ofrecen valores y normas racionales a los niños, se fomenta su autoestima. Cuando no se les ofrecen normas, se empobrece su autoestima.

## Una comida familiar

Cuando ambos padres trabajan, a veces muchas horas al día, a menudo es difícil que los padres pasen con sus hijos todo el tiempo que desearían. A veces padres e hijos ni siquiera comen una sola vez juntos. Sin entrar en las complejidades de la cuestión y en todos los aspectos problemáticos de los estilos de vida actuales, quiero hacer una única sugerencia que mis clientes han estimado útil.

A los padres que me consultan les pido que se comprometan a participar al menos en una comida familiar por semana, con presencia de todos los miembros de la familia.

Les pido que esta comida sea reposada y relajada, y que en ella se anime a todos a hablar sobre sus actividades e inquietudes. Nada de conferencias, sermones, excusas; simplemente comunicar experiencias, tratando a todos con cariño y respeto. La cuestión es expresarse uno mismo y hacer posible unas relaciones estables.

Muchos padres están de acuerdo en principio con este proyecto pero constatan que necesitan una considerable disciplina para llevarlo a la práctica. La necesidad de ser condescendiente, paternalista o de pontificar puede ser muy poderosa. Puede ahogar la expresión de uno mismo incluso «pidiéndola». Sin embargo, si los padres pueden superar el impulso a ser «autoridades», si pueden expresar ideas y sentimientos de forma simple y natural a sus hijos y animarles a hacer lo mismo a su vez, les ofrecerán un beneficio psicológico profundo a sus hijos y a sí mismos. Contribuirán a crear una sensación de «pertenencia» en el mejor sentido del término, es decir, crearán una sensación de *familia*. Crearán un entorno en el que puede crecer la autoestima.

## Abuso infantil

Cuando pensamos en el abuso infantil pensamos en niños que son objeto de abuso físico o sexual. Es sabido que semejantes abusos pueden ser catastróficos para la autoestima del niño. Hacen sentir una impotencia traumática, la sensación de no ser dueño del propio cuerpo y una agonizante indefensión que puede durar toda la vida.

Sin embargo, un examen más amplio de lo que supone el abuso infantil tendría que incluir los siguientes aspectos, todos los cuales constituyen graves obstáculos para el crecimiento de la autoestima del niño. Los padres cometen abuso infantil cuando...

Dan a entender al niño que no es «suficiente».

Penalizan al niño por expresar sentimientos «inaceptables».

Ridiculizan o humillan al niño.

Afirman que las ideas o sentimientos del niño carecen de valor o importancia.

Intentan controlar al niño mediante la vergüenza o la culpa.

Sobreprotegen al niño y por consiguiente impiden el aprendizaje normal y una progresiva confianza del niño en sí mismo.

Protegen insuficientemente al niño y por consiguiente impiden el desarrollo normal de su yo.

214

Crían a su hijo sin norma alguna, y por lo tanto sin una estructura de apoyo; o bien con normas contradictorias, confusas, indiscutibles y opresoras, es decir, que inhiben el crecimiento normal.

Niegan la percepción de la realidad del niño e implícitamente le animan a dudar de su propia mente.

Aterrorizan al niño con violencia física o con amenaza de ésta, imbuyéndole un intenso temor como característica permanente del niño.

Tratan al niño como objeto sexual.

Enseñan al niño que es malo, carece de valor o es perverso por naturaleza.

Cuando se frustran las necesidades básicas del niño, como sucede cuando se le somete a un trato como el citado, el resultado es un intenso dolor. Este dolor a menudo contiene esta sensación: *Algo va mal en mí. Soy un ser defectuoso.* Y entonces se pone en movimiento la tragedia de la profecía destructiva que se cumple a sí misma.

## Cuestiones urgentes

Como dije anteriormente, mi objetivo en este capítulo no ha sido presentar un curso sobre crianza de los hijos. Mi objetivo ha sido aislar determinadas cuestiones que, según me ha enseñado mi experiencia como psicoterapeuta, a menudo son decisivas para la autoestima de un joven.

Cuando escuchamos los relatos de personas adultas en la terapia, y observamos las circunstancias históricas en las que en ocasiones se tomaron decisiones trágicas, no es difícil apreciar cuáles fueron las carencias durante los años de la infancia. Al extrapolar a partir de las heridas, por así decirlo, podemos profundizar nuestra comprensión de lo que impide que se produzcan estas heridas.

Hace más de dos décadas, en mi obra *Breaking free*, publiqué una lista de preguntas que utilizaba en psicoterapia para facilitar la exploración de los orígenes infantiles de una mala autoestima. A continuación presento una versión revisada y ligeramente ampliada de aquella lista, a modo de resumen de algunas de las cuestiones que hemos venido abordando. Pueden ser de utilidad como estimulantes del autoexamen para las personas, además de guías para la evocación de los padres.

1.  Cuando era usted niño, ¿le dio la manera de comportarse y relacionarse con usted de sus padres la impresión de que vivía en un mundo que era racional, predecible, inteligible? ¿O bien un mundo contradictorio, con-

fuso e incognoscible? *En su hogar, ¿tuvo usted la sensación de que se reconocían y respetaban los hechos evidentes o de que se evitaban y negaban?*

2. ¿Se le enseñó la importancia de aprender a pensar y de cultivar su inteligencia? ¿Le proporcionaron sus padres estimulación intelectual y le transmitieron la idea de que el uso de su mente puede ser una aventura excitante? ¿Hubo algo en su vida familiar que sugiriese esta perspectiva, si acaso de forma implícita? *¿Se valoró la consciencia?*

---

*¿Se le estimuló a ser obediente o a ser responsable de sí mismo?*

---

3. ¿Se le animó a pensar de forma independiente, a desplegar su facultad de examen crítico? ¿O se le animó a ser obediente en vez de estar activo mentalmente y en actitud de interrogación? (Preguntas suplementarias: ¿le proyectaron sus padres que era más importante conformarse a lo que creían otras personas que descubrir lo verdadero? Cuando sus padres deseaban que hiciese algo, ¿apelaban a su comprensión y le daban razones, cuando era posible y adecuado, para su petición? ¿O bien manifestaban, de hecho: «Hazlo porque lo digo yo»?) *¿Se le estimuló a ser obediente o a ser responsable de sí mismo?*

4. ¿Se sentía usted libre de expresar abiertamente sus ideas, sin temor al castigo? *¿Eran seguras la expresión de uno mismo y la autoafirmación?*

5. ¿Comunicaban sus padres su desaprobación de sus ideas, deseos o conducta por medio del humor, de bromas o sarcasmos? *¿Se le enseñó a asociar la expresión de sí mismo con la humillación?*

6. ¿Le trataron sus padres con respeto? (Preguntas suplementarias: ¿se tenían en cuenta sus ideas, necesidades y sentimientos? ¿Se reconocía su dignidad como ser humano? Cuando expresaba sus ideas u opiniones, ¿se tomaban en serio? ¿Se trataban con respeto sus preferencias y aversiones, tanto si se cumplían como si no? ¿Se respondía a sus deseos de forma minuciosa y respetuosa?) *¿Se le animaba implícitamente a respetarse a sí mismo, a tomar en serio sus ideas, a tomar en serio el ejercicio de su mente?*

7. ¿Sentía usted que era psicológicamente visible a sus padres, que era visto y comprendido? ¿Se sentía real para ellos? (Preguntas suplementarias: ¿se esforzaban genuinamente sus padres para comprenderle? ¿Parecían sus padres auténticamente interesados en usted como persona? ¿Podía usted hablar con sus padres sobre cuestiones importantes y recibir una comprensión interesada y significativa por su parte?) *¿Había congruencia entre su sentido de quien usted era y el sentido de quien usted era que le transmitían sus padres?*

8. ¿Se sentía querido y apreciado por sus padres, en el sentido de experimentarse a sí mismo como fuente de placer para ellos? ¿O bien se sentía no deseado, quizá como una carga? ¿Se sentía odiado? ¿O bien sentía que era simplemente objeto de indiferencia? *¿Se le animaba implícitamente a experimentarse como un ser digno de cariño?*

9. ¿Le trataban sus padres de forma justa y equitativa? (Preguntas suplementarias: ¿recurrían sus padres a las amenazas para controlar su conducta bien con amenazas de acción punitiva inmediata por su parte, de amenazas en términos de consecuencias a largo plazo para su vida, o de amenazas de castigos sobrenaturales, como el de ir al infierno? ¿Le mostraban aprecio cuando hacía algo bien, o meramente le criticaban cuando hacía algo mal? ¿Estaban sus padres dispuestos a reconocer cuando hacían algo mal? ¿O bien nunca concedían que se habían equivocado?) *¿Sentía usted que vivía en un entorno racional, justo y «sensato»?*

10. ¿Era costumbre de sus padres castigarle o disciplinarle mediante azotes o golpes? *¿Se suscitaba intencionadamente en usted miedo o terror como medio de manipulación y control?*

11. ¿Proyectaban sus padres que creían en su competencia y bondad básicas? ¿O bien le veían como un ser decepcionante, ineficaz, inútil o perverso? *¿Sentía usted que sus padres estaban de su lado, apoyando lo mejor que había en usted?*

12. ¿Transmitían sus padres la sensación de que creían en sus potencialidades intelectuales y creativas? ¿O bien proyectaban que le concebían como un ser mediocre, estúpido o insuficiente? *¿Sentía usted que se apreciaban su mente y capacidades?*

13. En las expectativas de sus padres relativas a su conducta y rendimiento, ¿reconocían su conocimiento, necesidades, intereses y circunstancias? ¿O bien tenían para con usted unas expectativas y exigencias sobrecogedoras e imposibles de cumplir por usted? *¿Se le animaba a considerar importantes sus deseos y necesidades?*

14. La conducta y forma de tratarle de sus padres, ¿tendía a suscitar sentimientos de culpa en usted? *¿Se le animaba de forma implícita (o explícita) a considerarse un ser perverso?*

15. La conducta y forma de relacionarse de sus padres con usted, ¿tendía a suscitar miedo en usted? *¿Se le animaba a pensar no en términos de conseguir valor o satisfacción sino para evitar el dolor o la desaprobación?*

16. ¿Respetaban sus padres su privacidad intelectual y física? *¿Respetaban su dignidad y derechos?*

17. ¿Proyectaban sus padres que era deseable que usted pensase bien de sí mismo, es decir, que tuviese autoestima? ¿O bien le advertían que no

era conveniente estimarse a sí mismo, animándole a ser «humilde»? *¿Se valoraba en su casa la autoestima?*

18. ¿Transmitían sus padres la sensación de que era importante lo que una persona hacía de su vida, y, en particular, lo que usted hacía de la suya? (Preguntas suplementarias: ¿le proyectaban sus padres que el ser humano puede hacer grandes cosas, y en concreto que también usted podía hacerlas? ¿Le daban sus padres la impresión de que la vida podía ser excitante, desafiante, una aventura recompensante?) *¿Le ofrecían una medida estimulante de lo que podía hacerse en la vida?*

19. ¿Le imbuían sus padres temor hacia el mundo, temor hacia los demás? *¿Le transmitían la sensación de que el mundo es un lugar malévolo?*

20. ¿Se le animaba a expresar abiertamente sus emociones y deseos? ¿O bien la conducta y forma de relacionarse de sus padres con usted le hacían temer su autoafirmación y apertura emocional o considerarla inadecuada? *¿Se apoyaba la sinceridad emocional, la expresión de sí mismo y la aceptación de sí mismo?*

21. ¿Se aceptaban sus errores como parte normal del proceso de aprendizaje? ¿O como algo que se le enseñaba a asociar al desprecio, ridículo y castigo? *¿Se le estimulaba a enfrentarse a nuevos retos y a conocimientos nuevos con una actitud libre de temor?*

22. ¿Le estimulaban sus padres en la dirección de una actitud sana, afirmativa hacia el sexo y hacia su propio cuerpo? ¿O a una actitud negativa? ¿O bien consideraban inexistente todo este tema? *¿Se sentía usted apoyado y con una actitud feliz y positiva hacia su ser físico y hacia su incipiente sexualidad?*

23. La forma de relacionarse de sus padres con usted, ¿tendía a propiciar y fortalecer el sentido de su masculinidad o feminidad? ¿O bien a frustrarlo y disminuirlo? *En su condición de hombre o de mujer, ¿le manifestaban sus padres la sensación de que esto era algo deseable?*

24. ¿Le animaban sus padres a sentir que su vida le pertenecía a usted? ¿O bien le animaban a creer que no era más que una propiedad de la familia y que sus logros sólo eran importantes en cuanto suscitaban el reconocimiento de sus padres? (Pregunta suplementaria: ¿se le trataba como un recurso de la familia o como un fin en sí mismo?) *¿Se le animaba a comprender que no está usted en la tierra para vivir de acuerdo con las expectativas de otra persona?*

### Separación estratégica

Muchos niños tienen experiencias que suponen enormes obstáculos para el desarrollo de la autoestima. Todo el mundo lo conoce. Un niño puede encontrar incomprensible y amenazador el mundo de los padres y de los demás adultos. Con ello no se educa y fomenta su identidad, sino que se ataca. Se agrede la voluntad de ser consciente y eficaz. Tras numerosos intentos fallidos por comprender los criterios, afirmaciones y conductas de los padres, muchos niños desisten y se culpan de sus sentimientos de desamparo.

A menudo sienten, con una sensación de miseria, desesperación y sin poder expresarlo, que algo va terriblemente mal con sus padres, o en sí mismos o con *algo*. Lo que a menudo llegan a sentir puede expresarse así: «Nunca comprenderé a los demás. Nunca seré capaz de hacer lo que esperan de mí. No sé qué está bien o está mal, y nunca voy a conocerlo».

---

*Perseverar en la voluntad de comprender frente a los obstáculos es el heroísmo de la consciencia.*

---

Sin embargo, el niño heroico que sigue luchando por entender el mundo y a las personas, está desarrollando una poderosa fuente de fuerza, por mucha que sea la angustia o perplejidad que sienta en el proceso. Preso en un entorno cruel, frustrante e irracional, sin duda se sentirá alienado de muchas de las personas de su entorno inmediato, y con razón. Pero el niño no se sentirá alienado de la realidad, no se sentirá incompetente para vivir al nivel más profundo o al menos tendrá una decente oportunidad de evitar ese destino. Perseverar en la voluntad de comprender frente a los obstáculos es el heroísmo de la consciencia.

A menudo los niños que sobreviven a una niñez extremadamente adversa han aprendido una estrategia de supervivencia particular. La denomino «separación estratégica». No se trata de la retirada de la realidad que da lugar a la alteración psicológica, sino de una *desvinculación* calibrada intuitivamente respecto de los aspectos nocivos de su vida familiar u otros aspectos de su mundo. De algún modo llegan a conocer que *esto no es todo lo que hay*. Tienen la creencia de que *en algún lugar* existe una alternativa mejor y de que *algún día encontrarán su camino hasta ella*. Perseveran en esa idea. De algún modo saben que *mamá no es todas las mujeres, papá no es todos los hombres, esta familia no agota las posibilidades de las relaciones humanas, es decir, que hay vida más allá de mi entorno próximo*. Esto no les ahorra el sufrimiento actual, pero les permite no ser destruidos por él. Su separación estratégica no garantiza que nunca conozcan sentimientos de impotencia, pero les ayuda a no quedarse anclados en ellos.

Admiramos a estos niños. Pero como padres desearíamos ofrecer a nuestros hijos alternativas más felices.

## La paternidad como instrumento de evolución personal

En un capítulo anterior resumí las ideas o creencias básicas más importantes para la autoestima. De ellas se desprende que una familia en la que se comunican estas ideas, en la que se llevan a la práctica a modo de ejemplo para el niño, es una familia en la que se fomenta la autoestima de los niños. Un niño que crece en este contexto filosófico tiene una enorme ventaja de desarrollo.

Sin embargo, las ideas y valores se comunican de forma más vigorosa cuando se encarnan en la vida familiar, se arraigan en el ser de los padres. Independientemente de lo que pensemos que estamos enseñando, enseñamos lo que somos.

Este hecho puede darse la vuelta y mirarse desde otra perspectiva.

Casi todas las tareas importantes pueden utilizarse como instrumento de desarrollo personal. El trabajo puede ser una senda de crecimiento y desarrollo personal; también puede serlo el matrimonio, y también la crianza de los hijos. Podemos optar por convertir cualquiera de ellos en una disciplina espiritual, una disciplina al servicio de nuestra propia evolución. Podemos coger los principios que fomentan la autoestima y utilizar nuestro trabajo como escenario en el que aplicarlos con el resultado de que aumentará tanto el rendimiento como la autoestima. Podemos tomar los mismos principios y aplicarlos a nuestro matrimonio con el resultado de que mejorarán las relaciones (en igualdad de condiciones) y aumentará la autoestima. Podemos tomar los principios que fomentan la autoestima en nosotros y aplicarlos a nuestra interacción con nuestros hijos.

No es necesario dar a entender a nuestros hijos que somos «perfectos». Podemos reconocer nuestras luchas y admitir nuestros errores. Lo más probable es que se beneficie de ello la autoestima de todos los miembros de la familia.

Si decidimos aportar un 5 % más de consciencia a las relaciones con nuestros hijos —a lo que decimos y a la forma de responder—, ¿qué podemos hacer de forma diferente?

Si decidimos aportar un mayor nivel de aceptación de nosotros mismos a nuestra vida, ¿qué podemos transmitir a nuestros hijos acerca de la aceptación de sí mismos?

Si decidimos aportar un mayor nivel de responsabilidad personal a nuestra paternidad (en vez de echar siempre la culpa a nuestra pareja o a nuestros hijos), ¿qué ejemplo podemos dar?

Si nos volvemos más autoafirmativos, más auténticos, ¿qué pueden aprender nuestros hijos sobre la autenticidad?

Si operamos con un mayor nivel de propósito, ¿qué pueden aprender nuestros hijos sobre la consecución de metas y la orientación activa en la vida?

Si aportamos un mayor nivel de integridad a la paternidad, ¿de qué forma pueden beneficiarse nuestros hijos?

Y si hacemos todo esto, ¿de qué manera podemos beneficiarnos *nosotros*?

La respuesta a esto último es sencilla: al apoyar y fomentar la autoestima de nuestros hijos, apoyamos y fomentamos la nuestra.

# 14. La autoestima en las escuelas

Para muchos niños, la escuela representa una «segunda oportunidad» la oportunidad de conseguir un mejor sentido de sí mismos y una comprensión de la vida mejor de la que pudieron tener en su hogar. Un maestro que proyecta confianza en la competencia y bondad de un niño puede ser un poderoso antídoto a una familia en la que falta esta confianza y en la que quizá se transmite la perspectiva contraria. Un maestro que trata a los niños y niñas con respeto puede ofrecer orientación a un niño que se esfuerza por comprender las relaciones humanas y que procede de un hogar en el que no existe este respeto. Un maestro que se niega a aceptar el negativo concepto de sí mismo de un niño y presenta constantemente una mejor noción de su potencial tiene a veces la potestad de salvar una vida. En cierta ocasión un cliente me dijo lo siguiente: «Fue mi maestra de cuarto de primaria quien me dio a conocer que existía un tipo de humanidad distinto al de mi familia; me ofreció una visión en la que poder inspirarme».

Pero para algunos niños la escuela es un encarcelamiento impuesto por la ley a manos de maestros que carecen de autoestima, de preparación o de ambas cosas para hacer bien su trabajo. Éstos son maestros que no inspiran sino que humillan. No hablan el lenguaje de la cortesía y el respeto sino del ridículo y el sarcasmo. Con sus comparaciones envidiosas halagan a un estudiante a expensas de otro. Con su impaciencia no disfrazada profundizan el terror del niño a cometer errores. No tienen otra noción de la disciplina que las amenazas de dolor. No motivan ofreciendo valores sino provocando miedo. No creen en las posibilidades del niño; sólo creen en sus limitaciones. No alumbran un fuego en la mente, sino que lo sofocan. ¿Quién no puede recordar haber conocido al menos a un maestro semejante durante sus años de escuela?

*De todos los grupos profesionales son los maestros los que han mostrado mayor receptividad a la importancia de la autoestima.*

La mayoría de los maestros desean aportar una contribución positiva a las mentes confiadas a su cuidado. Si en ocasiones causan un daño, no es intencionadamente. Y en la actualidad la mayoría son conscientes de que una de las maneras en que pueden contribuir es fomentando la autoestima del niño. Saben que los niños que creen en sí mismos, y cuyos maestros proyectan una concepción positiva de su potencial, rinden mejor en la escuela que los niños sin estas ventajas. En realidad, de todos los grupos profesionales los maestros son los que han mostrado mayor receptividad a la importancia de la autoestima. Pero no es evidente de suyo qué es lo que fomenta la autoestima en el aula.

He subrayado que las nociones de «sentirse bien» son más perjudiciales que beneficiosas. Pero si se examinan las propuestas que se ofrecen a los maestros sobre la manera de elevar la autoestima de los estudiantes, se verá que muchas de ellas son trivialidades absurdas que dan un mal nombre a la autoestima, como los elogios y aplausos al niño prácticamente por todo lo que hace, rebajando la importancia de sus logros objetivos, colgando medallas de oro en cualquier ocasión y proponiendo una idea de la autoestima «mediante títulos» que separa a ésta del comportamiento y del carácter. Una de las consecuencias de este enfoque es exponer al ridículo todo el movimiento de la autoestima en las escuelas.

A título de ejemplo veamos un fragmento de un artículo publicado en *Time* (5 de febrero de 1990) que dice lo siguiente:

> El año pasado se presentó a los muchachos de trece años de seis países un examen de matemáticas estandarizado. Los que mejores resultados obtuvieron fueron los coreanos; los norteamericanos fueron los que obtuvieron peores resultados, por detrás de España, Irlanda y Canadá. Y ahora viene lo malo. Además de presentarles triángulos y ecuaciones, se les presentó a los muchachos la afirmación siguiente: «Yo soy bueno en matemáticas» ... Los norteamericanos fueron los primeros, con un impresionante 68% de afirmaciones positivas.
>
> Los estudiantes norteamericanos pueden no saber matemáticas, pero es evidente que han aprendido la lección del nuevo currículo para la autoestima actualmente de moda, en el que se enseña a los muchachos a estar satisfechos de sí mismos.

Algunos educadores norteamericanos han afirmado que estas cifras son erróneas porque mientras que otros países midieron sólo el rendimiento del

10 % de los alumnos mejores, las cifras de los Estados Unidos representan una muestra mucho más amplia, lo que motivó el descenso de nuestra media. También han afirmado que en la cultura coreana, por ejemplo, es mucho menos aceptable hacerse cumplidos a uno mismo que en la cultura norteamericana. Asimismo, y dentro de los límites de su noción ingenua y primitiva de la autoestima, las críticas que hace el autor de este artículo a los «currículos de autoestima» están totalmente justificadas. El autor ataca en realidad el enfoque de «sentirse bien», y el ataque está justificado.

Por ello, permítaseme subrayar una vez más que cuando escribo de eficacia personal o de respeto a uno mismo, lo hago en el contexto de la realidad, y no de sentimientos creados por deseos o afirmaciones o estrellas doradas concedidas como recompensa por comportarse bien. Cuando hablo a maestros, les hablo sobre la autoestima *basada en la realidad*. Permítaseme insistir además en que una de las características de las personas con una autoestima sana es que tienden a valorar sus capacidades y logros en términos realistas, ni negándolos ni exagerándolos.

¿Puede tener un estudiante un mal rendimiento en la escuela y tener sin embargo una buena autoestima? Por supuesto. Son numerosas las razones por las que un chico o chica en particular puede no tener un buen rendimiento en la escuela, desde una dislexia a una falta de desafío y estimulación adecuados. Las notas apenas son un indicador fiable de la eficacia personal y del respeto de un muchacho hacia sí mismo. Pero los estudiantes que se autoestiman de forma racional no se engañan pensando que están rindiendo bien cuando sucede lo contrario.

---

*La autoestima atañe a algo que está abierto a nuestra elección volitiva. No puede ser función de la familia en que hemos nacido, o de nuestra raza, del color de nuestra piel o de los logros de nuestros antepasados.*

---

No contribuimos al desarrollo sano de los jóvenes cuando manifestamos que la autoestima puede conseguirse recitando cada día: «Yo soy especial», o acariciándose la cara mientras se dice: «Yo me quiero», o identificando la valía personal con la pertenencia a un grupo particular («orgullo étnico») en vez de al carácter personal. Recordemos que la autoestima atañe a *aquello que está accesible a nuestra elección volitiva*. No debe estar en función de la familia en que hemos nacido, o de nuestra raza, o del color de nuestra piel, o de los logros de nuestros antepasados. A veces la gente se adhiere a estos valores para evitar la responsabilidad de conseguir una autoestima auténtica. Son fuentes de pseudoautoestima. ¿Puede obtener alguien un legítimo placer en cualquiera de estos valores? Por supuesto. ¿Pueden proporcionar alguna vez un apoyo temporal a un yo frágil e incipiente? Probablemente. Pero no son sustitutos de la consciencia, la responsabilidad o la integridad. No son fuentes de eficacia personal y de respeto a uno mismo. Sin embargo pueden convertirse en fuentes de autoengaño.

Por otra parte, el principio de la aceptación de uno mismo puede tener aquí una importante aplicación. Algunos estudiantes que proceden de diferentes contextos étnicos pero que están deseosos de «adaptarse» pueden llegar a negar y a rechazar su contexto étnico propio. En estos casos es deseable ayudar al estudiante a apreciar los aspectos característicos de su raza o cultura, a «poseer» su historia, por así decirlo, y a no considerar irreal o vergonzosa su tradición.

Lo que en la actualidad hace especialmente urgente el reto de fomentar la autoestima de los niños es que muchos jóvenes llegan a la escuela en tal estado de malestar emocional que puede resultarles extraordinariamente difícil centrarse en el aprendizaje. Robert Reasoner, antiguo director del Distrito Escolar de Moreland de California, escribe lo siguiente:

El 68 % de los niños que ingresan hoy en la escuela en California tienen a ambos padres trabajando, lo que significa que pasan relativamente poco tiempo con cada uno de ellos. Más del 50 % de los estudiantes han conocido ya un cambio familiar: una separación, un divorcio o un nuevo matrimonio; en muchos distritos el 68 % de los alumnos de enseñanza secundaria no viven ya con sus dos padres originales. El 24 % son hijos naturales y nunca han conocido a su padre. El 24 % nacen con los efectos residuales del abuso de drogas de su madre. En California, el 25 % son objeto de abusos sexuales o físicos antes de terminar la enseñanza secundaria. El 25 % proceden de familias con problemas de alcohol o drogas. El 30 % viven en condiciones que se consideran por debajo de lo normal. El 15 % son emigrantes recientes que se adaptan a una cultura nueva y a un nuevo lenguaje. Mientras que en 1890 el 90 % de los niños tenía a los abuelos en el hogar, y en 1950 el 40 % vivían en el hogar, en la actualidad esta cifra ha disminuido hasta el 7 %; por ello hay un sistema de apoyo mucho menor. En cuanto a la vida emocional de los jóvenes, veamos las siguientes cifras. Del 30 al 50 % consideran un posible suicidio. El 15 % llevará a cabo un intento serio de suicidio. El 41 % consumen alcohol de forma intensa cada 2-3 semanas. El 10 % de las jóvenes se quedan embarazadas antes de terminar la enseñanza secundaria. El 30 % de muchachos de uno y otro sexo abandonan la escuela hacia los 18 años.[1]

No puede esperarse que las escuelas aporten soluciones a todos los problemas de la vida del estudiante. Pero las buenas escuelas —lo que quiere

1. Comunicación personal de Robert Reasoner.

226

decir con buenos maestros— pueden suponer una enorme diferencia. ¿Cuál es la problemática de los intentos de elevar la autoestima en el aula? En este capítulo quiero abordar —a grandes trazos— las consideraciones esenciales.

## Los objetivos de la educación

Quizá podemos comenzar por considerar cuales son las metas de la educación para el maestro.

¿Es el objetivo primordial formar a los jóvenes como «buenos ciudadanos»? Entonces puede incentivarse especialmente no tanto el fomento de la autonomía o la estimulación del pensamiento independiente sino la memorización de un cuerpo de conocimientos y creencias comunes, la absorción de «las normas» de la sociedad en cuestión, y a menudo aprender la obediencia a la autoridad. En una etapa anterior de nuestra historia éste fue claramente el objetivo de nuestro sistema de educación pública.

En su obra *Break point and beyond*, George Land y Beth Jarman hacen una observación interesante que merece la pena citar en este contexto:

> Aún en octubre de 1989 la Asociación de Administradores Escolares de California, partiendo desde una perspectiva tradicional, declaró: «La finalidad del sistema escolar no es proporcionar educación a los estudiantes». La educación individual es «un medio para el verdadero fin de la educación, que es crear un orden social viable». Aquí los líderes de uno de los mayores sistemas escolares del mundo han declarado que los estudiantes pueden entrar al siglo XXI apoyados por escuelas que no tienen como propósito central la educación (!).[2]

Recuerdo claramente mi propia experiencia en la escuela primaria y la escuela secundaria durante los años treinta y cuarenta. Los dos valores más importantes que me transmitieron en ese mundo fueron la capacidad de permanecer en silencio e inmóvil durante largos periodos de tiempo y la capacidad de caminar con mis compañeros en fila de un aula a otra. La escuela no era el lugar para aprender a pensar de forma independiente, donde estimular la autoafirmación, donde alimentar y fortalecer la autonomía. Era un lugar para aprender a encajar en un sistema anónimo creado por otras personas sin nombre denominado «el mundo» o «la sociedad» o «la forma de ser de la vida». Y no se cuestionaba «la forma de ser de la vida». Como

---

2. George Land y Beth Jarman, *Breakpoint and beyond,* Nueva York, Harper Business, 1992.

yo me interrogaba por todo y consideraba insoportable el silencio y la inmovilidad, pronto me identificaron como un niño problemático.

Muchas mentes brillantes han comentado sus decepcionantes experiencias en el aula, su aburrimiento, su falta de estimulación y alimento intelectual adecuado, su sensación de que lo último para lo que está creado el sistema educativo es para el cultivo de la mente. Las escuelas se interesaban no por la autonomía sino por la fabricación de la noción de «buen ciudadano» de alguien.

«En la educación», escribe Carl Rogers en *El proceso de convertirse en persona*, «tendemos a crear conformistas, estereotipos, individuos cuya educación se "completa" en vez de pensadores creativos y originales.»

Comentando esta disposición de los maestros (y padres) a exigir obediencia y conformidad como valores primordiales, a desanimar en vez de apoyar el progreso normal y sano a la autonomía, Jean Piaget escribió en *El juicio moral del niño* lo siguiente: «Si se piensa en la resistencia sistemática de la gente al método autoritario, y en el admirable ingenio que utilizan los niños de todo el mundo para evitar la limitación disciplinaria, no podemos dejar de considerar defectuoso un sistema que permite tanto desperdicio de esfuerzo en vez de su uso en la cooperación».

---

*Lo que hoy se necesita y exige, en la edad de trabajador del saber, no es una obediencia robótica sino personas que puedan pensar.*

---

Hay razones para esperar un cambio de orientación. La línea de montaje ha dejado de ser hace tiempo el símbolo adecuado del puesto de trabajo, pues hemos realizado la transición desde la sociedad de la manufactura a la sociedad de la información y el trabajo con músculos se ha sustituido mayoritariamente con el trabajo mental. Lo que hoy se necesita y exige, en la época del trabajador del saber, no es una obediencia robótica sino personas que puedan pensar; que puedan innovar, originar y actuar con responsabilidad de sí mismas; que sean capaces de dirigirse a sí mismas; que puedan seguir siendo individuos mientras trabajan con eficacia como integrantes de equipos; que confían en sus facultades y en su capacidad de colaborar. Lo que hoy necesita el puesto de trabajo es autoestima. Y lo que el puesto de trabajo necesita antes o después se convierte en el programa de las escuelas.

En las formas anteriores de organización industrial, en las que una gran parte del trabajo era repetitivo y casi mecánico, la obediencia puede haber sido un valor muy cotizado. Apenas puede considerarse el primer rasgo que hoy busca un directivo. Un soberbio maestro de maestros y especialista en tecnología educativa que apoya la autonomía, Jane Bluestein, observa en su obra *XXI century discipline*, lo siguiente: «Hay evidencia de que los niños demasiado obedientes pueden tener dificultad en funcionar en el mundo del trabajo actual».[3] En la actualidad se pone más énfasis en la iniciativa y la responsabilidad de uno mismo porque eso es lo que exige una economía en rápido cambio e intensamente competitiva.

Para que las escuelas sean adaptativas, las metas de la educación tienen que abarcar más que el mero dominio de un cuerpo de conocimientos particular que los estudiantes tienen que regurgitar en los exámenes. El objetivo debe ser enseñar a los niños a pensar, a reconocer las falacias lógicas, a ser creativos *y a aprender*. Subrayamos esto último por la velocidad con que los conocimientos de ayer se vuelven insuficientes para las exigencias de hoy: en la actualidad la mayoría de los trabajos exigen un compromiso de aprendizaje de por vida. Entre otras cosas los jóvenes tienen que aprender a utilizar ordenadores y bibliotecas para acceder al conocimiento nuevo, cada vez mayor, esencial para su progreso en el puesto de trabajo.

En la actualidad se critica a las escuelas porque es posible graduarse en la enseñanza secundaria sin saber escribir un párrafo coherente o sumar la cuenta del restaurante. Pero el dominio de una redacción sencilla en español o de la aritmética, si bien es esencial, no se acerca siquiera a lo que una persona debe conocer hoy día a un nivel superior al trabajo menos cualificado.

Así pues, el fomento de la autoestima debe integrarse en los programas escolares al menos por dos razones. Una es apoyar a los jóvenes a perseverar en sus estudios, a apartarse de las drogas, evitar el embarazo, abstenerse del vandalismo y a conseguir la educación que necesitan. La otra es ayudarles a prepararse psicológicamente para un mundo en el que *la mente* es el principal activo capital de todos.

Confieso temblar un poco cuando oigo a mis colegas del campo de la autoestima y de la educación anunciar que los maestros deben ayudar a los jóvenes a confiar en su «intuición» —sin decir una palabra sobre enseñarles a pensar, o comprender los principios lógicos, o respetar la razón—, lo que implica que todo lo que necesitan es «intuición». Sin duda la «intuición» tiene su propio lugar, pero sin racionalidad es peligrosamente poco fiable. A lo sumo no es suficiente, y es irresponsable sugerir a los jóvenes que lo es. Nadie ha sugerido nunca que Charles Manson no actuase «intuitivamente».

Si la verdadera meta de la educación es ofrecer a los estudiantes un fundamento básico para operar con eficacia en el mundo moderno, no hay nada

3. Jane Bluestein, *XXI century discipline,* Jefferson City, Mo., Scholastic Inc., 1988.

más importante que incorporar cursos sobre el arte del pensamiento crítico en todo currículo escolar. Y si autoestima significa confianza en nuestra capacidad de afrontar los retos de la vida, ¿hay algo más importante que aprender a utilizar la propia mente?

Somos seres que piensan y seres creativos. El reconocimiento de este hecho tiene que estar en el centro de cualquier filosofía educativa. Cuando ponemos el valor de estas funciones en el primer plano de nuestro currículo fomentamos la autoestima.

Los profesores y diseñadores de currículos deben preguntarse a sí mismos: ¿cómo contribuye mi labor al proceso de que los jóvenes se vuelvan seres humanos que piensan, innovadores y creativos?

## La autoestima del maestro

Como sucede con los padres, a un maestro le es más fácil inspirar la autoestima en los estudiantes si el maestro ejemplifica y sirve de modelo de un sentido de la identidad sano y afirmativo. En realidad algunas investigaciones sugieren que éste es el factor primordial de la capacidad del maestro para fomentar la autoestima de un estudiante.[4]

Los maestros con una baja autoestima tienden a ser más punitivos, impacientes y autoritarios. Tienden a centrarse en las debilidades del niño en vez de en sus dotes. Inspiran temor y una actitud defensiva. Fomentan la dependencia.[5]

*Los maestros con baja autoestima son típicamente maestros infelices.*

Los maestros con baja autoestima tienden a depender en exceso de la aprobación de los demás. Tienden a sentir que los demás son la fuente de su «autoestima». Por ello están en mala posición para enseñar que la autoestima debe generarse principalmente desde dentro. Tienden a utilizar su propia aprobación y desaprobación para manipular los estudiantes a la obediencia y conformidad, pues éste es el enfoque que funciona cuando los demás se lo aplican a ellos. Enseñan que la autoestima procede de la «aprobación de los adultos y los compañeros». Transmiten un enfoque externo de la

4. Robert Reasoner, *Building self-esteem: A comprehensive program for schools,* ed. rev., Palo Alto, Consulting Psychologists Press, 1992.
5. Ibíd.

autoestima en vez de uno interno, profundizando con ello los problemas de autoestima que ya tienen los estudiantes.

Además, los maestros con baja autoestima son típicamente maestros infelices, y los maestros infelices a menudo favorecen las tácticas devaluadoras y destructivas del control de la clase.

Los niños ven a los maestros en parte para aprender la conducta adulta adecuada. Si lo que ven es el ridículo y el sarcasmo, a menudo aprenden a utilizarlos en sí mismos. Si oyen el lenguaje de la falta de respeto, e incluso de la crueldad, tenderá a manifestarse en sus propias respuestas verbales. En cambio, si ven una actitud de benevolencia y énfasis en lo positivo, pueden aprender a integrarla en sus propias respuestas. Si encuentran compasión y ven que se ofrece a los demás, pueden aprender a interiorizar la compasión. Si observan autoestima, pueden decidir que es un valor que vale la pena adquirir.

Además, como señala Robert Reasoner:

> Los maestros con alta autoestima tienen... más probabilidades de ayudar a los niños a desarrollar estrategias de resolución de problemas que a dar consejo o negar la significación de lo que el niño percibe como problemas. Estos maestros construyen un sentido de confianza en los estudiantes. Basan su control de la clase en la comprensión, la cooperación y participación de todos, la resolución de los problemas, la ayuda y el respeto mutuo. Esta relación positiva permite a los niños aprender y aumentar su confianza y capacidad de actuar de forma independiente.[6]

Lo que un gran maestro, un gran padre, un gran psicoterapeuta y un gran entrenador tienen en común es una profunda creencia en el potencial de la persona por la que se interesan —una convicción sobre lo que esa persona es capaz de ser y hacer—, además de la capacidad de transmitir esa convicción durante sus interacciones. Un cliente me dijo: «Yo siempre fui mal en matemáticas en la escuela y siempre supe que nunca iría bien hasta que conocí a una maestra que se negó a creerme. Ella *sabía* que yo podía rendir en matemáticas, y sin duda tenía tanta fuerza que era irresistible». La capacidad de inspirar a los estudiantes de esta manera no se encuentra habitualmente entre los maestros que creen poco en sí mismos.

Los maestros con una buena autoestima es probable que comprendan que si desean fomentar la autoestima de otro, tienen que relacionarse con esa persona desde la visión de su propia valía y valor, ofreciéndole una experiencia de aceptación y respeto. Saben que la mayoría de nosotros tende-

6. Ibíd.

mos a subestimar nuestros recursos internos, y mantienen ese conocimiento en el centro de su consciencia. La mayoría de nosotros somos capaces de más de lo que creemos. Cuando los maestros tienen claro esto, los demás pueden obtener esta comprensión a partir de ellos casi por contagio.

A veces puede ser difícil seguir creyendo en otra persona cuando parece que esa persona no cree en sí misma. Pero uno de los mayores dones que un maestro puede ofrecer al estudiante es la negativa a aceptar el bajo concepto de sí mismo del estudiante en su valor nominal, apuntando a través de él hacia el yo más profundo y fuerte que hay en él sólo de forma potencial. (Esto se consigue, en parte, haciendo consciente al estudiante de las alternativas y opciones en que éste no ha reparado y descomponiendo los problemas en unidades más pequeñas y manejables asequibles a la competencia actual del estudiante y que le proporcionen una base sobre la cual construir.) La autoestima del propio maestro puede hacer más fácil esta tarea.

---

*Uno de los mayores dones que un maestro puede ofrecer al estudiante es la negativa a aceptar el bajo concepto de sí mismo del estudiante en su valor nominal.*

---

Por esta razón, cuando hablo en reuniones de maestros, a menudo dedico una gran parte de la conferencia a hablar sobre lo que pueden hacer los educadores para elevar el nivel de su propia autoestima en vez de sobre lo que pueden hacer por la autoestima de los estudiantes. Recuérdese al gurú con debilidad por los caramelos.

### Expectativas

El transmitir al niño la experiencia de aceptación no significa, como ya hemos señalado, decirle: «No espero nada de ti». Los maestros que quieren que los niños den lo mejor que tienen deben transmitir que eso es lo que esperan.

La investigación revela que las expectativas del maestro tienden a convertirse en profecías que se cumplen a sí mismas. Si un maestro espera que un niño tendrá un aprobado —o un sobresaliente—, las expectativas tienden a convertirse en realidad. Si un maestro sabe cómo transmitir: «Yo estoy absolutamente convencido de que puedes dominar esta materia y espero que me ayudes a ofrecerte toda la ayuda que necesitas», el niño se siente apoyado, protegido e inspirado.

Un aula en el que lo que se desea y espera es que uno dé lo mejor de sí mismo es una clase que desarrolla tanto el aprendizaje como la autoestima.

## El entorno de la clase

Si la meta primordial del sistema educativo es un factor que tiene consecuencias para la autoestima de un niño, y si otro factor es la propia autoestima del maestro, el tercer factor es el entorno de la clase. Esto significa la manera en que el niño es tratado por el maestro y ve cómo tratan a los demás niños.

*1. La dignidad de un niño.* Una de las cosas dolorosas de ser niño es que uno no suele ser tomado en serio por los adultos. Tanto si les despachan descortésmente o les elogian su «agudeza», la mayoría de los niños no son objeto de un trato digno en calidad de seres humanos. Así pues, un maestro que trata a todos los estudiantes con cortesía y respeto envía esta señal a la clase: estáis ahora en un entorno en el que se os aplican reglas diferentes de aquellas a las que estáis acostumbrados. En este mundo importan vuestra dignidad y sentimientos. De esta sencilla forma un maestro puede empezar a crear un entorno que apoye la autoestima.

Recuerdo un incidente de hace muchos años, cuando me invitaron a hablar en una escuela para niños superdotados. Durante mi presentación invité a los estudiantes a hablar sobre cómo se sentían al ser calificados de «superdotados». Hablaron de forma entusiasta sobre los beneficios, pero también hablaron sobre las desventajas. Algunos se refirieron al malestar de ser tratado como «un recurso para la familia». Otros hablaron sobre las altas expectativas de sus padres, no necesariamente relacionadas con sus propios intereses y necesidades. Hablaron de que querían ser tratados «como seres humanos normales». Y hablaron sobre la manera en que incluso los adultos que les querían no les trataban necesariamente en serio. En el aula estaban, además de los estudiantes, la mayoría de los maestros, el subdirector y el psicólogo de la escuela. Después de la conferencia, algunos estudiantes se reunieron conmigo para hacerme más preguntas. Luego se unió a nosotros el subdirector y nos hizo una pregunta un muchacho que parecía tener unos once años. Mientras le respondía el subdirector, la psicóloga escolar irrumpió en el grupo y empezó a hablar con éste —para ello la psicóloga dio la espalda al muchacho y le dejó de pie en mitad de la frase—. El muchacho, asombrado, me miró y levantó los brazos, como diciendo: «¿Qué puede hacer cuando trata con los adultos? No saben comportarse». Yo sonreí con actitud comprensiva y levanté mis brazos, imitando su gesto, como diciendo: «Sí, ¿qué le vas a hacer?» Si este subdirector hubiese estado hablando con un adulto en vez de con un niño y le hubiese interrumpido su colega como lo hizo, sin una palabra de disculpa o explicación, y si le hubiese dado la espalda al adulto que hablaba, sin siquiera un: «Perdón», ambos habrían sido considerados flagrantemente maleducados. Con la salvedad de que, como se trataba de un adulto, casi indudablemente no lo habrían hecho. ¿Por qué es aceptable la falta de cortesía si va dirigida a un joven? ¿Qué mensaje se transmite? ¿Sólo se debe respeto a las personas mayores?

*2.* *La justicia en la clase.* Los niños son extremadamente sensibles a las cuestiones relativas a la justicia. Si ven que una y otra vez se aplica a todos las mismas reglas; si, por ejemplo, ven que su maestro tiene la misma actitud y criterio cuando habla con un niño, con una niña, con un caucasiano, con un americano negro, con un hispano o con un asiático, sacan la lección correspondiente, perciben al maestro como una persona íntegra, y se refuerza su sentido de seguridad física y mental. Por otra parte, el favoritismo (y su contrario) envenena la atmósfera de una clase. Estimula los sentimientos de aislamiento y rechazo y disminuye la sensación del niño de que está en un mundo que puede afrontar. Un maestro no puede evitar que un estudiante le guste más que otro, pero los profesionales saben cómo manejar sus sentimientos. Responden a normas de conducta objetivas. Un niño necesita la sensación de que en la clase va a imperar la justicia. Un maestro que no comprende esto puede convertir al niño de ocho años en un cínico que no se preocupa de dar lo mejor que puede dar.

*3.* *Aprecio de uno mismo.* Cuando el maestro ayuda a un niño a sentirse visible ofreciéndole la retroalimentación adecuada, fomenta su consciencia de sí mismo. Cuando no ofrece juicios sino descripciones de lo que ve, ayuda al niño a percibirse a sí mismo. Cuando llama la atención a las dotes del niño, estimula su apreciación de sí mismo.

Sin embargo, los maestros tienden a centrarse no en las dotes sino en los puntos débiles. Juanito es bueno en inglés pero malo en matemáticas, con lo que ponen todo el enfoque en las matemáticas. Como hay que aprender matemáticas, esto es comprensible, pero sin embargo es erróneo. El error no es que el maestro diga que hay que prestar más atención a las matemáticas; el error es que el maestro considera esto más importante que el rendimiento de Juanito en inglés. Si Juanito va bien en inglés, ésta es una razón para animarle a que escriba y lea *más*, y no menos. Los maestros tienden a llamar a los padres cuando un niño va mal. Hay razones para creer que podría ser más productivo llamarles cuando el niño va bien; en este caso también se pueden considerar los aspectos negativos, pero no tratarlos como el elemento más importante de la situación. Hay que ayudar a Juanito a tener presentes sus dotes y apreciarlas. Éstas pueden indicar qué es lo que le gusta y apuntar hacia donde quiere orientarse en el futuro.

E incluso cuando se trata de los puntos débiles, un maestro puede considerar las debilidades de Juanito de formas que perjudican a su autoestima: «Si no puedes aprender esto y lo otro no harás nada en la vida, ¿qué te pasa?» O bien el maestro puede inspirarle a ampliar su dominio a un campo nuevo, de forma que la dedicación a las matemáticas fomente su autoestima: «Insiste en ello, aunque lo difícil es difícil». El enfoque debe orientarse en lo positivo.

A veces un niño no es consciente de sus dotes. Una de las labores del maestro es facilitar esa consciencia. Esto nada tiene que ver con los cumplidos artificiosos. Todo niño hace bien algo. Todo niño tiene algunas dotes. Hay que encontrar, identificar y fomentar éstas. Un maestro debe ser un buscador de tesoros. Intente pensar retrospectivamente cómo hubiese sido una clase en la que el maestro hubiese transmitido que no había tarea más urgente que descubrir lo bueno que había en usted —sus dotes y virtudes— y ayudarle a cobrar consciencia de ellos. ¿Habría eso inspirado lo mejor que hay en usted? ¿Hubiese sido éste un entorno en el que hubiese estado motivado a crecer y a aprender?

---

*Un maestro debe ser un buscador de tesoros.*

---

**4. Atención.** Todo niño necesita atención, y algunos necesitan más atención que otros. Hay un tipo de estudiante que a menudo es ignorado. Se trata del estudiante que hace su trabajo extremadamente bien pero que es tímido, solitario y permanece en silencio en la clase. Un maestro tiene que hacer un esfuerzo adicional para sacar partido a este niño. Puede conseguirlo preguntándole, tan a menudo como sea preciso, lo siguiente: «Clara, ¿qué opinas tú?», o bien: «¿Qué piensas tú sobre eso, Carlos?» A veces es útil pedir a un niño así que ayude a otro estudiante que tiene dificultades con el trabajo, de forma que el niño tenga la oportunidad de «salir de sí mismo» y experimentar su eficacia con otra persona (no se trata de altruismo; de lo que se trata es de que el niño tenga la experiencia de ser competente en las relaciones sociales). El educador Kenneth Miller señala: «La facilitación de los compañeros es una de las mejores cosas que suceden en la escuela actual».[7] A veces es útil pedir al estudiante tímido que se quede en el aula unos minutos después de la clase para establecer una cone-

---

7. Comunicación personal con Kenneth Miller.

xión más personal a fin de indicarle que se le ha visto y que uno se interesa por él.

Ésta es una señal que todo estudiante necesita y merece. Ante todo, lo que necesita es el mensaje de que el niño piensa y siente que *importa*. La tragedia de muchos niños consiste en que, cuando año tras año no reciben este mensaje de los adultos, en algún momento lo que piensan y sienten les importa menos a ellos mismos. Este problema se complica cuando el niño que se trata a sí mismo como si no importase es elogiado por su «altruismo».

**5.** *Disciplina*. En toda clase hay reglas que deben respetarse para que el aprendizaje avance y tareas a realizar. Las reglas pueden ser *impuestas*, por medio del poder del maestro, o bien pueden ser *explicadas* de forma tal que impliquen a la mente y al entendimiento del estudiante. Jane Bluestein escribe lo siguiente:

> Cuando pedimos a nuestros estudiantes que hagan alto, por lo general tenemos una mejor razón que *porque lo he dicho*. El explicarles la razón verdadera, lógica e intrínseca de un límite o norma —para que los rotuladores no se sequen, para que no molesten a nadie camino del vestíbulo, para que nadie tropiece y se caiga— fomenta el compromiso y la cooperación incluso de los estudiantes rebeldes.[8]

Un maestro puede pensar acerca de las normas de dos maneras. Puede preguntarse lo siguiente: ¿cómo puedo hacer que los estudiantes *hagan* lo que hay que hacer? O bien: ¿Cómo puedo inspirar a los estudiantes a que *deseen* hacer lo que hay que hacer? La primera orientación es necesariamente confrontacional y a lo sumo consigue la obediencia estimulando la dependencia. La segunda orientación es benévola y consigue la cooperación estimulando la responsabilidad personal. El primer enfoque amenaza con dolor. El segundo ofrece valores y también poder. La elección de enfoque con el que el maestro se siente más cómodo tiene mucho que ver con su sentido de eficacia como persona.

A veces un maestro puede sentir que no tiene otra alternativa que motivar por el deseo del estudiante de evitar un negativo en vez de conseguir un positivo. Quizá sea así. Pero como política exclusiva o dominante es psicológicamente devaluadora. Hace de la evitación del dolor algo más importante que la experiencia del gozo, lo que determina una contracción de uno mismo (la contracción de pensamiento y sentimiento) en vez de la expresión de uno mismo y el desarrollo personal.

8. Jane Bluestein, *XXI century discipline,* Jefferson City, Mo., Scholastic Inc., 1988.

236

En su obra *Teacher effectiveness training*, Tom Gordon propone que los estudiantes participen en el proceso de establecimiento de normas —que se les invite a meditar qué es lo que necesita una clase eficaz— y esto tiene la ventaja no sólo de estimular una cooperación mayor sino de fomentar una mayor autonomía.

«La esencia de la disciplina», escribe Haim Ginott en su obra *Teacher and child*, «es encontrar alternativas eficaces al castigo.» Su capítulo sobre la disciplina en este libro sobresale por las estrategias que ofrece para motivar a los estudiantes de una forma que potencie en vez de disminuir su autoestima.

A menudo los problemas de disciplina aparecen cuando los niños llegan a la escuela con expectativas negativas sobre la conducta de los adultos sobre la base de su experiencia en casa. Sin tener muy conscientes estos motivos pueden mostrarse molestos u hostiles en la clase para provocar el tipo de castigo a que están acostumbrados; provocan cólera porque la cólera es lo que «conocen» está reservado para ellos. El desafío del maestro no es ser «enganchado» mediante esta estrategia y cumplir las peores expectativas del estudiante. Puede ser difícil mantener el respeto y la compasión cuando se trata con estos estudiantes, pero los maestros lo suficientemente sabios y maduros para hacerlo pueden tener una influencia extraordinaria.

---

*La compasión y el respeto no suponen una falta de firmeza.*

---

No me propongo aquí examinar las estrategias de mantener la disciplina en la clase. Aparte del libro de Ginott puede encontrarse un tratamiento excelente de la cuestión en la obra de Jane Bluestein *XXI century discipline*. Bluestein muestra gran ingenio al ilustrar cómo pueden mantener la disciplina los profesores fortaleciendo a la vez la autonomía del estudiante.

La autora aborda, por ejemplo, el conocido pero a menudo ignorado principio de que la mala conducta se corrige mejor permitiendo al estudiante experimentar sus consecuencias lógicas que mediante un castigo. Cuando una clase se mostró reiteradamente perezosa y no cooperante en el momento de completar una lección, la maestra anunció que no se interrumpiría la clase para comer hasta concluir la lección. Cuando los estudiantes llegaron al comedor, la comida estaba fría y se habían comido parte de ella. Al día siguiente se concluyeron todas las lecciones y cada pupitre se limpió dos minutos antes de concluir la clase. «Aún me sorprende que todos aprendiesen a decir la hora de la noche a la mañana.» A continuación escribe lo siguiente:

En las... relaciones de autoridad, la mala conducta es una invitación al maestro para que ejerza poder y control. En este tipo de ordenación, nuestra respuesta inmediata es *¿Cómo puedo enseñarle una lección?* En un aula del siglo XXI, las lecciones a aprender de nuestra mala conducta procederán de las consecuencias de esa conducta indebida, y no del poder del maestro... En el ejemplo [de la clase perezosa] los estudiantes se perdieron una comida por la mala elección que habían hecho y no como castigo por su mala conducta. Tan pronto como los estudiantes ordenaron su tiempo, dejó de haber razón para la consecuencia negativa (retrasar la comida) con posterioridad.

Una última palabra sobre esta cuestión. Si la baja autoestima puede impulsar a algunos maestros a tener una conducta rígida, punitiva e incluso sádica, puede animar a otros al tipo de «permisividad» blanda que señala una total falta de autoridad, lo que tiene como resultado la anarquía de la clase. La compasión y el respeto no suponen falta de firmeza. Una capitulación a los elementos molestos de la clase significa abdicar de las responsabilidades del maestro. El maestro competente comprende la necesidad de normas de conducta aceptable. Pero también comprende que la dureza no debe ni tiene que suponer insultos o respuestas dirigidas a devaluar el sentido de valía personal de alguien. Una de las características de un maestro superior es su dominio de este reto.

Para alcanzar los resultados que desean, los maestros tienen que aplicar a veces la imaginación. Los problemas no pueden reducirse a una lista de estrategias formulísticas que encajen en toda ocasión. Un maestro que conocí resolvía un problema en el aula preguntando con voz grave al muchacho más fuerte y ruidoso de la clase, cuando estaban solos, si podía ayudarle a convencer a algunos de los demás a ser más ordenados. El muchacho le lanzó una mirada algo desorientada, evidentemente sin saber qué responder; pero rápidamente predominó la paz, y el muchacho responsable se sintió orgulloso de sí mismo.

**Comprender las emociones**

Si una educación adecuada tiene que incluir la comprensión del pensamiento, también tiene que incluir la comprensión de los sentimientos.

Desgraciadamente, muchos padres enseñan implícitamente a sus hijos a reprimir sus sentimientos y emociones o aquellos que los padres consideran trastornantes. «¡Deja de llorar o te voy a dar motivos para llorar!» «¡No te atrevas a enfadarte!» «¡No temas!; ¿quieres que la gente piense que eres una Sissy?» «¡Ninguna chica decente ha tenido sensaciones semejantes!» «¡No te excites tanto! *¿Qué te pasa?*»

238

Los padres emocionalmente distantes e inhibidos tienden a tener hijos emocionalmente distantes e inhibidos. Esto lo consiguen no solo mediante su comunicación manifiesta sino también mediante su propia conducta, que señala al niño cuál es la conducta «correcta», «adecuada», «socialmente aceptable».

Además, los padres que aceptan determinadas enseñanzas religiosas es probable que transmitan la desafortunada noción de que existen cosas tales como «malos pensamientos» o «emociones malas». «¡Es pecaminoso sentir eso!» El niño puede aprender el terror moral de su propia vida interior.

Una emoción es un acontecimiento tanto mental como físico. Es una respuesta psicológica automática, que tiene rasgos mentales y fisiológicos, a nuestra valoración subconsciente de lo que percibimos como beneficioso o perjudicial para nosotros.* Las emociones reflejan la respuesta valorativa de quien percibe diferentes aspectos de la realidad: «A favor mío o contra mí», «Bueno para mí o perjudicial para mí», «Algo a perseguir o a evitar», etc. En mi obra *The disowned self* puede encontrarse una exposición de la psicología de las emociones.

Dejar de conocer lo que sentimos es dejar de experimentar qué cosas significan para nosotros. A menudo se estimula activamente esta inconsciencia en los niños. Puede hacerse creer a un niño que las emociones son potencialmente peligrosas, que a veces es necesario negarlas, no tener consciencia de ellas. El niño puede aprender a distanciarse de algunas emociones y a dejar de experimentarlas conscientemente. A nivel psicológico un niño evita la consciencia, cesando así de reconocer determinados sentimientos. A nivel físico, un niño inhibe la respiración, pone tenso su cuerpo, produce tensión muscular y bloquea el libre flujo de sentimientos, produciendo así un estado parcial de insensibilidad.

No quiero decir que los padres sean la única fuente de la represión infantil. No es así. Los niños pueden aprender por sí mismos a proteger su equilibrio separándose de algunos sentimientos, como he expuesto en *El respeto hacia uno mismo*. Sin embargo es innegable que demasiados padres estimulan la práctica de la represión emocional convirtiéndola en una condición tácita de su aprobación.

A medida que el niño crece, puede despojarse de un número de sentimientos cada vez mayor, de más partes de sí mismo, para ser aceptado, querido y no abandonado. El niño puede practicar el repudio de sí mismo como estrategia de supervivencia. No puede esperarse que comprenda las desafortunadas consecuencias a largo plazo.

---

* Omito aquí determinadas experiencias de ansiedad y depresión cuya raíz puede ser biológica y pueden no encajar plenamente en esta definición.

*Un maestro está en condiciones de enseñar a los niños un respeto racio-*
*nal hacia los sentimientos unido a la consciencia de que se puede aceptar*
*un sentimiento sin tener que estar dominado por él.*

Podemos aprender a reconocer cuándo tenemos miedo, y aceptarlo, y (por ejemplo) a pesar de ello ir al dentista cuando es necesario. Podemos aprender a admitir cuándo estamos enojados, y hablar sobre ello, y no recurrir a los puños. Podemos aprender a reconocer cuándo hacemos daño, y apropiarnos de ese sentimiento, sin fingir un acto de indiferencia. Podemos aprender a testimoniar nuestros sentimientos de impaciencia y excitación y a respirar en ellos, y sin embargo no salir a jugar hasta que hayamos concluido nuestros deberes. Podemos aprender a reconocer nuestros sentimientos sexuales, y a aceptarlos, sin estar controlados por ellos de forma destructiva. Podemos aprender a reconocer y aceptar nuestras emociones *sin perder nuestra mente*. Podemos aprender a preguntarnos lo siguiente: ¿qué pueden estar intentando decirme mis sentimientos? ¿Qué puedo tener que examinar o sobre qué puedo tener que pensar?

Podemos aprender que un dolor o temor al que hacemos frente es mucho menos peligroso que un dolor o temor negado.

Podemos aprender que somos responsables de lo que decidimos hacer, pero que los sentimientos como tales no son ni morales ni inmorales, simplemente *son*.

En la actualidad éste es el tipo de comprensión que algunas personas consiguen sólo en la psicoterapia. Pero en las escuelas del futuro nadie terminará el bachillerato sin que le hayan explicado estas ideas. Formará parte de la educación de todos, dada su clara importancia para conseguir una vida decente.

―――――

*Podemos aprender a reconocer y aceptar nuestras emociones sin*
*perder nuestra mente.*

―――――

No es necesario añadir que para que un maestro consiga enseñar la aceptación de uno mismo, tiene que sentirse cómodo al aceptar los sentimientos de los estudiantes, debe crear un entorno en el que todos sientan esta aceptación. Los niños que se sienten aceptados tienen más facilidad para aceptarse a sí mismos.

Esta idea ya la hemos expuesto antes en nuestro examen de la paternidad efectiva y es necesario reiterarla ahora. En realidad, prácticamente todos los principios identificados en el capítulo anterior son aplicables en la clase. Por ejemplo, el manejar los errores con benevolencia en vez de como si fuesen vergonzosos; por razones que confío hayan quedado claras, la forma en que un maestro responde a los errores del estudiante puede tener una gran influencia en el resto de la vida de éste.

En la actualidad son pocas las escuelas que enseñan el arte de pensar y menos aún las que enseñan lo que he venido diciendo sobre las emociones. Pero las escuelas del futuro enseñarán estas cosas.

## La relación con los demás

En la enseñanza secundaria tendrá que impartirse también otra materia: el arte de la competencia interpersonal.

Si la autoestima es la confianza en nuestra capacidad de afrontar los retos básicos de la vida, uno de estos retos es relacionarnos eficazmente con los demás. Esto significa relacionarnos de tal modo que experimentemos la mayoría de las veces nuestras interacciones como algo positivo y eficaz tanto para nosotros como para los demás. Hay que tener en cuenta que en la actualidad cerca del 95 % de las personas que trabajan para ganarse la vida lo hacen en una organización, es decir, trabajan con otras personas. Si carecen de la seguridad y aptitudes para relacionarse de forma competente, estarán muy limitados en sus logros. Cualquier lista de los cuatro o cinco atributos más importantes del éxito en una organización se refiere a la capacidad de trabajar bien en colaboración con los compañeros. Cierto es que en ocasiones hay personas que se relacionan mal con los demás y que tienen éxito, pero éste es un camino difícil y tiene todas las de perder.

Es mucho lo que sabemos sobre las aptitudes que apoyan la competencia en las interacciones humanas, y este conocimiento tiene que formar parte de la educación del joven.

*Es mucho lo que sabemos sobre las aptitudes que permiten la competencia en las interacciones humanas, y este conocimiento tiene que formar parte de la educación del joven.*

Por ejemplo, sabemos que las mejores relaciones se basan en el respeto a uno mismo y al otro. Sabemos que las negociaciones ganador-ganador (recíprocamente beneficiosas), en las que ambas partes consiguen algo valioso, son superiores a las negociaciones ganador-perdedor, en las que la ganancia de una persona supone la pérdida de otra (tema que, dicho sea de paso, encontramos cada vez más en la literatura sobre los negocios). Sabemos que unas relaciones equitativas y justas con los demás proporcionan la seguridad que éstos necesitan para dar lo mejor de sí mismos. Sabemos que el espíritu de benevolencia, empatía y ayuda mutua —sin autosacrificio— sirve a los intereses de todos. Sabemos que las personas que mantienen la palabra y cumplen sus promesas y compromisos suscitan confianza y cooperación, y que las que hacen lo contrario obtienen el resultado opuesto. Sabemos que los ganadores buscan soluciones y que los perdedores buscan a alguien a quien culpar. Sabemos que las aptitudes de comunicación verbal y escrita tienen una gran importancia, sobre todo en el puesto de trabajo y de hecho son uno de los determinantes más importantes del éxito profesional. También sabemos la importancia de la escucha activa y de la retroalimentación adecuada, así como del papel de la empatía y también de lo que sucede cuando no existen estos elementos. Sabemos que la práctica individual de la responsabilidad de uno mismo y la disposición a dar cuenta de nuestros actos aportan a los equipos una potencia sinérgica que no puede conseguirse de ningún otro modo. Sabemos que la autoafirmación adecuada puede enriquecer, y no subvertir, los esfuerzos de equipo y que el temor a la afirmación puede sabotearlos. Sabemos que *ninguna* interacción humana puede tener óptima eficacia si una o ambas partes temen la autoafirmación normal y la expresión de sí mismas.

¿Tiene este conocimiento menos importancia para la formación de un joven que la información sobre geografía?

Al proporcionar formación en eficacia interpersonal conseguimos dos objetivos a la vez: alimentamos la autoestima y fomentamos la competencia en lo que la vida pide de nosotros.


## Competencia y aptitudes

Así pues, vemos que lo que los estudiantes necesitan de los maestros para aumentar su autoestima es respeto, benevolencia, motivación positiva y una formación en el conocimiento esencial y el arte de vivir.

Como es lógico, los niños llegan a cualquier clase con diferencias de capacidad considerables. Los maestros eficaces saben que las personas sólo aprendemos construyendo sobre nuestras dotes y no centrándonos en las debilidades. Por consiguiente, el maestro fomentará la competencia (y la autoestima) presentando al estudiante unas tareas adecuadas a su nivel de capacidad actual. Los éxitos que hacen posible este enfoque permiten al estudiante avanzar hasta el siguiente grado.

La labor de un maestro es hacer posibles las victorias para a continuación construir sobre ellas.

Como la experiencia de dominar nuevos retos es esencial para el crecimiento de la autoestima, es de suma importancia la destreza del maestro en el calibrado de este progreso.

## La curva de notas

Una de las prácticas más desafortunadas de las escuelas actuales es la de puntuar a los estudiantes según una curva de notas. Esto sitúa a cada estudiante en una relación de confrontación con todos los demás. En vez de desear estar entre los estudiantes brillantes, se le da una razón para desear estar entre los grises, pues la competencia de los demás es una amenaza a nuestras notas. Obviamente tiene que haber criterios para medir el progreso y para determinar el nivel de dominio de una materia. No es que critique las notas en cuanto tales. Pero estos criterios tienen que ser objetivos. Un estándar que no tiene referencia objetiva al conocimiento o el dominio y que hace de cada estudiante un enemigo de los demás no fomenta la autoestima.

Si yo no puedo escribir un trabajo de dos páginas sin media docena de errores gramaticales, el hecho de que todos los demás de la clase cometiesen más de una docena de errores no me convierte en especialista en redacción en español. Para que pueda crecer y aprender como es necesario, debo atenerme a estándares de competencia razonables. El proporcionar estos estándares es una de las responsabilidades de los educadores. El recurrir a la curva de notas es una falta contra esta responsabilidad.

## Individualidad cognitiva

Antes se suponía que todos aprendíamos del mismo modo y que un único método de enseñanza podía valer para todos. Hoy sabemos que las personas aprenden de diferentes maneras, tienen diferentes «estilos cognitivos» y que conviene que la enseñanza se adapte a las necesidades específicas de aprendizaje de cada estudiante.[9] Las mejores escuelas han empezado a integrar esta comprensión en sus métodos docentes.

En palabras de Howard Gardner, teórico pionero de la ciencia cognitiva:

Cada persona tiene una composición específica de inteligencias, o formas de comprender el mundo: lingüística, lógica, matemática, espacial, musical, fí-

9. Howard Gardner, *The unschooled mind: How children think and how schools should teach,* Nueva York, Basic Books, 1992 (trad. cast.: *La mente no escolarizada*, Barcelona, Paidós, 1993).

sica (el uso del cuerpo para resolver problemas o hacer cosas), la comprensión de los demás y la comprensión de sí mismo.

Asimismo, cada persona tiene un estilo de aprendizaje diferente. Algunas pueden responder mejor a la información visual, otras al lenguaje (conferencias, lectura), otras tienen que tocar o tener contacto físico con el mundo para entender las cosas.

Una vez comprendido esto, es una práctica errónea tratar a los muchachos como si sus mentes fuesen iguales.[10]

Se han creado sistemas que identifican los tres o cuatro principales estilos de aprendizaje de las personas, de forma que pueda presentarse el material del curso de la manera que tiene más probabilidades de ser eficaz. Puede predecirse con seguridad que esto va a tener una enorme importancia para la autoestima de los jóvenes que antes habrían tenido que luchar para adoptar un estilo cognitivo menos natural para ellos que el suyo propio.

### El estudiante obediente *versus* el estudiante responsable

A continuación permítaseme contrastar las formas de enseñanza más tradicionales con el tipo de enseñanza que fomenta la autoestima, mediante una serie de comparaciones. Lo que comparamos son las características del estudiante obediente con las del estudiante responsable —el estudiante que experimenta «el lugar de control» como algo externo a sí mismo frente al estudiante que experimenta «el lugar de control» como algo interno—. El contraste nos ayudará a comprender algunas de las metas de la «nueva educación». Este material es una adaptación a partir de la obra de Jane Bluestein *XXI century discipline*.

| *El estudiante obediente se caracteriza por los siguientes rasgos:* | *El estudiante responsable se caracteriza por los siguientes rasgos:* |
| --- | --- |
| 1. Está motivado por factores externos, como la necesidad de complacer a la autoridad y de ganar una aprobación exterior. | 1. Está motivado por factores internos, como la necesidad de sopesar las alternativas y experimentar las consecuencias personales. |
| 2. Cumple órdenes. | 2. Elige. |

10. Howard Gardner, «What parents can do to help their kids learn better», *Bottom Line,* junio de 1992.

3. Puede carecer de confianza para funcionar de forma eficaz a falta de figuras de autoridad; carece de iniciativa; espera órdenes.
4. Su autoestima está definida externamente; sólo se siente valioso cuando recibe aprobación.
5. Siente: «Yo soy mi conducta» (y probablemente alguien me hizo de este modo).
6. Tiene dificultad para ver la conexión entre la conducta y sus consecuencias.
7. Tiene dificultad en ver las alternativas y opciones; le resulta difícil tomar decisiones.
8. Son comunes los sentimientos de desamparo y de dependencia del maestro.
9. Opera a partir de un sistema de valores externo (normalmente el de una persona importante para él, es decir, «las personas significativas») que puede no ser adecuado para su persona, e incluso puede ser perjudicial.
10. Obedece; puede pensar.
11. Carece de confianza en las señales internas y en la capacidad de obrar por su propio interés.
12. Tiene dificultad en predecir los resultados o consecuencias de sus actos.
13. Tiene dificultad en comprender o expresar sus necesidades personales.
14. Capacidad limitada de ver satisfechas sus necesidades sin dañarse a sí mismo o a los demás.
15. Poca capacidad de negociación; la orientación es: «Tú ganas-yo pierdo».
16. Complaciente.
17. Está orientado a evitar el castigo, a «Sacarme de encima al maestro».

3. Confía más en funcionar con eficacia a falta de autoridad; toma la iniciativa.
4. Autoestima: definida interiormente se siente valioso con o sin aprobación (o incluso con desaprobación).
5. Sabe: «Yo no soy mi conducta, aunque soy responsable de la forma de comportarme».
6. Es más capaz de ver la conexión entre la conducta y sus consecuencias.
7. Es más capaz de ver las alternativas y opciones y de tomar decisiones.
8. Es común la sensación personal de estar capacitado y de ser independiente.
9. Opera a partir de un sistema de valores interno (el mejor o más seguro para él), teniendo en cuenta las necesidades y valores de los demás.
10. Piensa; puede obedecer.
11. Tiene confianza en las señales internas y en la capacidad de obrar por propio interés.
12. Es más capaz de predecir los resultados o consecuencias de sus actos.
13. Es más capaz de comprender y expresar las necesidades personales.
14. Es más capaz de cuidar de sus necesidades sin perjudicarse a sí mismo o perjudicar a los demás.
15. Capacidad de negociación más desarrollada; la orientación es: «Tú ganas-yo gano».
16. Cooperativo.
17. Está comprometido en las tareas, experimenta el resultado de las elecciones positivas.

18. Puede sentir conflicto entre las necesidades internas y externas (lo que yo deseo frente a lo que desea el maestro); puede experimentar sentimientos de culpa o rebeldía.

18. Más capaz de resolver el conflicto entre necesidades internas y externas (lo que yo deseo frente a lo que quiere el maestro); menos propenso a los sentimientos de culpa o rebeldía.

19. Puede tomar malas decisiones para evitar la desaprobación o el abandono (para conseguir la estima de sus amigos).

19. Puede tomar malas decisiones para experimentar las consecuencias personales y para satisfacer la curiosidad.

## Implicaciones morales

Para adelantar una de las conclusiones posteriores, quiero llamar la atención sobre un aspecto *moral* del paso del ideal de la obediencia al ideal de la responsabilidad.

Mientras que el estudiante obediente se sacrificará, en diferentes circunstancias, a sí mismo o a los demás (ésta ha sido la práctica de las personas obedientes a lo largo de toda la historia de la humanidad), al estudiante responsable se le enseñará a actuar fuera del paradigma del sacrificio. Esto está implícito en la filosofía del «ganador-ganador» aunque, desgraciadamente, no sea identificado de forma explícita. En el mejor de los casos, el estudiante responsable puede aprender un concepto nuevo de relaciones humanas *que rechace la validez de la conducta de sacrificio*.

Por una parte estará mucho menos dispuesto a sacrificar a los demás en la búsqueda de sus metas personales. Por otra parte, estará menos dispuesto a *ser sacrificado* por el supuesto bien mayor de algún supuesto valor superior es decir, por *las metas de otro*. Por ejemplo, estará mucho menos dispuesto a sacrificar la vida personal por el bien de la empresa (o de la tribu) y mucho menos dispuesto a morir (o matar) en una guerra ideada por unos líderes por razones que ofenden a la inteligencia humana.

Al estudiante obediente se le enseña a no desafiar a la autoridad. El estudiante responsable está preparado para cuestionar —y si es preciso, desafiar— todo. Como veremos más claramente en el próximo capítulo, *eso es lo que ahora exige el mercado*. En términos más generales, es lo que exige la civilización.

## El trato de las muchachas

Hasta aquí he examinado la problemática de la autoestima sin hacer referencia a las cuestiones relacionadas con el sexo. Todas las recomendaciones que he formulado son igualmente válidas para hombres y mujeres, pues entiendo que los principios básicos de la autoestima son un reflejo y atañen a nuestra condición humana común. Por ejemplo, la importancia de vivir de forma consciente no es más urgente para uno que para otro sexo. Los seis pilares se ofrecen como universales para ambos sexos y para todas las razas, aun admitiendo el hecho de que algunas *formas de expresión* (por ejemplo, de la autoafirmación) pueden variar de una a otra cultura.

Pero un estudio reciente ha arrojado algunos hallazgos alarmantes en relación con los problemas de autoestima de las muchachas adolescentes. La Asociación Americana de Mujeres Universitarias (AAUW), en colaboración con Greenberg-Lake: The Analysis Group, ha realizado recientemente (1990) un proyecto de investigación mediante encuesta a escala nacional para estudiar la interacción de la autoestima y la educación y las aspiraciones profesionales en los muchachos y muchachas adolescentes.[11] El estudio contó con la participación de 3.000 niños de los cursos cuarto a décimo, residentes en doce ciudades de los Estados Unidos. Uno de sus principales hallazgos fue que si bien tanto los chicos como las chicas estiman que la adolescencia es una época difícil, y por término medio sufren una considerable pérdida de autoestima durante este periodo, la pérdida es más dramática y tiene un efecto más duradero en las muchachas.

Las muchachas que en octavo y noveno son confiadas, afirmativas y se sienten seguras de sí mismas a menudo salen de la adolescencia con un pobre concepto de sí mismas, con ideas limitadas de su futuro y una confianza mucho menor en sí mismas y en su capacidad.

---

*Al estudiante obediente se le enseña a no desafiar a la autoridad.*
*El estudiante responsable está preparado para cuestionar*
*—y si es preciso, desafiar— todo.*

---

Donde se aprecia mayor diferencia entre chicos y chicas es en el ámbito de «hacer cosas». La sensación de confianza de los chicos en hacer bien muchas cosas está correlacionada con la autoestima general. Normalmente las chicas se sienten competentes en muchas menos áreas, lo que está en correlación con una peor autoestima (la competencia tiene un valor para la supervivencia, por ello es básica para la experiencia de estar preparado para la vida).

11. «Shortchanging girls, shortchanging America», American Association of University Women, 1991.

En la clase los muchachos hablan más que las muchachas y tienen más probabilidades de discutir con el maestro si piensan que tienen razón. En este ámbito las muchachas son mucho menos autoafirmativas.

Nada de esto es sorprendente. A la mayoría de las muchachas se las educa para que consideren la inteligencia y competencia como cosas mucho menos importantes para su futuro que el ser complacientes y acomodaticias. Un muchacho saca todo sobresalientes en la escuela y sus padres están exultantes; opinan que esto es un buen augurio de su futura capacidad de ganarse la vida. Una muchacha saca todo sobresalientes y sus padres pueden mostrarse indiferentes: ¿qué tiene que ver la inteligencia con cazar un marido? Conozco a dos niños que son de carácter afirmativo y extrovertido, y ambos tienen un hermoso físico. El muchacho recibe sonrisas de aprobación por su conducta bulliciosa, pero nadie le dice constantemente (o casi nunca) lo guapo que es. A la muchacha apenas se le reconoce su carácter afirmativo pero no se cansan de repetirle lo guapa que es. (En el estudio de la AAUW las muchachas tienen casi el doble de probabilidad que los chicos de citar una característica física como el rasgo que más les gusta de sí mismas. Los muchachos tienen casi el doble de probabilidades que las chicas de citar un talento como lo que más les gusta de sí mismos.)

El problema de la desigualdad dramática de la autoestima tiene más probabilidades de manifestarse durante la adolescencia porque éste es el periodo en el que los jóvenes se preparan para actuar en el mundo adulto. Como se señala en el informe de la AAUW:

> La superior autoestima de los jóvenes se traduce en sueños profesionales más ambiciosos. Los muchachos parten de un nivel superior al de las chicas por lo que respecta a las aspiraciones profesionales... Las muchachas, que tienen dificultades para soñar y están limitadas por las normas relativas al sexo, parten de una esperanza inferior en el terreno profesional, y ya confían menos en sus talentos y capacidades. Es mucho más probable que las muchachas digan que «no son lo suficientemente listas» o «no son lo suficientemente buenas» para sus sueños profesionales.

La cuestión que nos interesa aquí es la siguiente: dejando a un lado las consideraciones familiares y culturales (y su influencia es enorme), ¿cuál puede ser el papel de los educadores en este problema de las muchachas adolescentes?

Los maestros están influidos por los mismos estereotipos relativos al sexo que las demás personas de nuestra cultura. Si nuestra cultura considera la inteligencia y el logro como cosas menos importantes en las mujeres que en los hombres, a menudo los maestros transmitirán (y proyectarán) esta perspectiva. Si los maestros esperan que las muchachas tengan peor rendimiento que los muchachos en general o en materias concretas (como en matemáticas y ciencia), de antemano se saca la conclusión de que esta expectativa tiende a convertirse en una profecía que se cumple a sí misma.

Como es de esperar, las matemáticas y la ciencia ocupan un destacado lugar en el informe de la AAUW. La habilidad en matemáticas y ciencias augura un buen éxito en muchas de nuestras profesiones más admiradas.

Uno de los efectos más dramáticos y fáciles de medir de las escuelas y los maestros sobre sus estudiantes adolescentes está en la enseñanza de las matemáticas y ciencia. La encuesta ha constatado una fuerte relación entre las matemáticas y la ciencia y la autoestima adolescente. Las matemáticas y la ciencia tienen una fuerte relación con la autoestima de las jóvenes, y cuando éstas «aprenden» que no son tan buenas en estas materias, su sentido de valía personal y de aspiraciones empeoran... Al 81 % de las niñas en enseñanza primaria les gustan las matemáticas. En la enseñanza secundaria el 61 % afirman que les gustan las matemáticas... [pero] un número mucho menor creen que son «buenas en mates».

Sería un feminismo equivocado criticar que aquí el error está en sobrevalorar materias tan «masculinas» como las matemáticas y la ciencia. Dada su importancia objetiva para un gran número de actividades y profesiones, sería una mala defensa de la mujer afirmar que las matemáticas y la ciencia no son materias «femeninas» y por ello no son materias en las que no hay que animar a las mujeres a destacar. Cualquiera que conozca la literatura de la investigación en psicología, ¿puede dudar de que si se informase a un grupo de maestros de que estudios recientes han demostrado de forma concluyente «la superioridad natural de las mujeres en matemáticas», su siguiente grupo de estudiantes del sexo femenino descubriría en sí mismas una milagrosa capacidad de destacar en matemáticas?

———

*Para un maestro uno de los sentidos de vivir conscientemente es tener presentes las implicaciones de su conducta en el aula.*

———

Así pues, el reto para el maestro es trabajar de forma consciente para liberarse de los estereotipos relativos al sexo que generan expectativas diferentes para niños y niñas. Esto significaría, entre otras cosas, exigir a ambos sexos por igual, ayudar por igual a ambos sexos (siempre que sea necesario), transmitir la misma confianza en el potencial de ambos sexos. Esto exigiría un gran nivel de autoconsciencia vigilante (y quizás retroalimentación de los compañeros). Para un maestro uno de los sentidos de vivir conscientemente es tener presentes las implicaciones de su conducta en el aula, los mensajes no verbales que se transmiten a los estudiantes acerca de sus capacidades, potenciales y valía.

Cuando examinemos el papel de la cultura volveremos a la cuestión de la autoestima y la mujer.

## Currículos de autoestima

Algunos educadores han preparado programas específicos para el sistema escolar orientados a fomentar la autoestima de los estudiantes. Sólo voy a citar dos de los que conozco personalmente y que admiro.

Ya he citado el creado por Robert Reasoner: *Building self-esteem: A comprehensive program for schools*. Este programa ha sido adoptado por un considerable número de escuelas de California, y su éxito ha sido impresionante medido en términos de mejores notas y asistencia, significativa reducción del fracaso escolar, de los embarazos adolescentes y de la drogadicción, y reducción masiva del vandalismo. De hecho, la mayoría de las escuelas en las que se utilizó el programa fueron clasificadas posteriormente por un organismo independiente entre las mejores de California.

Otro potente programa es el programa de Constance Dembrowsky que lleva por título *Personal and social responsability*.[12] Este curso no tiene por finalidad explícita la autoestima sino la formación de la responsabilidad de uno mismo y el desarrollo del tipo de aptitudes que generan la experiencia de eficacia personal; lo que significa que *es* un programa de autoestima en todo menos en el nombre. Creado para adolescentes, puede ser especialmente eficaz con los muchachos en situación de riesgo. La señora Dembrowsky está en la vanguardia de quienes en el movimiento de la autoestima comprenden que las raíces de la autoestima sana son internas en vez de externas. Su centro de atención está en lo que debe aprender y hacer el joven para potenciarse.

Una de mis esperanzas en este libro es que sirva para la creación de nuevos programas de autoestima en las escuelas diseñados específicamente para aplicar la práctica de los seis pilares entre los jóvenes.

12. Para información sobre el programa *Personal and social responsability* de Constance Dembrowsky póngase en contacto con el Institute for Effective Skill Development, P.O. Box 880, La Luz, NM 88337.

Las frustraciones, presiones y desafíos a que se enfrentan los maestros ponen a prueba cada día su autoestima, energía y dedicación. Mantener a lo largo de su carrera la visión con la que partieron los mejores de entre ellos —apegarse a la idea de que su profesión consiste en prender fuego en la mente de sus alumnos— es un proyecto heroico.

El trabajo que realizan no podría ser más importante. Pero para hacerlo bien tienen que encarnar (al menos en una medida decente) aquello que desean comunicar.

Un maestro que no opera a un nivel de consciencia adecuado no puede servir de modelo de la vida consciente para sus estudiantes.

Un maestro que no se acepta a sí mismo no será capaz de comunicar con éxito la aceptación de sí mismo.

Un maestro que no es responsable de sí mismo tendrá problemas para convencer a los demás del valor de la responsabilidad personal.

Un maestro que teme la autoafirmación no inspirará su ejercicio en los demás.

Un maestro que no se conduce con propósito no es un buen portavoz de la práctica de vivir con propósito.

Un maestro que carezca de integridad tendrá una seria limitación en su capacidad de inspirarla en los demás.

Si su meta es fomentar la autoestima en las personas confiadas a su cuidado, los maestros —como los padres, como los psicoterapeutas, como todos nosotros— tienen que empezar por trabajar en la suya propia. Un terreno en el que puede hacerse esto es la propia clase. Igual que la paternidad puede ser una disciplina espiritual, un camino de desarrollo personal, también puede serlo la enseñanza. Los retos que plantean estas funciones pueden convertirse en instrumentos de crecimiento personal.

# 15.  La autoestima y el trabajo

La autoestima, que siempre ha sido una necesidad personal urgente, ha cobrado una nueva significación en las últimas décadas de este siglo. El cambio de la realidad social y económica ha planteado nuevos retos a nuestra confianza en nosotros mismos.

Recordemos el significado primordial de la autoestima. Es la confianza en la eficacia de nuestra mente, en nuestra capacidad de pensar. Por extensión es la confianza en nuestra capacidad de aprender, de tomar decisiones y hacer elecciones adecuadas, y de afrontar el cambio. El valor de supervivencia de esta confianza es evidente; también lo es el peligro que se crea cuando falta esta confianza. Los estudios del fracaso en los negocios revelan que una causa común es el temor del ejecutivo a tomar decisiones. Pero no son sólo los ejecutivos los que necesitan confiar en su juicio; todos lo necesitamos, y nunca más que ahora.

## El contexto

Vivimos en un periodo en el que nos enfrentamos a un extraordinario número de elecciones relativas a nuestros valores, nuestras orientaciones religiosas o filosóficas y nuestro estilo de vida general. Estamos lejos de ser una cultura monolítica a la que se adecua más o menos todo el mundo. Como indiqué anteriormente, cuanto mayor es el número de elecciones y decisiones que tenemos que tomar a nivel consciente, más urgente es nuestra necesidad de autoestima. Pero aquí quiero considerar no sólo la cultura en general sino el mundo del trabajo: los retos a la adaptación económica tanto para las personas como para las organizaciones.

Para aclarar por qué afirmo que la necesidad económica de un gran número de personas con un decente nivel de autoestima no tiene precedentes y representa un punto de inflexión en nuestra evolución, tengo que pedir al lector que me siga a lo largo de algunas breves referencias históricas. Creo que sin esta comprensión histórica no se puede apreciar plenamente el momento de la historia a que hemos llegado ni su significación para la autoestima.

*La necesidad económica de un gran número de personas con un decente nivel de autoestima no tiene precedentes y representa un punto de inflexión en nuestra evolución.*

Todos sabemos que en las últimas décadas se han registrado importantes cambios en la economía nacional y mundial. Estos cambios han contribuido a que la necesidad de la autoestima sea más urgente para todos aquellos que participan en el proceso productivo, desde el directivo de la empresa hasta el personal de nivel básico. Entre estos cambios pueden citarse los siguientes:

1. El tránsito de una economía de la manufactura a una economía de la información; la decreciente necesidad de trabajadores manuales o de cuello azul y la creciente necesidad de trabajadores intelectuales con aptitudes verbales, matemáticas y sociales avanzadas.

2. La continua y progresiva explosión de conocimientos nuevos, nuevas tecnologías, productos y servicios, que aumentan sin cesar las exigencias de adaptación económica.

3. La aparición de una economía global de competencia sin precedentes, que constituye otro reto a nuestro ingenio y a la fe en nosotros mismos.

4. La demanda cada vez mayor a las personas a todos los niveles de la empresa, no sólo en la cumbre sino en todo el sistema, en los siguientes factores: autogestión, responsabilidad personal, autonomía, alto nivel de consciencia y compromiso para la innovación y contribución como prioridades fundamentales.

5. El modelo y la mentalidad empresariales están pasando a ocupar un lugar central en nuestro pensamiento relativo a la adaptación económica.

6. La aparición de la *mente* como factor central y dominante de toda la actividad económica.

Examinemos brevemente cada uno de estos aspectos.
*1. El tránsito de una economía de la manufactura a una economía de la información; la decreciente necesidad de trabajadores manuales o de cuello azul y la creciente necesidad de trabajadores intelectuales con aptitudes verbales, matemáticas y sociales avanzadas.*

En la actualidad fabricamos más mercancías de las que nunca se han producido en la historia, pero con muchas menos personas. En las décadas anteriores aproximadamente la mitad de la población laboral estaba empleada en puestos de cuello azul; en la actualidad esta cifra es inferior al 18 %, y se estima que dentro de no demasiados años será del 10 %. La manufactura se ha convertido en una actividad con aplicación mucho menos intensiva del factor trabajo; el coste del trabajo en el proceso general de producción ha disminuido y seguirá disminuyendo. Esto significa, entre otras cosas, que la disponibilidad de oferta de trabajo barato ha pasado a ser cada vez más irrelevante en términos de ventaja competitiva. En los Estados Unidos ha disminuido trágicamente el mercado de trabajo no cualificado —es decir, trágicamente pues quienes carecen de educación, formación y aptitudes básicas de lectura, escritura y cálculo se quedan en situación marginal—. Hoy día hay una demanda de personas con *conocimiento*.

Esta cuestión es esencial para comprender el problema del desempleo entre las personas no formadas y no preparadas, la denominada clase baja de nuestra sociedad. Ya no basta tener sólo músculos o dominar variantes del tipo de aptitudes físicas que se han conocido desde hace centenares e incluso miles de años; no basta si lo que se desea es conseguir un buen empleo. En la actualidad es necesaria formación. Se necesita una capacitación formal. O bien es necesario tener un extraordinario talento en autoeducación. Y hay que comprender que el proceso no puede concluir nunca, porque los conocimientos nuevos empiezan a volver obsoleta nuestra formación tan pronto como se concluye.

La situación era muy diferente en los primeros tiempos de los negocios. Por entonces, el jefe sabía todo lo necesario para dirigir su negocio. Podía necesitar la ayuda de algunas otras personas para realizar el trabajo, pero no porque éstas dominasen unos conocimientos que él ignoraba. A medida que crecieron los negocios y avanzó la tecnología, las empresas empezaron a utilizar a directivos e ingenieros en ámbitos particulares de especialización desconocidos para el jefe. Pero pese a todo, el conocimiento estaba limitado a unos pocos.

La reflexión y la toma de decisiones se llevaban a cabo en la cumbre de la jerarquía y se trasladaba en sentido descendente por la cadena de mando. (El ejército era el único modelo de organización a gran escala existente. Al crear la primera siderurgia moderna, Andrew Carnegie envió a su hombre de confianza a estudiar la organización y el sistema de comunicación del ejército prusiano, adaptando muchos de sus principios a su industria. Anteriormente, las grandes empresas siderúrgicas habían empleado a seiscientas personas; el reto de Carnegie fue integrar y gestionar los esfuerzos de seis mil personas). Algunos ejecutivos fundamentales proyectaban las metas y formulaban las estrategias y tácticas que había de seguir la organización. Algunos ingenieros destacados aportaron su propia contribución. Cualquier conocimiento o información sobre el negocio o sobre el contexto económico general era prerrogativa de este pequeño grupo.

Por lo que respecta a la abrumadora mayoría de los empleados de una organización, se les decía lo que se esperaba de ellos y su única responsabilidad era aplicar escrupulosamente las instrucciones. Un empleado ideal era aquel cuyas acciones tenían la misma consistencia y fiabilidad que las máquinas. Frederick Winslow Taylor, el pionero del *management* científico, resumió así su idea a los estudiantes de Harvard en 1909: el cometido de un trabajador «es averiguar lo que desea el jefe y darle exactamente lo que desea». Se suponía que el trabajador no podía hacer nada valioso o creativo como contribución al proceso de producción o distribución. En esta etapa de desarrollo el sistema no exigía para su funcionamiento a un gran número de personas con autoestima firme, como tampoco necesitaba una fuerza de trabajo con gran formación o cualificación.

*En la actualidad la cultura empresarial no se caracteriza ya por la división entre la «dirección» y los «trabajadores» sino por la integración de especialistas.*

Visto desde la perspectiva actual es bastante fácil criticar lo que hoy se denomina el «*management* clásico». Pero si se comprende en su propio contexto, podemos apreciar su lógica y beneficios. Un hombre que trabajaba en 1912, por ejemplo en una cadena de montaje, podía no saber leer o escribir —podía ser un emigrante del Viejo Mundo— pero si ejecutaba conscientemente la tarea para la que le habían formado podía ganarse la vida y mantener una familia, una vida mejor y más fiable de la que nunca había tenido. La gran innovación de Frederick Taylor fue descomponer las tareas de la producción en pasos sencillos, discretos y que se dominaban con facilidad, algo que no se le había ocurrido antes a nadie, y que permitió a los empleados trabajar «más diligentemente» en vez de más esforzadamente. Al aumentar la productividad de los trabajadores, aumentó sus salarios. Un empleado de cuello azul incluso con una modesta autoestima podía aprender a trabajar con eficacia en un entorno creado para él, por así decirlo, por personas de superior confianza en sí mismas y ambición.

Con el progreso de la tecnología aumentó la demanda de niveles más avanzados de capacitación para el manejo de los equipos. Pero no había demanda alguna de educación superior, pensamiento creativo o autogestión, es decir, de autonomía. Estos valores podían suponer una considerable aportación *personal* a la vida de una persona normal, en términos de disfrute y satisfacción, pero *no en términos de ingresos*. Por lo menos no en los años cincuenta o sesenta, en el punto culminante de la fase industrial de desarrollo, en la que el trabajador de cuello azul estaba en la cima del éxito. Por entonces la mayoría de los hombres y mujeres con formación universitaria no ganaban más que un maquinista cualificado que había abandonado la enseñanza secundaria y tenía una formación intelectual muy limitada. Hoy día las cosas son muy diferentes, pues el acceso a empleos decentes exige educación y formación.

En la actualidad, en una organización de los negocios compleja, que sincroniza los conocimientos y técnicas de empleados financieros, de márketing y de vendedores, ingenieros, juristas, analistas de sistemas, matemáticos, químicos, físicos, investigadores, especialistas en informática, diseñadores, profesionales de la asistencia sanitaria, y todo tipo de expertos, ya no es necesaria la división entre la «dirección» y los «trabajadores», sino la integración de *especialistas*. Cada uno de estos especialistas tiene conocimientos y una preparación que no poseen los demás miembros de la organización. Se confía en que cada uno ha de pensar, crear, ser innovador y hacer una aportación. Los «trabajadores» se han convertido en «socios» en una atmósfera cada vez más colegiada que jerárquica.

En un contexto así la competencia interpersonal constituye una de las mayores prioridades. Y la autoestima baja tiende a interponerse en el camino de esta competencia.

2. *La continua y progresiva explosión de conocimientos nuevos, nuevas tecnologías, productos y servicios, que aumentan sin cesar las exigencias de adaptación económica.*

En los años noventa las organizaciones de negocios de éxito saben que para seguir siendo competitivas en los mercados mundiales necesitan un constante flujo de innovaciones de productos, servicios y sistemas internos que deben planificarse como parte normal de su actividad. Los individuos conscientes saben que si desean progresar en su carrera no pueden confiar en los conocimientos y técnica de ayer. Una vinculación excesiva a lo conocido y familiar ha resultado ser costosa y peligrosa; amenaza a las organizaciones e individuos con la obsolescencia.

En la actualidad salen de nuestros laboratorios y departamentos de investigación y desarrollo hitos científicos y descubrimientos tecnológicos a un ritmo desconocido. En la actualidad viven el 90 % de los científicos que han existido nunca.

Hasta fecha muy reciente, durante los centenares de miles de años que han existido seres humanos en el planeta, las personas concibieron la vida

257

como algo esencialmente inmutable. Creían que ya estaba cerrado el catálogo de conocimientos posibles a los humanos. Como indiqué antes, la idea de vida humana como proceso de tránsito de un conocimiento a otro nuevo, de un descubrimiento a otro descubrimiento tiene sólo un par de segundos de antigüedad, medido en tiempo evolutivo.

Puede decirse que este desarrollo nuevo sitúa la energía de la necesidad económica detrás del progreso evolutivo continuado obligándonos a repensar las capacidades de los seres humanos.

*3. La aparición de una economía global de competencia sin precedentes, que constituye otro reto a nuestro ingenio y a la fe en nosotros mismos.*

En las décadas inmediatamente posteriores a la II Guerra Mundial, los Estados Unidos eran el país industrial líder indiscutible del mundo. Estábamos en el apogeo de nuestro poder económico. Mientras los demás países industrializados luchaban por recuperarse de los desastres de la guerra, los Estados Unidos carecían de competidores. Nuestros trabajadores eran los mejor retribuidos. Nuestro estándar de vida estaba lejos de lo que podían imaginar la mayoría de los países del mundo, y era universalmente envidiado. Los países comunistas y socialistas prometían superarnos algún día, pero eso era sólo una promesa de futuro, sin nada que la avalase en el presente, aunque era una promesa en la que creyeron y que difundieron muchos intelectuales norteamericanos.

---

*Una vinculación excesiva a lo conocido y familiar ha resultado costosa y peligrosa; amenaza a las organizaciones e individuos con la obsolescencia.*

---

El propio sector de los negocios —de la gran empresa— se había vuelto intensamente burocrático, lastrado con muchos niveles de dirección. Dependía más de las economías de escala que de la innovación para mantener la supremacía económica, causando un desperdicio financiero no detectado y alejándose cada vez más del espíritu empresarial de anteriores épocas (las políticas estatales desempeñaron un papel fundamental en este fenómeno, pero ésa es otra historia). Alfred Sloan, el famoso directivo de General Motors, resumió en una ocasión la estrategia del fabricante de automóviles diciendo que «no era necesario ir a la cabeza en diseño técnico o correr el riesgo de experimentos no contrastados, pues nuestros coches tenían un diseño por lo menos igual a los mejores coches de la competencia de nivel equivalente».[1] Una de las últimas grandes innovaciones de la in-

---

1. Citado en *The Economist,* 1 de diciembre de 1990.

dustria norteamericana del automóvil fue el cambio automático introducido en 1939.

Los años cincuenta y sesenta fueron la época del «hombre de la organización». El camino para el éxito no era el pensamiento independiente sino la escrupulosa adhesión a las normas. La fórmula para quienes deseaban medrar no era sobresalir sino adaptarse. Bastaba la suficiente autoestima para mantener un nivel de competencia decente en el marco existente —pero no tanta autoestima como para cuestionar los valores o políticas básicos de la empresa. Lo que la empresa prometía a cambio era una protección y seguridad de por vida. La promesa emblemática era: «Sé un hombre de empresa y la empresa cuidará de ti».

La negación de uno mismo por el bien de la empresa era un valor que encontraba una fácil audiencia, pues durante miles de años se había enseñado a los seres humanos que la autonegación era la esencia de la moralidad: la autonegación para la tribu, para Dios, para el rey, para el Estado, para el país, para la sociedad.[2]

Los sindicatos estaban en la cumbre de su influencia y poder. Sus líderes no podían esperar los cambios que se avecinaban. Sin duda no preveían que en los años ochenta, una vez alcanzados prácticamente todos sus objetivos, estarían amenazados por la falta de relevancia económica y, como un hemofílico, conocerían una pérdida de un porcentaje cada vez mayor de sus afiliados.

---

*La libertad significa cambio; la capacidad de afrontar el cambio es al menos en parte una función de la autoestima.*

---

Un dirigente sindical anunciaba: «La industria americana sigue llena de fuerza». Yo estaba sentado junto a él en el avión cuando lo dijo; corría el año 1962. Entonces empezó a lamentar el «desastre» de la automoción, afirmando que miles de trabajadores quedarían en paro permanente a causa de las nuevas máquinas y que «había que hacer algo al respecto». Le respondí que eso era una falacia que había sido denunciada a menudo; que la introducción de las nuevas máquinas y de la nueva tecnología siempre tuvo como resultado un *aumento* de la demanda de trabajo así como un aumento del nivel de vida general. Le indiqué que la automoción aumentaba la demanda de trabajo cualificado en relación al no cualificado y que

---

2. Véase mi *Honoring the self,* Nueva York, Bantam Books, 1984 (trad. cast.: *El respeto hacia uno mismo,* Barcelona, Paidós, [2]1993).

sin duda muchos trabajadores tendrían que aprender nuevas aptitudes; las empresas tendrían que formarles. A lo cual él preguntó, con tono indignado, lo siguiente: «¿Y qué pasará con las personas que no *deseen* aprender nuevas aptitudes? ¿Por qué tienen que tener problemas? ¿Acaso no tienen derecho a la seguridad?». Le indiqué que esto significaba que había que asfixiar y suprimir la ambición, la perspicacia, el impulso a trabajar cada vez mejor, las energías vivas de las personas creativas, todo ello en favor de quienes habían «pensado lo suficiente» y «aprendido lo suficiente» y no deseaban que se les impusiese nada más o tener que pensar de qué dependían sus puestos de trabajo. ¿Es eso lo que proponía? Su respuesta fue el silencio. Yo pensé entonces que la libertad significa cambio; la capacidad de afrontar el cambio es al menos en parte una función de la autoestima. Antes o después todos los caminos conducen a la autoestima.

Pero estuviese o no preparada la autoestima de la gente, el cambio era inminente.

Al principio nadie se tomó en serio a los japoneses. Desde hacía mucho tiempo los productos japoneses se habían asociado a una baja calidad, a un gris mimetismo y a una total falta de fiabilidad. En los años cincuenta o sesenta era impensable que un día el Japón superaría a los Estados Unidos en automóviles, superconductores y en electrónica de consumo o desplazaría a los suizos como primer productor de relojes.

Cuando en 1953 Japón concluyó su reconstrucción de posguerra, comenzó una pauta de crecimiento extraordinaria con una media anual del 9,7 % durante los próximos veinte años. Esta explosión estuvo encabezada por el triunfo del automóvil japonés. Entre los años cincuenta y los años sesenta la producción automovilística del Japón se multiplicó por cien, igualando a los Estados Unidos en 1979, para superarlos poco después. Japón se convirtió en el principal productor de radios en los años sesenta y de aparatos de televisión en los años setenta. En una ruptura total con el pasado, los productos japoneses empezaron a asociarse a una alta calidad y fiabilidad, sobre todo en los ámbitos de alta tecnología como los aviones, las máquinas herramienta, los robots, los semiconductores, las calculadoras y copiadoras, los ordenadores y las telecomunicaciones, los sistemas avanzados de energía, incluida la energía nuclear, y la técnica espacial. Ante todo fue una victoria de una superior estrategia de gestión y la ironía fue que la mayor parte de esta estrategia se había aprendido de los Estados Unidos, donde rara vez se había puesto en práctica.

En los años ochenta los Estados Unidos se enfrentaban a la competencia no sólo del Japón sino también de otros países de la costa del Pacífico: Corea del Sur, Singapur, Taiwán y Hong-Kong. Esto por parte del Oriente. En la dirección opuesta estaba una Europa renacida y regenerada; ante todo una Alemania occidental con una poderosa industria y en rápido crecimiento.

Al principio la reacción del sector americano de los negocios fue de asombro, incredulidad y negación. La competitividad global de esta intensidad era una experiencia nueva y desorientadora. Sin duda había habido competencia entre los «tres grandes» de la industria norteamericana del automóvil, pero General Motors, Ford y Chrysler jugaban las mismas reglas y compartían los mismos supuestos básicos; nadie retó a los demás a reformular sus premisas básicas. Eso es lo que hicieron los japoneses y los alemanes.

La competencia global es un estimulante de la innovación mucho más poderoso que la competencia interior. Las demás culturas tienen otras perspectivas, otras maneras de ver las cosas. Sus ideas aportan una síntesis más rica a la reflexión sobre la actividad de los negocios. Pero por esta razón se necesita un mayor nivel de autoestima —y de competencia— para actuar en este ámbito. Al principio los trabajadores y ejecutivos norteamericanos se negaron a reconocer que los japoneses pudiesen estar aplicando unas prácticas que valía la pena imitar. La idea misma de aprender de ellos se concebía como algo devaluador; en cambio, su respuesta inicial fue seguir en sus trece y apegarse más tenazmente a la forma tradicional de hacer las cosas.[3] A veces la respuesta adicional era denunciar a los japoneses y exigir una protección política contra ellos. Esto es exactamente lo que se observa en la práctica de la psicoterapia, cuando una persona que duda de sí misma y está insegura persiste ciegamente en su conducta contraproducente, se apega a la ilusoria seguridad de la inflexibilidad compulsiva y echa la culpa de todas las desgracias a otra persona.

Sólo el choque de la competencia devastadora del Japón y de Alemania despertó a la industria automovilística de los Estados Unidos de su complaciente modorra. Está por saber si se despertó a tiempo. Carente de innovaciones importantes propias durante décadas, se resistió a los neumáticos radiales, a los frenos de disco y a la inyección de gasolina, introducida en los coches de serie en Europa. Ahora está combatiendo, y la calidad del automóvil norteamericano ha mejorado considerablemente; pero aún está atrasada en lo que a innovaciones se refiere.

*La competencia global es un estimulante mucho más poderoso de la innovación que la competencia interior.*

La industria norteamericana no fue la única en reaccionar lentamente al cambio de contexto y a la necesidad de nuevas políticas. Cuando se ense-

3. Michael Dertouzos, Richard K. Lester, Robert M. Solow y la Comisión del MIT sobre productividad industrial, *Made in America,* Cambridge, MIT Press, 1989.

ñó a los suizos los primeros relojes digitales, su respuesta fue ésta: «Pero eso no es un reloj; un reloj tiene muelles y engranajes». Cuando se despertaron, habían perdido su posición de liderazgo.

Estados Unidos es aún —y con mucho— el país industrializado más poderoso de la tierra. Con un 5 % de la población mundial, producimos el 25 % de la producción industrial total. Ninguna persona preparada pudo imaginar nunca que mantendríamos el porcentaje de la producción mundial que tuvimos en los años posteriores a la II Guerra Mundial, una época en la que las demás economías estaban en ruinas. Ni se habría considerado deseable. Nosotros *deseábamos* que los demás países resurgiesen por sí mismos y les ayudamos a ello. Nuestra producción de bienes y servicios, en general, es mucho mayor de la conocida nunca; como porcentaje del producto nacional bruto se ha mantenido constante durante más de cuatro décadas. En respuesta a las condiciones cambiantes ya hemos introducido algunos cambios fundamentales en nuestras instituciones de negocios desde reestructurar y «estilizar» (por ejemplo, quitarse de encima los estratos de directivos superfluos) a una atención mucho mayor a la calidad y al servicio al cliente, a nuevos sistemas de organización y gestión que apoyan mejor la innovación y la adaptación a un entorno en rápido cambio.

=====

*En la actualidad estamos actuando en un contexto de*
*retos cada vez mayores.*

=====

Nos enfrentamos a problemas de gran magnitud: un ritmo de crecimiento económico insuficiente; un sistema educativo que no satisface nuestras necesidades; una infraestructura que va a peor; un nivel de vida en declive. Está por ver en qué medida estos problemas se resolverán o empeorarán en la próxima década.

Lo decisivo ahora no es que estemos en un declive irreversible. La cuestión es simplemente que uno de los cambios principales del mundo, con ramificaciones para los negocios en general y para nuestra necesidad de autoestima en particular, es que estamos actuando en la actualidad en un contexto de *retos cada vez mayores*. Se trata de un reto a nuestra creatividad, flexibilidad, velocidad de respuesta, capacidad de afrontar el cambio, capacidad de inventar, capacidad de sacar lo mejor de la gente. Desde un punto de vista económico es un reto a nuestro sentido de la innovación y, por encima de eso, a nuestra capacidad de gestión. Desde un punto de vista psicológico se trata de un reto a nuestra autoestima.

*4.  La demanda cada vez mayor a las personas a todos los niveles de la empresa, no sólo en la cumbre sino en todo el sistema, en los siguientes factores: autogestión, responsabilidad personal, autonomía, alto nivel de consciencia y compromiso para la innovación y contribución como prioridades fundamentales.*

La vieja pirámide burocrática de mando y control, que seguía el modelo de la organización militar, ha dado paso progresivamente a estructuras más niveladas (con menos niveles directivos), a redes flexibles, a equipos de diversas funciones y a combinaciones *ad hoc* de especialistas que se reúnen para proyectos particulares y luego se desintegran. En vez de unos estratos mecánicos de autoridad concebidos de antemano, lo que ahora determina la organización son las necesidades del flujo de conocimiento e información.

La nómina de mandos intermedios se ha reducido de forma radical, y no sólo como estrategia de reducción de costes sino porque los ordenadores han asumido la tarea de transmitir la información por todo el sistema, volviendo superfluo el papel del directivo-como-estación-de-transmisión-de-información. El conocimiento se difunde mucho más y está mucho más al alcance de todos que antes, lo que hace que sea mucho más fácil para los empleados operar con un alto nivel de consciencia en su labor y por consiguiente ser más productivos.

Sin las antiguas y conocidas cadenas de mando, muchos directivos están atravesando lo que puede denominarse una crisis de la autoestima: una vez difuminadas las líneas de autoridad y poder, se han visto ante el reto de encontrar una nueva definición de su función. Ahora tienen que desvincular los sentimientos de valía personal de las formas tradicionales de estatus, o de la realización de tareas particulares, basándola en cambio en su capacidad de pensar, de aprender, de dominar formas de funcionamiento nuevas, de responder adecuadamente al cambio. Desde la sala de juntas a la planta de la fábrica, el trabajo se conceptúa cada vez más claramente como una expresión de pensamiento. Con la creciente sofisticación de los equipos y maquinarias ha aumentado en consecuencia el conocimiento y aptitud necesarios para manejarlos. Se espera que los empleados los controlen, mantengan, los reparen si es preciso, prevean las necesidades, resuelvan los problemas; en una palabra, que operen como profesionales que se respetan a sí mismos y son responsables de sí mismos.

―――――

*Desde la sala de juntas a la planta de la fábrica, el trabajo se conceptúa cada vez más claramente como una expresión de pensamiento.*

―――――

Las mejores organizaciones comprenden que el hombre o la mujer que trabajan en la planta tienen más probabilidades de saber más sobre las mejoras posibles y necesarias —de las mercancías, servicios, sistemas internos— que los directivos que están más alejados de la acción inmediata. Los libros sobre negocios y gestión están llenos de relatos sobre las aportaciones de los trabajadores a la mejora de los procesos, servicios y productos. Hay relatos de hombres y mujeres que se han salido de su descripción de puesto en respuesta a problemas inesperados, asumiendo la responsabilidad de su solución. La empresa y la iniciativa ya no se conciben como monopolio de algunas «personas especiales». Se perciben como rasgos adecuados a todos.

Y no es que todos los manifiesten. Aún estamos en las primeras etapas de la revolución del conocimiento. Pero en las empresas hay una oportunidad cada vez mayor para que los trabajadores trabajen de este modo, y expectativas claras en este sentido. Esto es en sí mismo una llamada a una mayor autoestima.

Una organización moderna eleva la práctica del trabajo en equipo a nuevas alturas de virtuosismo, exigiendo a la vez una dosis de individualismo en cada participante, porque el *pensamiento* es una actividad de una mente individual, como también lo es la *confianza en uno mismo*, la *tenacidad*, la *perseverancia* y todos los demás rasgos mentales que hacen posible el rendimiento.

En palabras de Charles Garfield, en su estudio de las nuevas políticas y orientaciones de algunas de nuestras principales empresas, titulado *Second to none*:

> En un ámbito que exige la colaboración de esfuerzos [a todos los niveles], en una época en que hemos de poner el énfasis en los esfuerzos de cooperación, paradójicamente el individuo asume una importancia mucho mayor. Ya no podemos permitirnos manejar empresas en las que masas de «manos contratadas» se infrautilizan crónicamente mientras que unas pocas «cabezas» en la directiva piensan en todo... El competir en una época que exige una innovación constante nos obliga a aprovechar los talentos de *todos* los individuos de la organización.[4]

La presión por seguir siendo competitivos está obligando a repensar todos los aspectos de la actividad de los negocios interna: las estructuras, las políticas, los sistemas de incentivos, las divisiones de responsabilidad, las prácticas directivas (el trabajo mental no puede dirigirse como el trabajo de músculos) y las relaciones entre todos los que participan en conseguir metas productivas.

4. Charles Garfield, *Second to none*, Homweood, Ill., Business One Irwin, 1992.

Una de las lecciones que ha tenido que aprender el sector de los negocios es la importancia del espíritu de empresa, y no sólo para los principiantes, sino también para las industrias establecidas.

**5.** ***El modelo y la mentalidad empresariales están pasando a ocupar un lugar central en nuestro pensamiento relativo a la adaptación económica.***

Al pensar en el espíritu de empresa lo primero que nos viene a la mente son los empresarios independientes que empiezan negocios nuevos o fundan industrias nuevas. Sin embargo el espíritu de empresa es esencial para el éxito estable del «gran negocio». Ésta fue la lección de los años ochenta.

Es útil recordar las primeras épocas de los negocios en Norteamérica y a los innovadores que proyectaron a este país en su carrera de crecimiento meteórico como marco de referencia para comprender en qué sentido es necesaria la «mentalidad empresarial» en las grandes organizaciones de negocios con una historia de muchos años.

Con la instauración del capitalismo y la aparición de los primeros empresarios americanos, se registraron varios cambios en la mente de las personas. Vale la pena señalar que todos ellos tienen una relación directa.

Se ha sustituido la pregunta: «¿Qué te ha determinado a ser tu posición al nacer?», por la pregunta: «¿Qué has hecho de ti mismo?» En otras palabras, nuestra identidad ya no es algo heredado sino algo creado por uno.

La idea de *progreso* ha cautivado la imaginación de la gente. Se partía de la premisa de que la inteligencia, el ingenio y el espíritu de empresa podían generar una mejora continua del nivel de vida de que los descubrimientos nuevos, los nuevos productos y las nuevas expresiones de la creatividad humana podían elevar ilimitadamente la calidad de vida. Si bien no se concebía aún a la mente como el principal capital inmovilizado, poco a poco empezó a pasar del segundo al primer plano, a veces con nombres como «competencia» o «capacidad».

En este nuevo orden de cosas la confianza en uno mismo y la responsabilidad de uno mismo eran los valores supremos, frente al conformismo y la obediencia, más valorados en las sociedades anteriores, de carácter tribal. La independencia se convirtió en una virtud adaptativa por razones económicas.

Se empezaron a valorar las ideas nuevas con aplicación comercial. Se valoró también la capacidad de percibir y actualizar las posibilidades generadoras de riqueza. Se incentivó la mentalidad empresarial.

Y no es que estas perspectivas fuesen comprendidas y aceptadas por igual por todos. Nada de eso. Incluso entre algunos de los mejores innovadores del sector de los negocios, no estuvieron ausentes algunos restos de la actitud autoritaria de épocas anteriores. Las antiguas perspectivas y las formas de pensar antiguas no se desvanecen de la noche al día o sin resistencia. La batalla por la aceptación plena de esta nueva visión está librándose aún.

El nuevo sistema económico alteró el orden de cosas antiguo. Se mostró irrespetuoso con la autoridad. A menudo desoyó la tradición. No temió el cambio sino que lo aceleró enormemente. La libertad podía ser intoxicadora pero también podía ser aterradora.

El espíritu de empresa es por su misma naturaleza antiautoritario. Es un espíritu contrario al *statu quo*. Siempre avanza en la dirección de volver obsoleto lo existente. A principios de este siglo el economista Joseph Schumpeter habló del trabajo del empresario como de una «destrucción creativa».

La actividad empresarial tiene por esencia dotar a los recursos de nuevas capacidades de producción de riqueza —percibir y actualizar las posibilidades productivas que no se han percibido y actualizado antes—. Esto presupone la capacidad de pensar por uno mismo, de ver el mundo con nuestros propios ojos —una falta de excesiva consideración del mundo según lo conciben los demás— al menos en algunos sentidos.

En las primeras décadas del capitalismo hombres salidos de la nada, que no partieron más que con cerebro y ambición, crearon industrias y ganaron fortunas. Casi todos estos hombres empezaron siendo trabajadores y casi ninguno de ellos terminó la enseñanza secundaria (algunos ni siquiera la comenzaron). Éstos fueron un reto y un obstáculo para los restos de la aristocracia feudal, para el «viejo dinero» anclado en la posición social y desdeñoso del trabajo, que veía con escándalo y resentimiento a estos nuevos productores de riqueza. El empresario era un impúdico *parvenu*, y sus actividades —decían— creaban desequilibrio social. De hecho, representaba una amenaza no sólo a su posición social sino también a su autoestima. ¿Qué sería de ellos en un sistema orientado al mérito y al rendimiento, estimados por el mercado, en vez de al estatus hereditario?

Si el capitalismo ofrecía un terreno más amplio para la expresión de la autoestima también planteaba retos que no tenían precedente en las anteriores sociedades tribales: retos a la confianza en uno mismo, a la autoafirmación y a la responsabilidad personal. El capitalismo creó un mercado para la mente independiente.

Las grandes organizaciones que asociamos al capitalismo moderno surgieron en los Estados Unidos sólo después de la Guerra Civil, y en Europa después de la Guerra Franco-Prusiana —es decir, aproximadamente en los últimos ciento treinta años. Durante el siglo XIX nuestra economía había sido predominantemente agrícola: la mayoría de las personas se ganaban la vida en granjas, y la principal fuente de riqueza por entonces era la tierra, como había sido desde hacía milenios. Empezamos siendo un país de granjeros y de pequeños comerciantes. Entonces nadie habría imaginado los grandes intereses industriales y el desarrollo económico extraordinario que empezó a tener lugar en el último cuarto del siglo XIX, empezando por el ferrocarril, y caracterizado por el impulso cada vez mayor de la energía humana.

---

*El capitalismo creó un mercado para la mente independiente.*

---

El granjero o comerciante normal no era innovador. Sin duda confiaba más en sí mismo que sus antecesores, era más independiente y tenía más recursos como lo atestiguaba, entre otras cosas, que habían dejado su patria en Europa para empezar una vida nueva en América, y que la estructura social más libre del Nuevo Mundo le exigía más inventiva, más imaginación y por lo tanto más autoestima. Pero en el contexto del conocimiento de la época la adaptación económica no le exigía ni un gran nivel de formación ni un espíritu innovador. Su mente, su capacidad de aprender y su capacidad de tomar decisiones no estaban expuestas a un constante reto.

Los individuos que se sintieron así retados y se animaron a hacer frente a este desafío —los empresarios e inventores— fueron una minoría casi infinitesimal. Ellos fueron los responsables del tránsito de una sociedad agrícola a una sociedad fabril. Esto es lo que hizo posible el liderazgo de los Estados Unidos en las industrias del acero, eléctricas, de teléfonos y telégrafos, equipamiento agrícola y agronomía, equipos de oficina, de los primeros electrodomésticos y, un poco más tarde, del automóvil y la aviación.

Cuando se encontraba en la cumbre de su éxito en este siglo, el sector americano de los negocios vio desafiada su complacencia por la competencia extranjera y —contra la resistencia de su propia burocracia consolidada— se vio obligado a pensar de nuevo en la necesidad de reinstaurar el espíritu de empresa. Parte de los estímulos de esta nueva reflexión provino de los logros de las organizaciones pequeñas, que señalaban el camino del futuro.

En las dos últimas décadas se ha registrado una explosión del espíritu de empresa, casi totalmente en los negocios de tamaño pequeño y medio. A finales de los años ochenta cada año se creaban entre seiscientas mil y setecientas mil empresas nuevas, frente a una sexta o séptima parte de esta cifra durante los mejores años de la década de los cincuenta y los sesenta. Mientras que las quinientas empresas de Fortune han venido perdiendo trabajadores de forma regular desde comienzos de los años setenta, y muchas de estas empresas han luchado por sobrevivir, los negocios pequeños y medianos han creado aproximadamente dieciocho millones de nuevos puestos de trabajo; la mayoría de estos puestos se ofrecieron en empresas con menos de veinte empleados. La empresa pequeña y mediana ha mostrado un carácter innovador y flexible —una capacidad de responder con una gran velocidad a los cambios y oportunidades del mercado— que a menudo ha estado ausente en las organizaciones mayores y más complejas.

Este sector está en la vanguardia mostrando el camino que deben seguir las grandes empresas para seguir siendo competitivas. Mientras que muchas empresas aún están luchando con los problemas de equilibrar, por una parte, la dirección administrativa y tradicional y, por otra, la dirección empresarial —la primera centrada en proteger y cultivar lo ya existente, y la segunda en volverlo obsoleto—, cada vez es más obvio que el espíritu de empresa no puede ser una prerrogativa de los negocios pequeños o nuevos. Es imperiosa su necesidad también para organizaciones del tamaño de General Motors y precisamente ahora GM está afrontando este mismo reto.

En el contexto de la gran empresa desarrollar espíritu de empresa significa aprender a pensar como los pequeños negocios más imaginativos y agresivos: cultivar la agilidad, la falta de cortapisas, la respuesta rápida, la atención constante a los desarrollos que apuntan a oportunidades nuevas. Esto significa, entre otras cosas, reducir radicalmente la burocracia y liberar las unidades para que puedan funcionar con espíritu de empresa.

En respuesta a esta necesidad es cada vez mayor el número de grandes empresas que han creado en su interior unidades de iniciativa empresarial autónomas o semiautónomas. Su intención es liberar a los innovadores de los obstáculos de la directiva burocrática sobrecargada y reacia al cambio.

En términos más generales, se han comprometido a hacer de la innovación una parte planificada y sistemática de sus operaciones normales. Están aprendiendo a considerarla una disciplina algo que puede ser aprendido, organizado y practicado.*

———————

*Cuanto más inestable es la economía y más rápido el ritmo de cambio más urgente es la necesidad de un gran número de personas con autoestima.*

———————

Si una baja autoestima se correlaciona con la resistencia al cambio y con la fijación a lo conocido y familiar, nunca antes en la historia de la

---

\* Peter Drucker es el autor del texto clásico que explica cómo hay que hacerlo, que lleva por título *Innovation and entrepreneurship.*

humanidad la baja autoestima ha sido tan económicamente perjudicial como lo es hoy. Si una alta autoestima se correlaciona con la tolerancia al cambio y con el desapego a las vinculaciones del ayer, la alta autoestima confiere un estímulo competitivo.

Aquí podemos identificar un principio. En los primeros tiempos de la actividad comercial en Norteamérica, cuando la economía era bastante estable y el cambio relativamente lento, el estilo de organización burocrático funcionó razonablemente bien. Cuando la economía se volvió menos estable y se aceleró el ritmo de cambio, se volvió cada vez menos adaptativo, siendo incapaz de responder rápidamente a los nuevos fenómenos. Relacionemos esto con la necesidad de autoestima. Cuando más estable es la economía y más lento el ritmo de cambio, menos urgente es la necesidad de un gran número de personas con una sana autoestima. *Cuanto más inestable es la economía y más rápido es el ritmo de cambio —lo que sin duda sucede en el mundo actual y sucederá en el futuro— más urgente es la necesidad de un gran número de personas con autoestima.*

*6. La aparición de la* **mente** *como factor central y dominante de toda la actividad económica.*

En las ideas antes presentadas está implícito el significado de esta afirmación, pero quizá convenga hacer algunas observaciones más.

En la economía agrícola la riqueza se identifica con la tierra. En una economía manufacturera, se identifica con la capacidad de hacer cosas: bienes de capital y equipo; maquinaria y los diversos materiales utilizados en la producción industrial. En ambos tipos de sociedades la riqueza se conceptúa en términos materiales, no mentales; en términos de bienes físicos, no de conocimiento e información.

En una sociedad manufacturera, sin duda la inteligencia es la fuerza rectora del progreso económico, pero cuando se piensa en la riqueza se piensa en materias primas, como el níquel y el cobre, y en propiedades físicas, como acerías y fábricas textiles.

La riqueza se crea transformando los materiales de la naturaleza para los fines del ser humano; transformando una semilla en una cosecha; transformando una cascada en una fuente de electricidad; transformando el mineral de hierro, la piedra caliza y el carbón en acero, y el acero en los cimientos de un edificio. Si toda la riqueza es producto de la mente y del trabajo, del pensamiento que guía la acción, una manera de comprender el tránsito de una sociedad agrícola a una sociedad industrial es decir que el equilibrio entre mente y esfuerzo físico se transforma profundamente. El trabajo físico empezó a descender por una senda de importancia cada vez menor, *mientras que la mente empezó a ascender.*

Como extensión de la inteligencia humana, una máquina sustituye el poder de los músculos por el poder del pensamiento. Al hacer menos exigente el trabajo físico, lo vuelve más productivo. Con la evolución del desarrollo tecnológico, esta proporción sigue creciendo en favor de la mente. Y con la creciente importancia de la mente, la autoestima pasa a ser cada vez más importante.

El clímax de este proceso de desarrollo es la aparición de una economía de la información en la que los recursos materiales cuentan cada vez menos y el conocimiento y las ideas nuevas son cada vez más importantes.

Por ejemplo, el valor de un ordenador no está en sus componentes materiales sino en su diseño, en el pensamiento y conocimientos que encierra y en la cantidad de esfuerzo humano que hace innecesario. Los microchips están hechos de tierra; su valor está en función de la inteligencia codificada en ellos. Un cable de cobre puede transportar cuarenta y ocho conversaciones telefónicas; un único cable de fibra óptica puede transportar más de ocho mil conversaciones; sin embargo, los cables de fibra óptica son más baratos, más eficaces y su producción consume mucha menos energía que la del cobre.

Desde 1979 cada año los Estados Unidos han producido menos energía que el año anterior. La caída mundial del precio de las materias primas es una consecuencia de la importancia cada vez mayor de la mente en nuestra vida económica.

La mente ha sido siempre nuestro instrumento básico de supervivencia. Pero durante la mayor parte de nuestra historia este hecho no se ha comprendido. En la actualidad es obvio para (casi) todo el mundo.


### Desafíos

En una economía en la que el conocimiento, la información, la creatividad —y su traducción en innovaciones— son transparentemente la fuente de riqueza y de ventaja competitiva, son varios los retos que esto plantea tanto a las personas como a las organizaciones.

Para las personas, tanto si se trata de empleados como de profesionales autónomos, éstos son algunos retos:

Adquirir el conocimiento y técnicas adecuadas, y comprometerse en una vida de aprendizaje continuado, algo que exige el rápido crecimiento del conocimiento.

Colaborar eficazmente con otras personas, lo que supone capacidad de comunicación escrita y oral, capacidad de participar en relaciones no contradic-

270

torias, la comprensión de cómo llegar al consenso mediante el toma y daca, y la disposición a asumir el liderazgo y a motivar a los colaboradores cuando es necesario.

Capacidad de gestión y de responder adecuadamente al cambio.

Cultivar la capacidad de pensar por uno mismo, sin lo cual es imposible la innovación.

Estos retos suponen la necesidad de aportar un alto nivel de consciencia a nuestra vida laboral, a sus exigencias de conocimiento y técnicas y también a sus oportunidades, a las posibilidades de crecimiento y autodesarrollo que ofrece. El compromiso de aprender de por vida es una expresión natural de la práctica de vivir conscientemente.

En la relación con otras personas necesitamos un nivel de autorrespeto subyacente al respeto a los demás; estar libres de temores gratuitos, de envidia u hostilidad; tener la expectativa de recibir un trato justo y decente; y estar convencidos de que tenemos valores auténticos que aportar. De nuevo se confirma la importancia de la autoestima.

A título de ejemplo pensemos en la baja autoestima que puede presentarse en la comunicación. Las personas con problemas de autoestima a menudo empequeñecen sus ideas, incluso cuando las expresan. Pueden convertir los hechos en opiniones, de manera confusa, empezando sus oraciones con un «Yo pienso» o «Yo opino». Piden disculpas antes de avanzar una idea nueva. Hacen observaciones autodespectivas. Se ríen para liberar energía nerviosa, y lo hacen en momentos inapropiados. De repente se quedan paralizados en actitud confusa e incierta porque anticipan el desacuerdo y el «rechazo». Hacen afirmaciones que parecen preguntas elevando el tono de voz al final de cada frase. No todos los problemas de comunicación son el resultado de una formación inadecuada; a veces la causa es el autosabotaje de nuestro concepto de nosotros mismos.

---

*Un compromiso de aprender de por vida es una expresión natural de la práctica de vivir conscientemente.*

---

O bien pensemos en la cuestión de la benevolencia, la buena voluntad y la capacidad de relacionarnos constructivamente con los demás, que están relacionadas con un sentido positivo de uno mismo. Los hombres y mujeres de autoestima sana no pretenden probar su valía refutando a otros. No abordan las relaciones con una beligerancia gratuita. Es la duda en uno mismo y la inseguridad la que interpreta todos los encuentros —con el personal, con los superiores, con los subordinados, los clientes— como una guerra abierta o encubierta.

El propósito cooperativo se basa en la disposición de los participantes a ser responsables, que es un corolario de la práctica de la responsabilidad personal. Estos empeños se basan en la disposición de las personas a mantener sus promesas, cumplir sus compromisos, pensar en las consecuencias de sus actos para los demás y manifestar fiabilidad y confianza, que son expresiones de la práctica de la integridad personal.

Si en la actualidad se ofrece a las personas mucho más de lo que se les ha ofrecido nunca, en oportunidades de satisfacción, logro y expresión de sí mismos, también se les pide más en desarrollo psicológico.

Por supuesto, la autoestima está lejos de ser la única facultad —hay que tener esto bien claro— pero sin ella el individuo resulta alterado profundamente y de hecho tiene una desventaja competitiva.

Para las organizaciones este reto se traduce en lo siguiente:

Responder a la necesidad de un flujo constante de innovación cultivando una disciplina de la innovación y de la empresa en los proyectos, estrategias, políticas, prácticas y sistema de gratificaciones de la organización.

Ir más allá de un reconocimiento nominal de «la importancia del individuo» creando una cultura en la que se fomenten y recompensen la iniciativa, la creatividad, la responsabilidad de uno mismo y la contribución.

Reconocer la relación entre autoestima y rendimiento y diseñar y aplicar políticas de apoyo a la autoestima. Esto exige reconocer y responder a la necesidad que el individuo tiene de un entorno sano, inteligible, y no contradictorio, que pueda ser comprendido; de aprendizaje y de crecimiento; de consecución de logros; de ser escuchado y respetado; y de un entorno en el que se le permita cometer errores (responsable).

Dado que, a partir de los años noventa, la demanda de estos trabajadores mentales será mayor que la oferta, éstos estarán en condiciones de exigir este trato y de favorecer a las empresas que lo ofrezcan, otorgando a éstas una ventaja económica. Cuando los futuros empleados se pregunten: «¿Es ésta una organización en la que puedo aprender, crecer, desarrollarme, disfrutar de mi trabajo?», se estarán preguntando implícitamente, tanto si lo identifican como si no: «¿Es éste un lugar que apoya mi autoestima o bien que la violenta?»

*La organización exitosa del futuro será una organización orientada a la autoestima.*

Se dice que la organización exitosa del futuro será ante todo una organización de aprendizaje. Igualmente puede decirse que será una organización orientada a la autoestima.

## Sacar lo mejor de las personas

Los directivos no suelen preguntarse: «¿Cómo podemos crear en nuestra organización una cultura que apoye la autoestima?» Pero los mejores de ellos (los más conscientes) a menudo se preguntan: «¿Qué podemos hacer para estimular la innovación y la creatividad? ¿Cómo podemos hacer de éste un lugar que atraiga a los mejores? ¿Y qué podemos hacer para ganar su lealtad permanente?»

Estas preguntas son diferentes, y sin embargo la respuesta a ellas es más o menos la misma o al menos coincide sustancialmente. No sería posible tener una organización que fomentase la innovación y la creatividad y que no fomentase la autoestima de forma considerable. Sería imposible tener una organización que fomentase la autoestima, entendida racionalmente, y que no estimulase la innovación, la creatividad, la animación y la lealtad.

Pongamos un ejemplo: algunos negocios están experimentando la posibilidad de asociar los aumentos retributivos a la adquisición de conocimientos y técnicas nuevas; se paga a los empleados para aprender, para dominar nuevos ámbitos de conocimientos. Esto supone que cuanto más cultos y expertos sean, mayor será la aportación que puedan hacer a la empresa. Pero un crecimiento de la competencia, ¿no conducirá probablemente a un aumento de la experiencia de eficacia personal?

Desde el punto de vista del individuo es obvio que el trabajo puede ser un instrumento para elevar la autoestima. Los seis pilares tienen aquí una clara aplicación. Cuando aportamos un alto nivel de consciencia, responsabilidad y similares a nuestras tareas, se fortalece la autoestima igual que, cuando las evitamos, se debilita la autoestima.

Cuando las empresas me invitan a enseñar cómo pueden utilizarse los principios y la tecnología de la autoestima para estimular un mayor rendimiento, a menudo trabajo con la técnica de completar frases, pidiendo a los participantes del programa que escriban cada día de seis a diez terminaciones, durante un periodo de unas semanas, a troncos de frase como los siguientes:

273

**Si hoy aporto un 5 % más de consciencia a mi trabajo—**
**Si aporto un 5 % más de aceptación de mí mismo a mis actividades cotidianas—**
**Si hoy actúo con un 5 % más de responsabilidad de mí mismo—**
**Si hoy actúo con un 5  más de autoafirmación—**
**Si hoy actúo con un 5 % más de propósito—**
**Si hoy aporto un 5 % más de integridad a mi trabajo—**

Los principios de frase como éstos y muchas otras docenas semejantes estimulan invariablemente una experiencia directa de lo que significa la práctica de los seis pilares, no sólo para la autoestima sino también para la productividad y la eficacia interpersonal.

En esta sección me voy a centrar en la autoestima desde la perspectiva de la organización en el tipo de políticas y prácticas que o bien socavan o bien apoyan la eficacia personal y el respeto de las personas a sí mismas.

Una organización cuyos integrantes actúan con un alto nivel de consciencia, de aceptación de sí mismos (y aceptación de los demás), de responsabilidad personal, de autoafirmación (y de respeto a la afirmación de los demás), de propósito y de integridad personal sería una organización de seres humanos extraordinariamente capacitados. Estos rasgos se apoyan en una organización en la medida en que se cumplan las condiciones siguientes:

1.  Las personas se sienten seguras: seguras de no ser ridiculizadas, desvalorizadas, humilladas o castigadas por su actitud abierta y sincera o por admitir: «He cometido un error» o por decir: «No lo sé, pero voy a estudiarlo».

2.  Las personas se sienten aceptadas: son tratadas con cortesía, escuchadas, se les invita a expresar sus ideas y sentimientos, se les trata como individuos cuya dignidad es importante.

3.  Las personas se sienten retadas: se les da cometidos que animan, inspiran, ponen a prueba y amplían sus capacidades.

4.  Las personas se sienten reconocidas: se reconocen sus talentos y logros individuales y se les recompensa económicamente y de otras maneras por su aportación extraordinaria.

5.  Las personas reciben una retroalimentación constructiva: se les dice cómo mejorar su rendimiento de una forma no devaluativa que subraya sus dotes positivas en vez de sus rasgos negativos y que saca partido de sus capacidades.

6.  Las personas ven que se espera de ellas la innovación: que se les pide su opinión, se les estimula a estrujarse el cerebro, y ven que se desea que tengan nuevas ideas aplicables.

7.   Se da a las personas un acceso fácil a la información: no sólo se les proporciona la información (y recursos) que necesitan para hacer bien su trabajo, sino que se les da información sobre el contexto más general en que trabajan —las metas y progreso de la empresa— de forma que puedan comprender cómo se relaciona su actividad con el cometido general de la organización.

8.   Se da a las personas una autoridad correspondiente a su responsabilidad: se las anima a tomar la iniciativa, a tomar decisiones, a aplicar su criterio.

9.   Se da a las personas reglas y directrices claras y no contradictorias: se les proporciona una estructura que pueda captar su inteligencia y con la que puedan saber lo que se espera de ellos.

10.   Se anima a las personas a resolver el mayor número de problemas posible: se espera que resuelvan las cuestiones actuando en vez de pasar la responsabilidad de las soluciones a los superiores, y se les capacita para ello.

11.   Las personas ven que sus recompensas por el éxito son mucho mayores que sus amonestaciones por los fracasos: en demasiadas empresas, cuando las amonestaciones por los errores son mucho mayores que las recompensas por los éxitos, la gente teme asumir riesgos o expresarse abiertamente.

12.   Se anima y recompensa el aprendizaje en las personas: se anima a la gente a participar en cursos y programas internos y externos que amplíen su conocimiento y aptitudes.

13.   Las personas sienten congruencia entre el cometido declarado de la organización y su orientación manifiesta por una parte, y la conducta de líderes y directivos por otra: ven ilustrada la integridad y se sienten motivadas a comportarse de igual modo.

14.   Se trata de forma justa y equitativa la experiencia de las personas: las personas sienten que el puesto de trabajo es un universo racional en el que pueden confiar.

15.   Las personas son capaces de creer y de sentirse orgullosas por el valor de lo que producen: perciben que el resultado de sus esfuerzos es verdaderamente útil, perciben que su trabajo vale la pena.

Si en una organización se dan estas condiciones, será un lugar en el que las personas de autoestima elevada deseen trabajar. También será un lugar en el que las personas de autoestima más modesta verán aumentada ésta.

## Lo que pueden hacer los directivos

Cuando en cierta ocasión me reuní con un grupo de directivos, para explicarles las condiciones antes citadas, uno de ellos me señaló: «Usted habla acerca de la autoestima, pero lo que ha descrito son condiciones que estimulan la participación activa y creativa del empleado, que estimulan la innovación». Exactamente.

Para los ejecutivos que desean construir una organización de elevada autoestima yo formularía una lista de propuestas diferente pero que inevitablemente coincide con la anterior:

1. Trabajar en la propia autoestima: comprometerse uno mismo con elevar su propio nivel de consciencia, responsabilidad e integridad en el trabajo y en las relaciones con los demás: con el personal, con los subordinados, con los socios, con los superiores, con los clientes y con los proveedores.

2. Cuando habla con sus empleados, esté presente en la experiencia: establezca contacto visual, escuche de forma activa, ofrezca una retroalimentación adecuada, dé al que habla la experiencia de ser oído.

3. Sea empático: permita que el hablante sepa que comprende sus sentimientos y afirmaciones, que es una manera de dar al hablante una experiencia de visibilidad.

4. Sea quien sea la persona a la que hablamos, hemos de mantener un tono de respeto: no debemos permitirnos un tono condescendiente, superior, sarcástico o de inculpación.

5. Los encuentros relacionados con el trabajo deben estar centrados en las tareas, y no en el ego: nunca permita que una disputa se degrade a un conflicto entre personas; el centro de atención debe ser *la realidad*: «¿cuál es la situación?», «¿qué exige el trabajo?», «¿qué hay que hacer?»

6. Dé a sus empleados la oportunidad de practicar la responsabilidad en sí mismos: déles espacio para tomar la iniciativa, aportar ideas, intentar tareas nuevas, ampliar su campo de acción.

7. Apele a la inteligencia de sus empleados: dé las razones de las normas y directrices (cuando no sean autoevidentes), explique por qué no puede admitir ciertas peticiones; no se limite a dictar órdenes desde arriba.

8. Si comete un error en sus relaciones con alguien, se muestra injusto o intemperante, admítalo y pida disculpas: no se imagine (al igual que algunos padres autocráticos) que el admitir que se ha hecho algo mal devalúa nuestra dignidad o posición.

9. Invite a sus empleados a ofrecer retroinformación sobre el tipo de jefe que uno es: estoy de acuerdo con alguien que dijo en una ocasión: «Eres el tipo de directivo que tus empleados dicen», por lo que hay que tener cuidado en este aspecto y dejar que los empleados perciban una actitud abierta al aprendizaje y la autocorrección, y servir de ejemplo con nuestra actitud no defensiva.

10. Permita que sus empleados perciban que es seguro cometer un error o decir: «No lo sé, pero voy a estudiarlo»; crear el miedo al error o la ignorancia es invitar el engaño, la inhibición y poner fin a la creatividad.

11. Haga ver a sus empleados que pueden estar en desacuerdo con usted sin riesgos: manifieste el respeto a las diferencias de opinión y no penalice la discrepancia.

12. Describa las conductas no deseables sin atribuir culpas: si uno ha tenido una conducta no aceptable hágaselo saber, indíquele las consecuencias, manifieste qué tipo de conducta hubiese deseado y no criminalice a la persona.

13. Haga ver a sus empleados que manifiesta sinceramente sus sentimientos: si usted está dolido, enfadado u ofendido, dígalo de forma sincera y digna (y dé a todos una lección de fuerza de aceptación de sí mismo).

14. Si alguien trabaja de forma extraordinaria o toma una decisión excelente, invítele a analizar cómo y por qué sucedió: no se limite a elogiarle; formulándole las preguntas adecuadas, ayúdele a tener una mayor consciencia sobre lo que hizo posible el logro y a aumentar con ello la probabilidad de que en el futuro se produzcan otros logros similares.

15. Si alguien hace un trabajo inaceptable o toma una mala decisión, aplique el mismo principio que el anterior: no se limite a una retroalimentación correctiva; anímele a analizar qué es lo que hizo posible el error, aumentando así su nivel de consciencia y minimizando la probabilidad de una repetición.

16. Presente normas de desempeño claras e inequívocas: haga que sus empleados comprendan sus expectativas no negociables acerca de la calidad del trabajo.

17. Elogie en público y corrija en privado: reconozca los logros de forma que lo oiga el mayor número de personas posible, y permita que una persona asimile las amonestaciones en la seguridad de una conversación privada.

18. Sus elogios deben ser realistas: al igual que los padres que hacen cumplidos absurdos elogiando de forma extravagante por cosas triviales, usted puede hacer que sus reconocimientos positivos se descar-

guen de toda fuerza si son excesivos y no están ajustados a la realidad de lo logrado.

19.   Cuando la conducta de alguien plantea un problema, pídale que proponga una solución: cuando es posible, evite las soluciones por decreto y presente el problema a su responsable, estimulando así su responsabilidad de sí mismo, su autoafirmación y una mayor consciencia.

20.   Transmita de todas las maneras posibles que no le interesa imponer culpas, que le interesan las soluciones, y dé ejemplo personal de este criterio: cuando buscamos soluciones, aumenta nuestra autoestima; cuando echamos la culpa (o nos excusamos), debilitamos la autoestima.

21.   Dé a su personal los recursos, información y autoridad necesarios para hacer lo que les ha pedido que hagan: recuerde que no puede haber responsabilidad sin poder, y no hay nada que socave tanto la moral como dar la primera sin el segundo.

22.   Recuerde que un gran directivo o líder no es aquel que aporta soluciones brillantes sino el que hace posible que sus empleados encuentren soluciones brillantes: un directivo es, idealmente, un tutor, y no alguien que resuelve problemas para asombro de los niños.

23.   Asuma la responsabilidad personal de crear una cultura de la autoestima: sea cual sea la «formación en autoestima» que pueda darles, es improbable que los subordinados mantengan el tipo de conducta que recomiendo si no la ven practicada por sus superiores.

24.   Procure cambiar los aspectos de la cultura de la organización que socavan la autoestima: los procedimientos tradicionales, originados en un modelo de gestión antiguo, pueden sofocar no sólo la autoestima sino también la creatividad o la innovación (como exigir que todas las decisiones importantes recorran la cadena de mando, dejando así discapacitado y paralizado a quien debe ejecutarlas).

25.   Evite dirigir en exceso, observar en exceso e informar en exceso: una «gestión» excesiva («microgestión») es enemiga de la autonomía y de la creatividad.

26.   Planifique y presupueste adecuadamente la innovación: no pida la máxima capacidad innovadora a sus empleados para anunciar a continuación que no hay dinero (u otros recursos) porque existe el peligro de que el entusiasmo creador se seque y sea sustituido por la desmoralización.

27.   Averigüe cuales son los intereses principales de sus empleados y, cuando sea posible, contraste las tareas y objetivos con las disposiciones de cada uno: dé a sus empleados la oportunidad de hacer lo que más les gusta y mejor hacen; potencie las capacidades de sus empleados.

28.  Pregunte a sus empleados qué necesitarían para sentir que tienen más control de su trabajo y, si es posible, déselo: si quiere fomentar la autonomía, la animación y un firme compromiso ante los objetivos, capacite, capacite, capacite.

29.  Recompense las expresiones naturales de autoestima como la autoafirmación, la asunción (inteligente) de riesgos, las pautas de conducta flexibles y una firme orientación a la acción: demasiadas empresas reconocen sólo nominalmente estos valores y recompensan a quienes están conformes, no plantean preguntas difíciles, no desafían el *statu quo*, y permanecen en una actitud básicamente pasiva mientras ejecutan los movimientos de su descripción de puesto.

30.  Encargue unos cometidos que estimulen el crecimiento personal y profesional: sin experiencia de crecimiento, tiende a socavarse la autoestima y el entusiasmo por el trabajo.

31.  Estire a sus empleados: asígneles tareas y proyectos que van ligeramente por encima de sus capacidades conocidas.

32.  Eduque a sus empleados para percibir los problemas como retos y oportunidades; ésta es una perspectiva que sin duda comparten los que rinden de forma óptima y las personas con alta autoestima.

33.  Apoye al empleado con talento y que no forma parte de un equipo: a pesar de todo lo que podamos decir sobre la necesidad de una eficaz labor de equipo, tiene que haber un lugar para el ermitaño brillante que baila con un son diferente, e incluso los miembros del equipo se benefician de ver este respeto a la individualidad.

34.  Enseñe que los errores y equivocaciones son oportunidades para aprender: «¿qué puedes aprender de lo que ha sucedido?» es una pregunta que fomenta la autoestima; también fomenta el no repetir los errores y en ocasiones, señala el camino de una solución futura.

35.  Cuestione la tradición de la veteranía y promocione desde cualquier nivel en razón de los méritos: el reconocimiento de la capacidad es uno de los grandes motivos que inspiran el respeto a uno mismo.

36.  Recompense de forma generosa las aportaciones sobresalientes, como productos, invenciones, servicios y nuevos proyectos que ahorran dinero: programas de reparto de beneficios, planes de compensación diferida, dinero en efectivo o bonos de la compañía, y derechos reales pueden ser instrumentos para reforzar la señal de que su organización desea la innovación y respeta una afirmación de uno mismo y una expresión de uno mismo inteligentes.

37.  Escriba cartas de recomendación y aprecio a los que han tenido buenos logros y pida al director general que haga lo mismo: cuando las personas ven que su empresa valora su *mente*, se sienten motivadas para seguir dando lo máximo que pueden dar.

38. Fije una norma de integridad personal: mantenga sus promesas, cumpla sus compromisos, trate a todos de forma equitativa (no sólo a los de dentro sino también a los proveedores y clientes) y reconozca y apoye esta conducta en terceros; dé a sus empleados el orgullo de trabajar para una empresa *moral*.

Dudo que haya uno solo de los principios antes citados que no conozcan los ejecutivos escrupulosos, al menos en abstracto. El reto consiste en llevarlos a la práctica de manera permanente y tejerlos en el tejido de la rutina diaria.


## El papel de un directivo

Todo lo que acabo de decir es aplicable tanto a los jefes —el director general o el presidente de la empresa— como a los directivos. Pero quiero decir algo más sobre el líder o jefe.

La función primordial de un líder en una empresa es: *a)* crear y transmitir de forma persuasiva una visión de lo que ha de conseguir la organización, y *b)* animar y capacitar a todos los que trabajan para la organización a que hagan una aportación óptima para llevar a cabo esa visión y para que experimenten que, al hacerlo, actúan en beneficio de su interés personal. El líder debe ser tanto un animador como un persuasor.

Cuanto mayor sea la autoestima del líder, más probable es que pueda realizar su función con éxito. Una mente que desconfía de sí misma no puede inspirar lo mejor en la mente de los demás. Los líderes tampoco pueden animar a que los demás den lo mejor si tienen como necesidad primaria, en razón de su inseguridad, probar que ellos tienen la razón y los demás están equivocados.

Es una falacia decir que un gran líder debe ser carente de ego. Un líder necesita un ego lo suficientemente sano para que no se sienta a sí mismo expuesto en todos los encuentros de forma que pueda estar orientado a las tareas y a los resultados, y no al engrandecimiento personal o a la autoprotección.

Si se conciben los grados de autoestima dispuestos en una escala del 1 al 10, en la que el 10 representa una autoestima óptima y el 1 la autoestima casi más baja de las imaginables, un líder que tiene un 5, ¿tiene más probabilidades de contratar a un 7 o a un 3? Lo más probable es que se sienta más cómodo con un 3, pues a menudo las personas se sienten intimidadas por aquellas que tienen más confianza en sí mismas. Multiplique este ejemplo centenares o miles de veces y proyecte sus consecuencias para la empresa.

Warren Bennis, nuestro destacado erudito del liderazgo, afirma que la pasión básica de los mejores líderes que ha estudiado es la expresión de sí mismos.[5] Su trabajo es sin duda un instrumento de autorrealización. Su deseo es demostrar al mundo «quiénes son», plasmarse en la realidad, lo que yo denomino la práctica de la autoafirmación.

*Es una falacia decir que un gran líder debe ser carente de ego.*

A menudo los líderes no reconocen plenamente en qué medida «aquello que son» afecta prácticamente a todos los aspectos de su organización. No aprecian en qué medida son modelos de rol. Los fragmentos más pequeños de su conducta son percibidos y absorbidos por quienes les rodean, no necesariamente de forma consciente, y se reflejan por medio de aquellos en quienes influyen por toda la organización. Si un líder tiene una integridad impecable, fija con ello un estándar que los demás se verán obligados a seguir. Si un líder trata con respeto a la gente —socios, subordinados, clientes, proveedores, accionistas— eso tiende a traducirse en la cultura de la empresa.

Por estas razones, una persona que desee explotar su «capacidad de liderazgo» debe trabajar sobre su autoestima. La dedicación continua a los seis pilares y su práctica diaria es la mejor formación para el liderazgo como también para la vida.

## El poder de hacer el bien

¿Puede un entorno organizativo correcto transformar a una persona de baja autoestima en una con alta autoestima? No es muy probable, aunque recuerdo casos en los que un buen directivo o supervisor pudieron sacar de una persona lo que nunca nadie había sacado antes y al menos sentaron las bases para un mejor respeto personal.

Sin duda hay personas con problemas que necesitan un tipo de ayuda profesional más individualizada —estoy hablando de psicoterapia, que examinaremos en el próximo capítulo— y no es función de una organización empresarial ser una clínica psicológica.

5.  Warren Bennis, *On becoming a leader,* Nueva York, Addison-Wesley, 1989.

*Las políticas que apoyan la autoestima son también las políticas que hacen dinero.*

Pero para la persona de autoestima normal, una organización que respeta el valor e importancia del individuo tiene un potencial inmenso para hacer el bien al nivel más íntimo y personal, aun cuando ésta no es, por supuesto, su razón de ser. Y al hacerlo contribuye a su propia vida y vitalidad de una manera no distante y etérea sino, en definitiva, determinante. Las políticas que apoyan la autoestima son también las políticas que hacen dinero. Las políticas que devalúan la autoestima son las políticas que pronto o tarde harán perder dinero a una empresa simplemente porque, cuando se trata a las personas mal e irrespetuosamente, no es posible esperar sacar lo mejor de ellas. Y en la actual economía global, ferozmente competitiva y en rápida transformación, no es suficiente algo menos que lo mejor de cada cual.

# 16. La autoestima y la psicoterapia

En los años cincuenta, cuando comencé la práctica de la psicoterapia, me llegué a convencer de que la baja autoestima era un denominador común de todas las variedades de malestar personal que encontraba en mi práctica. Percibí que la autoestima era un factor causal de los problemas psicológicos y también una consecuencia de ellos. La relación era recíproca. Como señalé en la introducción, esta constatación es la que despertó mi fascinación por la materia.

A veces los problemas podían considerarse expresión directa de una autoestima subdesarrollada —por ejemplo, con vergüenza, timidez, y temor de la autoafirmación o la intimidad—. Otras veces los problemas podían concebirse como una consecuencia de la *negación* de una baja autoestima, es decir, como defensas planteadas contra la realidad del problema —por ejemplo, una conducta controladora y manipuladora, rituales obsesivo-compulsivos, agresividad inadecuada, sexualidad impulsada por el miedo, formas de ambición destructivas—, todas las cuales tendían a producir cierta experiencia de eficacia, control y valía personal. Me parecía claro que los problemas que eran manifestación de una baja autoestima también contribuían al continuo deterioro de la autoestima.

Por consiguiente, desde un principio pensé que una de las tareas primordiales de la psicoterapia es contribuir a construir la autoestima. Ésta no era la perspectiva de mis colegas. Éstos rara vez consideraban la autoestima, y cuando lo hacían el supuesto tradicional era (y es) que la autoestima se beneficiaría de forma indirecta e implícita, en calidad de subproducto de la psicoterapia: una vez resueltos los demás problemas, el cliente se sentirá naturalmente mejor consigo mismo. Es cierto que cuando disminuyen la ansiedad y la depresión, el cliente se siente más fuerte. También es verdad que el desarrollo de la autoestima disminuye la ansiedad y la depresión. Yo pensé que la autoestima puede y debe tratarse explícitamente; que debería marcar el contexto de toda la empresa terapéutica; y que incluso cuando no se trabaja en ella como tal, incluso cuando nos interesamos por resolver problemas específicos, se puede hacer enmarcando o contextualizando el proceso de tal modo que lo convierta en fortalecedor explícito de la autoestima. Por ejemplo, casi todas las escuelas de terapia ayudan a los clientes a enfrentarse a conflictos o desafíos anteriormente evitados. Pero yo normalmente pregunto lo siguiente: «¿Cómo *se siente usted consigo mismo* cuando evita una cuestión que usted sabe, a cierto nivel, que ha de afrontar? ¿Y cómo se siente consigo mismo cuando domina sus impulsos de evitación y se enfrenta a la cuestión amenazadora?» Yo enmarco el proceso en términos de sus consecuencias para la autoestima. Quiero que los clientes perciban cómo sus elecciones y acciones afectan a su experiencia de sí mismos. Creo que esta consciencia es un poderoso motivador del crecimiento; a menudo ayuda a manejar y superar el miedo.

---

*Desde un principio pensé que una de las tareas primordiales de la psicoterapia es contribuir a construir la autoestima.*

---

Mi objetivo en este capítulo no es examinar la técnica de la psicoterapia como tal, sino simplemente hacer algunas observaciones generales sobre la construcción de la autoestima en un contexto psicoterapéutico y sugerir mi propia concepción. Este capítulo va dirigido no sólo al clínico o a los estudiantes de terapia sino a todos los que en la reflexión sobre la terapia les gustaría comprender la orientación de la autoestima como marco de referencia.

## Los objetivos de la psicoterapia

La psicoterapia tiene dos objetivos básicos. Uno es aliviar el sufrimiento. El otro es facilitar e incrementar el bienestar. Si bien ambos proyectos se solapan, no son idénticos. Reducir o eliminar la ansiedad no es lo mismo que generar la autoestima, aunque puede contribuir a este fin. Reducir o eliminar la depresión no es lo mismo que crear la felicidad, aunque, de nuevo, puede contribuir a ese fin.

Por otra parte, la psicoterapia aspira a reducir los miedos irracionales, las reacciones depresivas y los sentimientos problemáticos de toda índole (quizás a resultas de experiencias traumáticas del pasado). Por otra parte, estimula el aprendizaje de aptitudes nuevas, de nuevas formas de concebir y considerar la vida, de mejores estrategias para enfrentarnos a nosotros mismos y a los demás, y un más amplio sentido de las propias posibilidades.

Yo sitúo ambos objetivos en el contexto de aspirar a fortalecer la autoestima.

Elevar la autoestima es algo más que eliminar los aspectos negativos; exige la consecución de aspectos positivos. Exige un mayor nivel de consciencia sobre nuestro funcionamiento personal. Exige una mayor responsabilidad de uno mismo e integridad. Exige la disposición de superar el miedo a afrontar los conflictos y las realidades desazonantes. Exige aprender a afrontar y dominar en vez de a retirarse y evitar.

---

*Elevar la autoestima es algo más que eliminar aspectos negativos; exige la consecución de aspectos positivos.*

---

Si alguien entra en la terapia y al final del proceso no vive más conscientemente que al principio, el trabajo ha fracasado. Si en el curso del tratamiento el cliente no crece en aceptación de sí mismo, responsabilidad de sí mismo y en todas las demás prácticas que apoyan la autoestima, tendríamos que cuestionar también la experiencia terapéutica. Sea cual sea la escuela, cualquier terapia efectiva fomenta el crecimiento en estas dimensiones, al menos en cierta medida. Pero si un terapeuta comprende la importancia de las seis prácticas y las cultiva como un proyecto consciente, es más probable que obtenga resultados congruentes. Estará retado a crear medios —cognitivos, conductuales, experienciales— que fomenten la autoestima.

Si un objetivo terapéutico es estimular un mayor nivel de consciencia en el cliente, para que éste viva de forma más racional y con un mejor contacto con la realidad, mediante la conversación, los ejercicios y procesos psicológicos, el trabajo sobre el cuerpo y la energía y las tareas a practicar en casa, se puede contribuir a eliminar, por una parte, los bloqueos de la consciencia y, por otra, a estimular y vigorizar una mayor consciencia.

Si otro objetivo es inspirar una mayor aceptación de uno mismo, se puede crear un clima de aceptación en la consulta, hacer que el cliente se identifique y recupere las partes de sí mismo bloqueadas y desafectadas, y enseñar la importancia de mantener una relación no contradictoria con uno mismo y con sus partes (véase más adelante mi examen de las subpersonalidades).

Si otro objetivo es fortalecer la responsabilidad de uno mismo, se pueden frustrar las maniobras del cliente para transferir la responsabilidad al terapeuta, facilitar mediante los ejercicios la apreciación por parte del cliente de las recompensas de la responsabilidad de sí mismo y transmitir por todos los medios que nadie va a venir a salvarle y que cada cual es responsable de sus elecciones y acciones y de la satisfacción de sus deseos.

Si otro objetivo es estimular la autoafirmación, se puede crear un entorno en el que la autoafirmación sea segura, enseñar la autoafirmación mediante ejercicios como el de completar frases, mediante psicodrama, desempeño de roles, etc. —trabajar para desactivar o neutralizar los miedos a la autoafirmación— y animar activamente al cliente a afrontar y tratar los conflictos y desafíos amenazantes.

Si otro objetivo es apoyar el vivir con propósito, se puede transmitir el papel e importancia del propósito en la vida, ayudar a la aclaración y articulación de metas en el cliente, analizar sus planes de acción, estrategias y tácticas y su necesidad para conseguir los objetivos, y trabajar para que el cliente conozca las recompensas de una vida proactiva y propositiva en vez de reactiva y pasiva.

Si otro objetivo es estimular la integridad personal, hay que centrarse en la clarificación de valores, de las confusiones y conflictos morales internos, en la importancia de elegir unos valores que apoyen la vida y el bienestar, en el beneficio de vivir congruentemente con nuestras convicciones y en el dolor de la traición a uno mismo.

No voy a desarrollar estas ideas. Las he mencionado sobre todo para sugerir una *forma de concebir* la psicoterapia cuando el cultivo de la autoestima es un objetivo central.

## El clima de la terapia

Al igual que con los padres y maestros, una actitud incondicional de aceptación y respeto es quizá la primera manera en que el psicoterapeuta puede contribuir a la autoestima de un cliente. Es el fundamento de una terapia útil.

Esta actitud se transmite en la forma de saludar al cliente cuando llega a la consulta, la forma de mirarle, la forma de hablarle y de escucharle. Esto supone cosas como cortesía, contacto visual, tener un tono no condescendiente y no moralizante, escucharle atentamente, interesarse por comprender y por ser comprendido, ser adecuadamente espontáneo, negarse a asumir el rol de autoridad omnisciente y negarse a creer que el cliente no puede crecer. El respeto debe ser incondicional, sea cual sea la conducta del cliente. El mensaje que se transmite es el siguiente: un ser humano es un ser que merece respeto; *usted* es un ser que merece respeto. Un cliente, para quien ser tratado de este modo puede ser algo raro o incluso desconocido, puede ser estimulado con el tiempo a empezar a reestructurar su concepto de sí mismo. Carl Rogers hizo de la aceptación y el respeto el núcleo de su enfoque terapéutico, pues consideraba que su influencia era extraordinariamente poderosa.

Recuerdo que una vez un cliente me dijo: «Cuando ahora recuerdo la terapia, siento que nada de lo que sucedió tuvo tanto impacto como el simple hecho de que siempre me sentí respetado por usted. Recurrí a todo lo que pude para hacer que me despreciase y me expulsase. Intenté hacer que usted se comportase como mi padre. Pero se negó a cooperar. De algún modo tuve que afrontar este hecho, tuve que asimilarlo, algo que al principio fue difícil pero que al hacerlo empezó a surtir efecto la terapia».

### Un terapeuta no es un animador.

Cuando un cliente describe sus sentimientos de miedo, dolor o cólera, no es útil responderle: «¡Oh, no debería sentirse así!» Un terapeuta no es un animador. Conviene expresar los sentimientos sin tener que recurrir a la crítica, la condena, el sarcasmo, las preguntas para distraer o las conferencias. A menudo el proceso de expresión es intrínsecamente terapéutico. Un terapeuta que no se siente cómodo con los sentimientos intensos tiene que trabajar sobre sí mismo. El ser capaz de escuchar con serenidad y empatía es esencial para poder curar (también es básico para una amistad auténtica, por no decir para amar). Cuando se ha satisfecho la necesidad de expresión emocional del cliente, a veces puede ser útil animarle a examinar sus sentimientos más en profundidad y a examinar los supuestos subyacentes que quizás han de cuestionarse.

Uno puede admitir el valor de la aceptación y el respeto en abstracto, pero su aplicación —incluso entre los terapeutas con mejores intenciones— no siempre es obvia. No estoy pensando principalmente en errores tan obvios como recurrir al sarcasmo, la condena moral u otras conductas despectivas. Estoy pensando en formas más sutiles de autoritarismo, de «salvadorismo», en: «Está usted condenado sin mi orientación», etc., que sitúan al cliente en una posición inferior y sugieren la omnisciencia del terapeuta. El psicoanálisis, que asumió el modelo de la relación tradicional entre médico y enfermo, puede ser especialmente vulnerable a este error, pero el error puede mostrarse en cualquier escuela terapéutica. Este error puede tener que ver menos con la orientación teórica del terapeuta que con su capacidad de afrontar las necesidades personales de aprecio y admiración. Yo suelo decir a mis estudiantes lo siguiente: «El objetivo no es probar que uno es brillante. El objetivo es ayudar al cliente a descubrir que *él* es brillante».

Ésta es una de las razones por las que prefiero el aprendizaje experiencial sobre la enseñanza explícita (sin negar que a veces esta última pueda ser lo adecuado). En el aprendizaje experiencial, que a menudo supone el uso de ejercicios psicológicos, procesos, tareas para hacer en casa, etc., el cliente *descubre* realidades importantes en vez de oír hablar acerca de ellas a una autoridad. La autonomía se fortalece por la misma naturaleza del proceso de aprendizaje.

### Descubrir el lado «brillante»

La mayoría de las personas que recurren a la psicoterapia tienen como uno de sus objetivos básicos el comprenderse a sí mismas. Quieren sentirse visibles a su terapeuta y desean obtener una más clara visión de sí mismas.

Para muchas personas —y aquí la influencia del psicoanálsis tradicional es profunda— el comprenderse a sí mismo está asociado principalmente con el descubrimiento de oscuros secretos. Freud, el padre del psicoanálisis, dijo que la diferencia entre el psicoanálisis y la labor detectivesca es que, para el detective, el crimen es conocido y el reto está en descubrir la identidad del criminal, mientras que para el psicoanalista el criminal es conocido y el reto es descubrir el crimen. Incluso si se considera esto algo poético y que no ha de entenderse literalmente, tiene implicaciones algo desagradables. Muchos clínicos que no necesariamente son psicoanalistas comparten esta actitud. Su orgullo profesional se centra en su capacidad de hacer que el cliente se enfrente al «lado oscuro» (en la terminología de Jung, «la sombra») e integrarlo en vez de rechazarlo. Éste puede ser, sin duda, un proyecto necesario e importante. Sin embargo, una terapia orientada a la autoestima tiene diferentes prioridades, un enfoque diferente.

La gente no tiene una necesidad menos reconocida que la necesidad de establecer contacto con sus *recursos* no identificados (y posiblemente rechazados). Se trata de la necesidad de comprender las dotes que poseen actualmente, los potenciales que nunca han examinado, la capacidad de autocuración y autodesarrollo que poseen y nunca han realizado. Una distinción fundamental entre los terapeutas, sea cual sea su orientación teórica, es la de si conciben su tarea principalmente como la labor de desvelar las dotes o errores, las virtudes o puntos débiles, los déficit o los recursos. La psicoterapia orientada a la autoestima se centra en los aspectos positivos —en el desvelamiento y activación de las capacidades— como prioridad máxima. También aborda —como es de rigor— los aspectos negativos, pero siempre en el contexto del enfoque y acentuación de los factores positivos.

Todo el que esté algo familiarizado con la psicología conoce el peligro de rechazar al asesino interior. Pero son muy pocos los que comprenden la tragedia que supone rechazar al héroe que llevamos dentro. En psicoterapia a menudo es bastante fácil ver la parte del individuo de carácter neurótico. El reto consiste en percibir —y movilizar— la parte que está sana.

———

*Todo el que esté algo familiarizado con la psicología conoce el peligro de rechazar al asesino interior. Pero son muy pocos los que comprenden la tragedia que supone rechazar al héroe que llevamos dentro.*

———

Lo que sucede a veces es que, sencillamente, desconocemos nuestros recursos positivos. No reconocemos todo aquello de lo que somos capaces. Sin embargo, en ocasiones reprimimos nuestro conocimiento. Recuerdo cuando hace años trabajé con una joven en un grupo de terapia. Se mostraba bastante cómoda cuando decía las cosas más ultrajantemente negativas (e injustas) sobre sí misma. Yo entonces le pedí —a título de experimento— ponerse en pie delante del grupo y decir en voz alta, una y otra vez, lo siguiente: «La verdad es que soy muy inteligente». Al principio su voz estaba ahogada y no podía hacerlo. Entonces le ayudé a decirlo, y ella rompió a llorar. Entonces le presenté el siguiente tronco de frase: **Lo malo de admitir mi inteligencia es**—. Éstas fueron sus primeras terminaciones:

> Mi familia me odiará
>
> Se supone que en mi familia nadie tiene cabeza.
>
> Mis hermanas y hermanos estarán celosos.
>
> Yo dejaré de ser querida.
>
> *Tendré que asumir la responsabilidad de mi vida.*

Entonces le presenté el siguiente tronco de frase: **Si aplicase mi inteligencia a mis problemas**—. Entre sus terminaciones destaco estas:

> Yo sabría que ya soy responsable de mi vida, tanto si lo admito como si no.
>
> Me daría cuenta de que estoy viviendo en el pasado.
>
> Yo sabría que ya no soy una niña.
>
> Vería que la que tuvo miedo fue la niñita, no yo, la adulta.
>
> Tomaría posesión de mi vida.

Entonces le presenté el siguiente tronco de oración: **Lo espantoso de tener que admitir mis dotes es**—. Sus terminaciones fueron éstas:

289

Nadie se apenaría de mí [*riendo*].

Me adentraría en un terreno desconocido.

Tendría que pensar de otra manera acerca de mi novio.

Sabría que nada me retiene salvo yo misma.

Podría quedarme sola.

Tendría que aprender una nueva forma de vida.

Supongo que la gente se haría expectativas de mí.

Tendría que aprender a autoafirmarme.

¡Ahora no parece aterrador!

Son muchas las formas en que los terapeutas hábiles ponen a sus clientes en contacto con sus recursos positivos, y no es necesario analizarlas aquí. Lo importante aquí es sólo la cuestión básica: ¿está el terapeuta orientado *principalmente* a las responsabilidades o las dotes? (no siempre se puede uno fiar de la palabra del terapeuta en este aspecto, pues a menudo la conducta difiere de la creencia que se tiene). Uno de los secretos de los grandes dotes de Virginia Satir como terapeuta familiar fue su convicción de que las personas poseían todos los recursos que necesitaban para resolver sus problemas, y su capacidad de transmitir esa convicción a las personas a las que trataba. Por lo que atañe a los resultados, es una de las capacidades más importanes que puede poseer un terapeuta.

### Estrategias de supervivencia

Los clientes tienen que comprender que las personas son, por su misma naturaleza, resolutoras de problemas. Las soluciones que tomamos, en respuesta a los retos a que nos enfrentamos, aspiran consciente o inconscientemente a satisfacer nuestras necesidades. En ocasiones los medios que utilizamos no son prácticos e incluso pueden ser autodestructivos —«neuróticos»— pero en algún nivel nuestra intención es cuidar de nosotros mismos. Incluso el suicidio puede considerarse un esfuerzo trágico por cuidar de uno mismo, quizá por escapar a un sufrimiento intolerable.

En la juventud podemos extrañar y reprimir sentimientos y emociones que suscitan desaprobación de las personas queridas y conmueven nuestro equilibrio, y podemos pagar por ello un precio posteriormente en términos de alienación de uno mismo, percepción distorsionada y otros síntomas diversos. Pero desde la perspectiva del niño la represión tiene una utilidad funcional; tiene un valor para la supervivencia; su intención es capacitar al niño para vivir con más éxito o al menos para minimizar el dolor. O bien en la juventud podemos experimentar un considerable daño y rechazo y desplegar una actitud de rechazo de antemano de los demás, como medida de «autoprotección». Esta actitud no permite una vida feliz. Y sin embargo su intención no es causar sufrimiento sino reducirlo. Las estrategias de supervivencia que no sirven a nuestros intereses sino que en realidad nos causan daño, pero a las que sin embargo nos apegamos como a un salvavidas en una marejada, son las que los psicólogos llaman «neuróticas». Las que sirven a nuestros intereses las llamamos correctamente «adaptaciones buenas», como aprender a andar, hablar, pensar y ganarnos la vida.

Los clientes pueden estar profundamente avergonzados de algunas de sus respuestas disfuncionales a los retos de la vida. No enfocan su conducta desde la perspectiva de su supuesta utilidad funcional. Tienen consciencia de su timidez o agresividad excesiva o evitación de la intimidad con las personas o sexualidad compulsiva, pero no de sus raíces. No están en contacto con las necesidades que ciegamente intentan satisfacer. Su vergüenza y culpabilidad no les hacen más fácil mejorar su situación, sino todo lo contrario. Así pues, una de las formas en que podemos apoyar la autoestima es educando a los clientes en la idea de estrategias de supervivencia, ayudándoles a ver que sus peores errores pueden concebirse como intentos fallidos de autoconservación. Tiene que examinar y comprender los sentimientos de autocondena, pero una vez hecho esto debe aprender que ya no tienen objeto alguno. Una vez disminuyen estos sentimientos, el cliente está más libre de examinar las soluciones que mejor satisfacen sus necesidades. «Si piensa que lo que hace no sirve de nada, ¿está dispuesto a considerar alternativas más satisfactorias para usted? ¿Está dispuesto a probar algo diferente?»

## Integración de subpersonalidades

A un nivel más técnico, quizá los dos métodos más característicos de mi enfoque son el uso de ejercicios de completar frases, que he ilustrado a lo largo de todo el libro así como en varios de mis libros anteriores, y el trabajar con subpersonalidades, aspecto al que me voy a referir a continuación.*

En mi exposición del segundo pilar de la autoestima, la práctica de la

---

\* El apéndice B contiene un programa de completar frases para treinta y una semanas, ideado específicamente para aumentar la autoestima.

aceptación de sí mismo, me referí a aceptar «todas las partes» de nosotros mismos, en especial los pensamientos, emociones, acciones y recuerdos. Pero nuestras «partes» incluyen subpersonalidades reales con valores, perspectivas y sentimientos característicamente propios. No me refiero a «personalidades múltiples», en el sentido patológico. Estoy hablando de los componentes normales de una psique humana, de los cuales la mayoría de las personas no son conscientes. Cuando un psicoterapeuta desea contribuir al desarrollo de una sana autoestima, la comprensión de la dinámica de las subpersonalidades es un instrumento de inestimable valor. Es un terreno que no es probable que una persona descubra por sí misma.

La idea de subpersonalidades es casi tan antigua como la propia psicología, y podemos encontrar alguna versión de ella en diversos autores. Expresa la idea de que una concepción monolítica del yo, en la que cada persona tiene una y sólo una personalidad, con un único conjunto de valores, percepciones y respuestas, es una simplificacion excesiva de la realidad humana. Pero más allá de esa generalización, los psicólogos tienen concepciones muy diferentes de las subpersonalidades, y trabajan de forma muy diversa en ella en la práctica de la psicoterapia.

Mi esposa y colega, Devers Branden, fue quien me convenció en primer lugar de la importancia de trabajar la autoestima mediante la subpersonalidad, y empezó a crear métodos innovadores para identificar e integrar estas partes varios años antes de que yo me interesase por este tema. Nuestro trabajo refleja la idea de que las subpersonalidades no reconocidas o extrañadas y rechazadas tienden a convertirse en fuentes de conflicto, deseos no deseados y conducta inapropiada. Las subpersonalidades que se reconocen, respetan e integran en el conjunto de la personalidad se convierten en fuente de energía, riqueza emocional, opiniones más sólidas y un sentido de la identidad más consumado. Se trata de una materia muy compleja, que aquí sólo podemos presentar sumariamente.

Para empezar por el ejemplo más obvio: además del yo adulto que todos reconocemos como «aquel que somos», hay en nuestra psique interior un yo niño, la presencia viva del niño que fuimos una vez. En cuanto potencial de nuestra consciencia, estado mental al que todos volvemos en ocasiones, ese marco de referencia y forma de responder del niño es un componente estable de nuestra psique. Pero podemos haber reprimido ese niño hace tiempo, haber reprimido sus sentimientos, percepciones, necesidades, respuestas, por la errónea noción de que para avanzar hacia la edad adulta era necesario «matarlo». Este reconocimiento nos hizo pensar que nadie podía ser una persona consumada sin volver a recuperar el contacto y a crear una relación benévola y consciente con el yo niño. Esta tarea es especialmente importante para conseguir la autonomía. Me di cuenta de que cuando se descuida esa tarea, la persona tiene a buscar una curación en el exterior, en otras personas, y eso nunca funciona: la curación que se necesita no está entre uno mismo y los demás sino entre el yo adulto y el yo niño. Es improbable que una persona que sobrelleva unos penosos sentimientos de rechazo durante toda su vida cobre consciencia de que el problema se ha interiorizado y que ha caído en un rechazo de sí misma, incluido el rechazo del yo niño por el yo adulto, lo cual explica que ninguna *fuente externa* de aprobación pueda curar la herida.

En primer lugar, ¿qué entiendo por «subyó» o «subpersonalidad»? (utilizo ambos términos como sinónimos).

*Un subyó o subpersonalidad* es un componente dinámico de la psique de una persona, con una perspectiva, orientación valorativa y «personalidad» propia distintivas; que puede ser más o menos dominante en las respuestas del individuo en cualquier momento dado; un componente del que la persona puede tener más o menos consciencia, puede aceptar más o menos y recibir de manera más o menos benévola; que puede estar más o menos integrado en el sistema psicológico total de la persona; y que es susceptible de crecimiento y cambio con el tiempo (denomino «dinámico» al subyó porque interactúa activamente con los demás componentes de la psique y no es un mero depósito pasivo de actitudes).

*El yo niño* es el componente de la psique que contiene la «personalidad» del niño que una vez fue, con la serie de valores de aquel niño, sus emociones, necesidades y respuestas; no es un arquetipo genérico infantil o universal, sino un niño concreto e histórico, único en la historia personal y el desarrollo de un individuo (es algo muy diferente al «estado de yo infantil» del análisis transaccional; el AT utiliza un modelo genérico).

Hace casi dos décadas ofrecí un seminario sobre autoestima en el que guié a la clase a través de un ejercicio que suponía un encuentro imaginario con el niño que cada uno fue en una ocasión. Después, durante la pausa, una mujer se dirigió a mí y me dijo: «¿Quiere saber lo que hice cuando me di cuenta de que la niña que estaba allí sentada bajo el árbol, esperándome, era mi yo de cinco años? Creé una corriente de agua que venía detrás del árbol, arrojé a la niña a ella y la ahogué». La mujer dijo esto con una sonrisa amarga y frágil.

Lo que esta anécdota revela no es sólo que podemos no ser conscientes de cualquier subyó particular, sino que la consciencia puede ir asociada momentáneamente a hostilidad y rechazo. No hace falta decir que no podemos tener una autoestima sana mientras rechazamos una parte de nuestro ser. Nunca he trabajado con una persona deprimida cuya identidad adulta no odiase (no simplemente ignorase o rechazase) a su yo niño. En mi obra *Cómo mejorar su autoestima* ofrezco algunos ejercicios para identificar e integrar el yo niño y el yo adolescente (además del trabajo ofrecido en el programa de autoestima antes presentado).

*El yo adolescente* es el componente de la psique que contiene la «personalidad» del adolescente que una vez fuimos, con su serie de valores, emociones, necesidades y respuestas; no es un adolescente genérico o un arquetipo universal, sino específico e histórico, único en la historia y desarrollo del individuo.

---

*Nunca he trabajado con una persona deprimida cuya identidad adulta no odiase (no simplemente ignorase o rechazase) a su yo niño.*

---

A menudo, cuando trabajo con parejas con problemas de relación, es especialmente útil una exploración del yo adolescente. Éste es el subyó que a menudo desempeña un papel importante en la elección de pareja. Y es el estado mental al que a menudo volvemos inconscientemente en los momentos de relaciones problemáticas o situaciones de crisis, manifestadas por conductas de rechazo como: «¡*A mí* no me importa!» o: «¡Nadie va a tenerme nunca más!» o: «¡No *me* digas lo que tengo que hacer!»

Recuerdo a una pareja que traté, ambos psicoterapeutas, que acudieron a mi consulta furiosos el uno con el otro. Él tenía cuarenta y un años y ella treinta y nueve, pero parecían adolescentes en su actitud de colérico desafío al otro. En el camino a mi consulta ella le había dicho que al verme me contaría una información particular; para dar «autoridad» a su anuncio, evidentemente había recurrido a una voz «mayor», que él oía como la voz de su madre. «¡No me digas lo que tengo que hacer!», espetó él. Durante la adolescencia, la mujer había sido objeto de «constantes» reproches de sus padres y, al adoptar una actitud adolescente en respuesta al desplante de su marido, estrelló su puño contra el hombro de éste, gritándole: «¡No me hables de ese modo!» Más tarde, cuando volvieron a su consciencia adulta normal, se sintieron avergonzados de su conducta: «era como si estuviésemos poseídos por demonios», dijo uno de ellos. Así es como puede sentirse uno cuando domina una subpersonalidad y no comprendemos lo que sucede. Yo les había ayudado a quitarse su estado mental adolescente formulándoles una pregunta: «¿Cómo se sienten *ahora*?; ¿están ya en la edad que necesitan para resolver este problema?»

*El yo del sexo opuesto* es el componente de la psique que contiene la subpersonalidad femenina del varón y la subpersonalidad masculina de la mujer, no es un arquetipo «femenino» o «masculino» genérico o un arquetipo universal, sino un componente individual de cada hombre o mujer, que refleja aspectos de su desarrollo personal, aprendizaje, aculturación y desarrollo general.

Suele haber una correlación bastante estrecha entre la forma de relacionarnos con el otro sexo en el mundo y la forma de relacionarnos con él en nuestro interior. El hombre que afirma que las mujeres le resultan un insondable misterio está casi con toda seguridad absolutamente fuera de contacto con la mujer que lleva dentro, igual que la mujer que afirma que los hombres son incomprensibles está separada de su lado masculino. En la terapia he comprobado que una de las formas más poderosas de ayudar a hombres y mujeres a tener una mayor eficacia en las relaciones amorosas es trabajar con ellos en su relación con su yo del sexo opuesto volviendo la relación más consciente, aceptante, benévola y por ello más integrada en el conjunto de la personalidad. Como es de esperar, las mujeres están a menudo mucho más cómodas con la idea de tener un lado masculino interior que los hombres con la idea de tener un lado femenino; pero no es difícil demostrar ambos subyós (dicho sea de paso, esto no tiene nada que ver con la homosexualidad o bisexualidad).

*El yo madre* es el componente de la psique que contiene una interiorización de los aspectos de la personalidad, perspectiva y valores de la madre de uno (u otras «figuras maternas» femeninas mayores que tuvieron una gran influencia durante la niñez). Una vez más, se trata de una «madre» individual e histórica, y no genérica o universal (y una vez más es algo muy diferente del genérico «estado de yo padre» del AT; el padre y la madre son ambos padres, pero son muy diferentes y no deben considerarse una unidad psicológica; a menudo emiten mensajes muy diferentes y tienen actitudes y valores diferentes).

En una ocasión, al bajar a la calle con mi último cliente del día y percibir el intenso frío que hacía, le dije al joven, de manera impulsiva y bastante atípica en mí: «¡Pero cómo! ¿has salido de casa sin jersey?» Antes de que mi asombrado cliente pudiese responder, le dije: «Espera. No respondas. Yo no he dicho eso. Lo ha dicho mi madre». Ambos nos pusimos a reír. Por unos momentos, mi yo madre se había adueñado de mi consciencia.

Esto sucede —por supuesto, más en serio— constantemente. Mucho después de que nuestra madre haya fallecido, recordamos sus mensajes en nuestra cabeza y a menudo imaginamos que son nuestros, sin ver que la voz es la suya, y no nuestra, y que hemos interiorizado su punto de vista, valores y orientación, que hemos dejado anidar en nuestra mente.

*El yo padre* es el componente de la psique que contiene una interiorización de los aspectos de la personalidad, perspectiva y valores del padre de uno (o de otras «figuras paternas» que tuvieron una gran influencia durante la niñez).

En una ocasión tuve un cliente que, cuando se mostraba amable y congenial con su novia, luego se sentía «culpable» por ello, una reacción desconcertante e inusual. Lo que aprendimos fue que la fuente de su «culpa» era el yo padre no reconocido que se burlaba de él y venía a decirle, más o menos, esto: «Las mujeres están para ser usadas, y no para ser tratadas como personas. ¿Qué tipo de hombre eres tú?» La lucha del cliente pasó a ser la distinción entre su voz y la de su yo padre.

Esta lista de subpersonalidades no pretende ser exhaustiva sino meramente indicar las que vemos con más frecuencia en la práctica profesional. Lo que necesita de nosotros cada uno de estos subyós es comprensión, aceptación, respeto y benevolencia, y en nuestra terapia hemos creado técnicas para conseguir este resultado.

Hace algunos años Devers identificó dos subpersonalidades que nos han resultado de provecho en la práctica profesional. Desde un punto de vista técnico no se trata de subpersonalidades en el mismo sentido que el citado, pero funcionalmente pueden abordarse del mismo modo. Se trata del *yo exterior* y el *yo interior*.

*El yo exterior* es el componente de la psique que se expresa mediante el yo que presentamos al mundo. Expresado en términos muy sencillos, el yo exterior es el yo que ven los demás. Puede ser un instrumento muy adecuado para la expresión del yo interior al mundo, o bien puede ser una distorsión muy blindada y defendida de nuestro yo interior.

*El yo interior* es el yo que sólo nosotros podemos ver y experimentar; es el yo privado; el yo percibido subjetivamente. (Un tronco de frase muy poderoso: **Si mi yo exterior expresase más de mi yo interior en el mundo—.**)

Un aspecto esencial de nuestra terapia consiste en *equilibrar o integrar supersonalidades*. Se trata de un proceso de trabajo con los subyós para conseguir diversos fines relacionados entre sí, entre los que podemos citar los siguientes:

1.   Aprender a reconocer una subpersonalidad determinada, a aislarla e identificarla en el conjunto de nuestra experiencia.

2.   Comprender la relación existente entre el yo consciente adulto y esta subpersonalidad particular (por ejemplo, consciente, semiconsciente, inconsciente, de aceptación o rechazo, benévola u hostil).

3.   Identificar los rasgos más destacados de la subpersonalidad, como sus inquietudes principales, emociones dominantes, formas de respuesta características.

4.   Identificar las necesidades no satisfechas o los deseos de la subpersonalidad relacionados con el yo consciente adulto (por ejemplo, ser oído, que nos escuchen, ser aceptado con respeto y compasión).

5. Identificar la conducta destructiva por parte de la subpersonalidad cuando el yo adulto consciente ignora o no satisface necesidades o deseos importantes.

6. Establecer una relación entre el yo consciente adulto y la subpersonalidad de consciencia, aceptación, respeto, benevolencia y comunicación abierta.

7. Identificar la relación existente entre una subpersonalidad particular y las demás existentes en la psique y resolver cualesquiera conflictos entre ellas (mediante diálogo, ejercicios de completar frases y labor ante el espejo).

Devers ideó un método especialmente eficaz para que los clientes pudiesen tener diálogos con sus subyós. La labor ante el espejo con las subpersonalidades es una forma de psicodrama, que conlleva una alteración de la consciencia, en la que el cliente/sujeto se sienta frente a un espejo, lleva la consciencia (estado de yo) a una subpersonalidad particular y en ese estado habla al yo adulto consciente observado en el espejo, casi siempre utilizando terminaciones de frase (por ejemplo: **Mientras estoy aquí sentado mirándote—; Una de las maneras de tratarme como hizo mi madre es—; Una de las cosas que quiero de ti y que nunca he conseguido es—; Si me sintiese aceptado por ti—; Si sintiese que tienes compasión de mis conflictos—**).

---

*A veces constatamos que el proceso de aceptación de uno mismo está bloqueado y no sabemos por qué.*

---

Tanto si trabaja con un yo más joven, un yo del sexo opuesto o con un yo padre hacia el objetivo de una mayor integración y una mayor experiencia general de completitud, los pasos son siempre los mismos, y son los indicados más arriba. Mediante este proceso convertimos los subyós extrañados de fuentes de agitación y conflicto en recursos positivos que pueden darnos energía y enriquecernos.

¿Podemos llegar a dominar la práctica de la aceptación de uno mismo sin aprender nada sobre las subpersonalidades? Por supuesto. Si aprendemos a aceptar y respetar nuestras señales interiores, a estar plenamente presentes a nuestra propia experiencia, eso es lo que la autoestima nos reclama por lo que respecta a la aceptación de uno mismo.

Sin embargo, a veces constatamos que el proceso de aceptación de uno mismo está bloqueado y no sabemos por qué. Voces misteriosas en nuestra cabeza practican una autocrítica implacable. La aceptación de sí mismo se parece a un ideal que nunca podemos alcanzar. Cuando sucede esto, el trabajar con subpersonalidades puede convertirse en un camino hacia el éxito.

En psicoterapia la subpersonalidad puede tener un valor inestimable, pues uno de los obstáculos del aumentar nuestra autoestima pueden ser las voces de los padres que bombardean al individuo con mensajes críticos e incluso hostiles. Nosotros los terapeutas tenemos que saber cómo acallar aquellas voces negativas y convertir un yo madre o un yo padre opuestos en un recurso positivo.

## Aptitudes que necesita un terapeuta orientado hacia la autoestima

Todo terapeuta necesita tres habilidades básicas para desempeñar efectivamente su trabajo: aptitudes de relaciones humanas, como una relación constructiva, crear una atmósfera de seguridad y aceptación y transmitir una perspectiva de esperanza y optimismo. Luego vienen las aptitudes que necesita un terapeuta para abordar problemas específicos, como las disfunciones sexuales, los trastornos obsesivo-compulsivos y los problemas pro-' fesionales.

Si el terapeuta considera que la autoestima es esencial para su labor, ha de abordar algunas preguntas específicas. Pueden resumirse en forma de preguntas:

¿Por qué medios me propongo ayudar a mi cliente a vivir de forma más consciente?

¿Cómo voy a enseñar la aceptación de sí mismo?

¿Cómo voy a facilitar un nivel superior de responsabilidad en mí mismo?

¿Cómo estimularé un superior nivel de autoafirmación?

¿Cómo voy a conseguir que el cliente opere con un superior sentido de propósito?

¿Cómo voy a inspirar mayor integridad en la vida cotidiana?

¿Qué puedo hacer para fomentar su autonomía?

¿Cómo puedo contribuir a que el cliente tenga un mayor entusiasmo por la vida?

¿Cómo puedo despertar los potenciales positivos bloqueados?

¿Cómo puedo ayudar al cliente a afrontar los conflictos y retos de una manera que amplíe su ámbito de confort, competencia y dominio?

¿Cómo puedo ayudar al cliente a liberarse de los miedos irracionales?

¿Cómo ayudo al cliente a liberarse del lacerante dolor de antiguas heridas y viejos traumas, originados quizás en su infancia?

¿Cómo puedo ayudar al cliente a reconocer, aceptar e integrar los aspectos de su yo negados y extrañados?

Por la misma razón, un cliente que desee valorar su propia terapia podría utilizar las normas implícitas en estas preguntas para examinar un enfoque terapéutico o el progreso personal que ha experimentado con este enfoque. Las preguntas resultantes serían éstas: ¿estoy aprendiendo a vivir de forma más consciente?; ¿estoy aprendiendo una mayor aceptación de mí mismo? La manera de tratarme mi terapeuta, ¿fomenta mi experiencia de autonomía y potenciación? Y así sucesivamente.

## Miedo, dolor y la mejora de los aspectos negativos

Los miedos irracionales tienen casi siempre un efecto negativo en nuestro concepto de nosotros mismos. A la inversa, la eliminación de los miedos irracionales determina un aumento de la autoestima. Ésta es una de las tareas básicas de la terapia.*

El aliviar el dolor del pasado, por la sensación de debilidad que a menudo provoca y las defensas que normalmente empleamos contra él, constituye otro obstáculo en la búsqueda de una mayor autoestima.** Cuando somos capaces de reducir o eliminar el dolor de las heridas psicológicas, tiende a aumentar la autoestima.

---

*Cuando eliminamos los aspectos negativos, despejamos el camino para que aparezcan los aspectos positivos, y cuando cultivamos estos últimos, los aspectos negativos suelen debilitarse o desaparecer.*

---

Al trabajar con las cuestiones singularizadas en las pregunta anteriores, constantemente oscilamos entre las que denomino cuestiones «positivas» (por ejemplo, aprender a vivir de manera más consciente) de las «negativas» (por ejemplo, eliminar los miedos irracionales). Están entrelazadas en

* Quiero manifestar mi reconocimiento hacia la labor revolucionaria de mi colega el doctor Roger Callahan como creador de la que considero una tecnología verdaderamente innovadora para reducir o eliminar los miedos debilitantes. Partiendo de un concepto de sistema energético humano cuyas raíces pueden remontarse, mediante la acupuntura, a la medicina china, pero que tiene un considerable cuerpo de evidencia científica en Occidente, la obra de Callahan tiene implicaciones profundas para todas las artes curativas. La mejor introducción a su obra es su monografía titulada *The rapid treatment of panic, anxiety and agoraphobia.*

** No estoy en condiciones de ofrecer un apoyo ciego a todas las afirmaciones que pueda hacer Callahan sobre su terapia, pero yo mismo he podido comprobar extraordinarios resultados en el tratamiento del miedo, el dolor y las secuelas emocionales del trauma, como también lo han hecho otros colegas.

todo momento. Conviene aislarlas conceptualmente para los fines de la exposición y el análisis, pero en realidad no operan aisladamente. Cuando eliminamos los aspectos negativos, despejamos el camino para que aparezcan los aspectos positivos, y cuando cultivamos estos últimos, los aspectos negativos suelen debilitarse o desaparecer.

En los últimos años se han conseguido avances importantes en psicofarmacología, con implicaciones para la mejora de algunos aspectos «negativos», especialmente en personas con trastornos graves —los orígenes de sus problemas se imputan a desequilibrios bioquímicos—. Gracias a ellos, muchos hombres y mujeres pueden ahora funcionar de una manera que antes les había sido imposible. Pero este terreno no está libre de controversias. Los adversarios de las ventajas que suponen sus partidarios afirman que éstos han exagerado excesivamente, no están avaladas por las recensiones de investigación y además niegan o minimizan los peligrosos efectos secundarios de algunos de estos psicofármacos.* He tratado a pacientes antes y después de que su ansiedad, depresión o reacciones obsesivo-compulsivas fuesen reducidas o eliminadas (¿o enmascaradas?) por sustancias químicas, pero lo que siempre me sorprendió es que subsistían sus problemas fundamentales de autoestima, al margen de que se «sintiesen» o no mejor. Sin embargo, uno de los beneficios terapéuticos de su medicación, además de aliviar el sufrimiento, es que a menudo les hacía más capaces de participar en la psicoterapia. Lo malo es que a veces facilitaba su evasión de los problemas reales, cuya solución exigía algo más que ingerir una pastilla.

La metodología evoluciona y seguiremos descubriendo nuevas formas de alcanzar nuestras metas en la terapia. Mi principal propósito en este capítulo es el de considerar cuáles han de ser nuestras metas. Lo que he deseado es presentar algunos principios rectores básicos de un enfoque basado en la autoestima.


## La terapia del futuro

Como la consciencia acerca de la importancia de la autoestima se extiende cada vez más por nuestra cultura, es fácil sacar la conclusión de que cada vez serán más los clientes que pregunten a sus psicoterapeutas: «¿Cómo puedo aumentar mi autoestima?» Cada vez será mayor la demanda de una tecnología específicamente dedicada a esta problemática. Pero primero te-

---

\*  Para una crítica de la psiquiatría de orientación farmacológica, véase la obra *Toxic Psychiatry*, de Peter R. Breggan, Nueva York, St. Martin's Press, 1991.

nemos que comprender qué es exactamente la autoestima y de *qué depende su desarrollo sano.*

Por ejemplo, hay un enfoque de la autoestima que opera primariamente en términos de ayudar al cliente a tener una mayor eficacia práctica, es decir, a adquirir nuevas aptitudes. Éste es sin duda un aspecto importante de la terapia de la autoestima, pero sólo un aspecto. Si el cliente vive de forma hipócrita y deshonesta, las nuevas aptitudes no vendrán a llenar el vacío de su sentido de valía personal. O bien, si el cliente ha interiorizado la voz hipercrítica de su madre o padre (representadas por un yo madre o un yo padre), una sensación de insuficiencia o indignidad básica puede coexistir con un alto nivel de rendimiento. O bien, si el cliente piensa en la competencia y la valía sólo en términos de conocimientos y aptitudes específicas, pero no de los procesos mentales subyacentes que las posibilitan, un profundo sentimiento de ineficacia puede coexistir con diversas capacidades adquiridas. En relación a esto último cabe precisar lo siguiente: cuando decimos que la eficacia personal es la confianza en nuestra competencia para afrontar los retos básicos de la vida, estamos anclando este componente de la autoestima no en conocimientos o aptitudes específicas *sino en nuestra capacidad de pensar, de tomar decisiones, aprender y perseverar frente a las dificultades,* que son cuestión de proceso, y no de contenido. Una terapia efectiva de la autoestima tiene que estar enfocada al proceso, pero ha de ser algo más. Tiene que ser lo suficientemente global para abordar no sólo cuestiones relativas a la competencia sino también a la valía, al respeto a uno mismo: la confianza de que uno merece amor, éxito y felicidad.

Otra tradición es la de que la autoestima es el conjunto de «valoraciones reflejas» de las personas significativas. Así, un terapeuta puede decir a su cliente, con toda lógica, lo siguiente: «Usted debe aprender a hacerse agradable a los demás». Sin embargo, en realidad son pocos los terapeutas que dicen esto; y tampoco dicen: «Mediante la terapia aprenderá a manipular a los demás con tanta pericia que la abrumadora mayoría de personas no tendrá otra opción más que quererle y entonces tendrá autoestima». Y sin embargo, si uno cree que la autoestima es un regalo de los demás, ¿por qué no decir esto? Sospecho que la respuesta es que, por mucho que teóricamente nos hayan «dirigido los demás», en algún lugar tenemos un conocimiento tácito de que la aprobación que necesitamos es la de nuestro interior. En la infancia dependemos de los demás para la satisfacción de la mayoría de nuestras necesidades. Unos niños son más independientes que otros, pero ningún niño puede tener el nivel de independencia de un adulto. Al madurar, nos volvemos «autónomos» en un número cada vez mayor de ámbitos, incluida la autoestima. Si nos desarrollamos de forma normal, transferimos la fuente de aprobación del mundo a nosotros mismos; pasamos de lo exterior a lo interior. Pero si uno no comprende la naturaleza y raíces de la autoestima adulta, y piensa en términos de «valoraciones reflejas», se encontrará en grave desventaja cuando tenga que poner en la práctica efectiva la teoría.

---

*Si nos desarrollamos de forma normal, transferimos la fuente de aprobación del mundo a nosotros mismos; pasamos de lo exterior a lo interior.*

---

Algunos psicoterapeutas identifican la autoestima exclusivamente con la aceptación de sí mismo y la consideran de hecho como un derecho innato, que no requiere esfuerzo posterior alguno. Este enfoque transmite una concepción muy limitada de lo que la autoestima es y exige. Por importante que sea la aceptación de sí mismo, el cliente se quedará pensando por qué no satisface el ansia de algo más —en algún momento, el cliente se quejará de no saber cómo comunicar y de no tener orientación alguna.

Por estas razones recomiendo que una persona que busque asistencia profesional para elevar su autoestima, una empresa eminentemente valiosa y admirable, hará bien en entrevistarse con el futuro terapeuta y formularle estas preguntas:

¿Qué entiende usted por autoestima?

¿De qué cree que depende una buena autoestima?

¿Qué vamos a hacer juntos que tenga un efecto positivo sobre mi autoestima?

*¿Qué razones tiene para pensar así?*

Cualquier profesional escrupuloso respetará estas preguntas.

# 17.  La autoestima y la cultura

Una manera de profundizar en la comprensión de los temas vistos en este libro es considerar la autoestima en relación y bajo la influencia de la cultura.

Empecemos por considerar la idea de la autoestima en sí misma. No es una idea —y menos aún un ideal— que se encuentre en todas las culturas. Ha surgido en Occidente no hace mucho y todavía está lejos de ser entendida correctamente.

En la época medieval el «yo» tal y como lo entendemos permanecía aún soterrado en la psique humana. La actitud mental básica era tribal, no individualista. Cada persona había nacido en un lugar distinto y era inmutable en el orden social. Con muy raras excepciones, nadie podía elegir un oficio sino más bien se le atribuía el papel de campesino, artesano o caballero o el papel de esposa. El sentimiento de seguridad personal derivaba no de los logros personales, sino del hecho de que cada uno se considerase una parte integrante del «orden cultural», que presumiblemente Dios había ordenado. Las personas podían ganarse el sustento, siempre de acuerdo con la tradición, según las vicisitudes de la guerra, el hambre o las plagas. Había muy poca competitividad, así como una mínima libertad económica —o de cualquier otro tipo de libertad—. En tal entorno, con una salida tan pequeña para una mente firme e independiente, la autoestima —en la medida que existiera— no se podía manifestar a sí misma a través de una adaptación económica superior. Había ocasiones en que suponía un peligro para la vida: podía llevar a quien la poseía al potro de tortura y a morir en la hoguera. La oscura Edad Media no valoraba la autoafirmación; no entendía la individualidad; no podía concebir la responsabilidad personal; no comprendía los «derechos del hombre» o la idea moderna de libertad política; no podía imaginarse la innovación como modo de vida; ni podía entender la relación de la mente, la inteligencia y la creatividad con la supervivencia; no había lugar para la autoestima (lo que no significa que no existiera).

303

Nuestro concepto de «individuo» como unidad autónoma, determinante y con capacidad para pensar independientemente y con responsabilidad de su existencia fue resultado de varios desarrollos históricos: el Renacimiento en el siglo XV, la Reforma en el siglo XVI y el Siglo de las Luces en el XVIII —y de sus dos derivados, la Revolución Industrial y el capitalismo—. La autoestima, tal y como consideramos el concepto en la actualidad, tiene sus raíces en el culto al individualismo que emergió en el post-Renacimiento. Esto vale para todos los ideales que nosotros (y cada vez más pueblos de otros países) hemos llegado a admirar, como la libertad de poder contraer matrimonio por amor, la creencia en el derecho a perseguir la felicidad, el deseo de que el trabajo no es sólo una fuente de recursos sino también una expresión personal y la realización personal. No hace mucho tiempo, estos valores eran considerados muy «occidentales», muy «americanos», y sin embargo, ahora todo el mundo los adopta. Estos valores reflejan las necesidades humanas.

La autoestima como realidad psicológica existía en la consciencia humana mil años antes de que emergiera como una idea explícita. Ahora que ha emergido, el desafío está en entenderla.

## La necesidad de la autoestima no es «cultural»

Todo ser humano, cualquiera que sea la red de costumbres y de valores en que haya crecido, está obligado a actuar para satisfacer y cumplir las necesidades básicas. No siempre y automáticamente nos sentimos competentes para enfrentarnos a este desafío. Además todos los seres humanos necesitan una experiencia de competencia (que yo llamo eficacia personal) si han de llegar a tener un sentido fundamental de seguridad y de capacitación. Sin él no pueden responder apropiadamente. No nos sentimos automáticamente merecedores del amor, del respeto, de la felicidad. Pero todos los seres humanos necesitan una experiencia de valía (respecto a sí mismos) para poder asumir un cuidado adecuado de sí mismos, proteger sus intereses legítimos, conseguir algún disfrute de sus esfuerzos y (cuando es posible) enfrentarse a quienes quieren dañarles o explotarles. Sin ella, una vez más, no pueden actuar adecuadamente en su mejor interés. La raíz de la necesidad de autoestima es *biológica*: se refiere a la supervivencia y a seguir operando con eficacia.

Esta necesidad es inherente a la naturaleza humana; no es una invención de la cultura occidental.

## La universalidad de las cuestiones relativas a la autoestima

*Vivir conscientemente.* Para todo organismo que la posee, la consciencia es un imperativo de adaptación efectiva. La forma característicamente *humana* de la consciencia es conceptual: nuestra supervivencia, nuestro bienestar y una adaptación habilidosa dependen de nuestra capacidad de pensar, del uso adecuado de la mente. Tanto si uno está reparando una red de pescar como compilando un programa informático, rastreando a un animal o diseñando un rascacielos, negociando con el enemigo o intentando resolver una disputa con su cónyuge, en todos esos casos puede aportar a la ocasión un alto nivel de consciencia o uno más bajo. Uno puede optar por ver o no ver (o algo intermedio). Pero la realidad es la realidad y no se borra por la ceguera elegida por uno mismo. Cuando mayor sea el nivel de autoconsciencia que uno aporta a lo que está sucediendo, más efectivo y más en posición de control se siente y más éxito tienen sus esfuerzos.

---

*La raíz de la necesidad de autoestima es biológica: se refiere a la supervivencia y a seguir operando con eficacia.*

---

En cualquier contexto en que se necesite la consciencia, el actuar conscientemente beneficia a la autoestima, y el operar de forma (relativamente) inconsciente hiere la autoestima. La importancia de vivir conscientemente se basa no en la cultura sino en la realidad.

*Aceptación de sí mismo.* Cuando una persona niega y extraña su propia experiencia, cuando rechaza sus pensamientos, sentimientos o conducta como algo «que no es ella», cuando propicia la inconsciencia de su vida interior, su intención es protegerse a sí misma. Está intentando mantener su equilibrio y defender su concepción de sí misma. Su intención es servir a su «autoestima». Pero el resultado es dañar a la autoestima. La autoestima requiere la aceptación de sí mismo; no le vale el rechazo de sí mismo. Esta verdad vale al margen de la cuestión de si las creencias de una determinada cultura fomentan o no la aceptación de sí mismo. Una sociedad muy autoritaria, por ejemplo, puede fomentar el descuido e incluso el rechazo de la vida interior del individuo. Esto no significa que la aceptación de uno mismo sea meramente un sesgo cultural sin justificación alguna en la naturaleza humana. Significa que algunas culturas suscriben valores contrarios al bienestar humano. Las diferentes culturas no confieren los mismos beneficios psicológicos a sus miembros.

*Responsabilidad de uno mismo.* Nadie que no asuma la responsabilidad de sus elecciones y acciones puede sentirse capacitado, puede sentirse competente para afrontar los retos de la vida. Nadie que no asuma la responsabilidad de satisfacer lo que desea puede sentirse eficaz. La responsabilidad de uno mismo es esencial para la experiencia de fuerza interior. Cuando recurrimos a los demás para conseguir la felicidad o el cumplimiento de nuestra autoestima, abandonamos el control de nuestra vida. No existe un entorno social en el que estas observaciones puedan no tener validez.

No todas las culturas valoran por igual la responsabilidad de uno mismo. Esto no cambia el hecho de que donde vemos responsabilidad y disposición a ser responsable, vemos un sentido de uno mismo más sano y más robusto, un organismo biológicamente más adaptado.

Por lo que respecta a la labor de equipo, la actividad de grupo y similares, la persona responsable de sí misma puede funcionar de forma eficaz con las demás porque *está dispuesta a ser responsable.* Esta persona no depende ni es parasitaria de otra, ni tampoco explota a otra. La responsabilidad personal no significa que uno haga todo por sí mismo; significa que cuando uno actúa en concierto con otros, asume la responsabilidad de su participación. ¿Hace falta decir que una sociedad cuyos miembros valoran esta actitud es más fuerte y está mejor dotada para sobrevivir que una sociedad cuyos miembros no lo hacen?

*Afirmación de uno mismo.* La afirmación de uno mismo es la práctica de respetar las propias necesidades, deseos, valores y juicios, y de buscar las formas adecuadas de expresión en la realidad. No todas las culturas valoran por igual la afirmación de uno mismo. Y algunas formas de expresión de uno mismo adecuadas pueden diferir de un lugar a otro —por ejemplo, las palabras que uno utiliza, o el tono de voz en que uno habla, o los gestos que uno hace—. Pero en la medida en que una cultura suprime el impulso natural a la autoafirmación y a la expresión de uno mismo, bloquea la creatividad, ahoga la individualidad y se contrapone a las exigencias de la autoestima. La Alemania nazi y la Rusia soviética, por citar dos ejemplos de este siglo, castigaron implacablemente la autoafirmación; en estos países era un contravalor cultural. No eran sociedades en las que pudiese prosperar la vida humana. Otras culturas castigan la afirmación de uno mismo y la expresión de uno mismo de forma menos extrema y violenta (a veces de forma amable). A los niños hawaianos puede advertírseles cariñosamente de este modo: «Permanece entre las matas de hierba y no destaques».[1] Del mismo modo, la autoanulación como forma de ser básica es contraria a la autoestima y a la fuerza vital.

1. Margaret Kawena Puku'i, *'Olelo No'eau,* Honolulu, Bishop Museum Press, 1985.

*En la medida en que una cultura suprime el impulso natural a la autoafirmación y la expresión de uno mismo, bloquea la creatividad, ahoga la individualidad y se contrapone a las exigencias de la autoestima.*

La expresión de uno mismo es algo natural; la eliminación de uno mismo, no. No hay que educar a los niños en la afirmación de sí mismos; las sociedades autoritarias tienen que socializarlos en la entrega de sí mismos. El que unos niños vengan al mundo con más autoafirmación natural que otros no contradice esta observación. A falta de miedo, la afirmación de uno mismo es la condición natural del ser humano. Lo que las personas tienen que aprender es a cuidar y a respetar la autoafirmación de los demás. Esto es sin duda un imperativo de la cooperación. La cooperación no es un «terreno intermedio» entre la afirmación de uno mismo y la supresión de uno mismo, sino el ejercicio inteligente del interés personal en un contexto social algo que *sí* ha de aprenderse.

*Vivir con propósito.* La idea de vivir con propósito puede interpretarse erróneamente en el sentido de que hemos de dedicar toda nuestra vida a fines productivos. Nuestros propósitos pueden incluir muchas cosas además del trabajo productivo: crear una familia, disfrutar de una relación amorosa o de un matrimonio, tener un hobby, cincelar el propio cuerpo mediante el ejercicio o el propio espíritu mediante la meditación y el estudio. Una orientación enérgica a fines, entendida correctamente, no tiene nada de intrínsecamente «occidental». Cuando Buda se puso en camino en busca de iluminación, ¿no estaba animado por un propósito apasionado? Confío que incluso entre los polinesios hay algunos hombres y mujeres con más propósito que otros.

Al hablar de autoestima, utilizo términos como «eficacia», «competencia», «logro», «éxito». En nuestra cultura puede haber una tendencia a comprender estas ideas exclusivamente en términos materialistas; no quiero dar a entender esto. Su sentido es no sólo económico sino más bien metafísico u ontológico. Sin menospreciar el valor de los logros materiales (que son, después de todo, exigencias de la supervivencia) podemos ver que estas ideas abarcan todo el espectro de la experiencia humana, desde la mundana a la espiritual.

La cuestión es ésta: ¿servimos mejor a nuestra vida organizando nuestras energías con relación a propósitos específicos (a corto y a largo plazo), o bien viviendo en el día, reaccionando a los acontecimientos en vez de eligiendo nuestra propia dirección, desplazándonos pasivamente al capricho de los impulsos y las circunstancias? Si uno se atiene a la perspectiva aristotélica, como hago yo, de que la verdadera vida humana es aquella en la que buscamos el más pleno ejercicio de nuestras capacidades características, la respuesta es obvia. En la pasividad no se satisfacen ni nuestra razón, ni nuestra pasión ni nuestra creatividad ni nuestra imaginación. Sólo vivimos nuestra vida a medias. Esta perspectiva puede ser occidental, pero creo que puede demostrarse que es superior a la alternativa.

Si la vida y la felicidad humana son la norma, no todas las tradiciones culturales son iguales. Por ejemplo, en África hay sociedades en las que es práctica normal y aceptada mutilar a las jóvenes los genitales. Una antigua tradición de la India hizo que se quemasen vivas millones de viudas. Si no aceptamos estas prácticas, dudo que nadie pueda plantear la acusación de «imperialismo cultural».

Deseamos tener esto presente en nuestra exposición de ideas acerca de la cultura y la autoestima.

*Integridad personal.* La práctica de la integridad consiste en tener principios de conducta y ser fiel a ellos. Significa mantener la palabra, cumplir nuestros compromisos, ser fiel a nuestras promesas. Como nunca he oído que éste sea un «artificio cultural», como es apreciada en todas las sociedades que conozco —incluso en el submundo, donde impera la idea de «honor entre ladrones»—, creo que es obvio que esta virtud es más profunda que cualquier «sesgo cultural». Refleja una consciencia implícita de cada cual acerca de la vida.

La traición de nuestras convicciones hiere nuestra autoestima. Esto lo impone no la cultura sino la realidad, es decir, nuestra naturaleza.

Al comienzo de este libro subrayé que la autoestima no es ni comparativa ni competitiva. No tiene nada que ver con luchar por ser superior a los demás. Un psicólogo de Hawai me hizo la siguiente pregunta: «¿No está usted enseñando a la gente a elevarse por encima de los demás?» Yo le respondí que esta labor no tenía nada que ver con los demás, en el sentido que él pensaba: tiene que ver con nuestra relación con nosotros mismos y con la realidad. Educado en una cultura en la que lo principal no es el individuo sino el grupo, tenía dificultad en comprender esto; toda su orientación gravitaba hacia el colectivo social. «Cuando se reúnen en un montón, los cangrejos de la parte superior siempre impiden a los demás salir», insistió. «No es bueno ser demasiado grande». «En primer lugar», le dije, «no concibo la sociedad humana como un montón de cangrejos, y en segundo lugar, ¿qué sucede en su mundo a los niños de extraordinario talento o capacidad?» Dijo que, según él entendía la autoestima, sólo podía consistir en la seguridad de estar integrado en una red de relaciones. ¿Era esto diferente —le pregunté yo— de intentar basar la autoestima en ser objeto de agrado y aprobación? El respondió que yo tenía «fobia» de la dependencia.

Si tenemos una verdadera necesidad de experimentar nuestras facultades y valía, necesitamos más que la comodidad de estar integrados. Esto no quiere decir que recuse el valor de las «relaciones». Pero si una cultura pone en primer lugar las relaciones, por encima de la autonomía y la autenticidad, lleva al individuo a alienarse de sí mismo: estar «conectado» es más importante que saber quién soy y ser quien soy. La persona tribal puede querer afirmar que estar «conectado» *es* más importante, *es* el valor supremo, pero eso no autoriza a igualarlo con la autoestima. Llamemos de otro modo a ese tipo de gratificación. De lo contrario, nos veremos presos en una eterna torre de Babel.

---

*Si el estándar es la vida y la felicidad humanas, no son iguales todas las tradiciones culturales.*

---

Cuando discutía de estas cosas con una educadora hawaiana que deseaba introducir mejores principios de autoestima en el sistema escolar, dijo: «Sean cuales sean nuestras dotes o talentos, aquí muchos de nosotros tenemos un gran problema de autoestima. Nos sentimos inferiores y tememos que nunca vamos a ponernos al nivel. Nuestros hijos padecen desmoralización».

Todo esto conduce naturalmente a la cuestión siguiente: ¿qué efecto tienen las diferentes culturas, y los diferentes valores culturales, en la autoestima?

**La influencia de la cultura**

Toda sociedad contiene una red de valores, creencias y supuestos; no todos ellos se designan de forma explícita pero no obstante forman parte del entorno humano. En realidad, puede ser más difícil poner en cuestión las ideas con las que no nos identificamos abiertamente sino que mantenemos y transmitimos tácitamente, precisamente porque están absorbidas por un proceso que en lo sustancial evita la consciencia. Todos poseemos lo que puede denominarse un «inconsciente cultural», un conjunto de creencias implícitas sobre la naturaleza, la realidad, los seres humanos, las relaciones hombre-mujer, el bien y el mal, que reflejan el conocimiento, comprensión y valores de una época y lugar históricos dados. No quiero decir que no haya diferencias entre las creencias a este nivel entre las diferentes personas de una misma cultura. Tampoco quiero decir que nadie sustente conscientemente ninguna de estas creencias o que nadie las ponga en cuestión. Sólo quiero decir que al menos algunas de estas creencias tienden a residir en toda psique de una determinada sociedad, y sin llegar a ser nunca objeto de un conocimiento consciente.

No es posible que todos, ni siquiera los más independientes, sean conscientes de *todas y cada una* de las premisas o sometan a examen crítico *cada una de ellas*. Incluso los grandes innovadores, que desafían y demolen los paradigmas en un ámbito de la realidad, pueden aceptar acríticamente los supuestos implícitos vigentes en otros ámbitos. Lo que nos impresiona de una mente como la de Aristóteles, por ejemplo, es el gran número de campos a los que aplicó la fuerza extraordinaria de su intelecto original. Pero incluso Aristóteles era en muchos sentidos un hombre de su época y lugar. Ninguno de nosotros puede escapar por completo a la influencia de nuestro entorno social.

Pensemos, por ejemplo, en la imagen de la mujer que ha imperado en la historia de la humanidad.

### *Alguna versión de la mujer-como-un-ser-inferior forma parte del inconsciente cultural de todas las sociedades que conocemos.*

En casi todas las partes del mundo y prácticamente en todos los siglos pasados, se ha considerado a las mujeres, y se les ha enseñado a considerarse a sí mismas, como seres inferiores a los hombres. Alguna versión de la mujer-como-un-ser-inferior forma parte del inconsciente cultural de todas las sociedades que conocemos y también del «inconsciente cultural». El estatus de segunda clase de la mujer es un aspecto saliente de todas las ramas de fundamentalismo religioso ya sea judío, cristiano, islámico o hindú. Por ello, es más virulento en las sociedades dominadas por el fundamentalismo religioso, como la del Irán moderno.

En el cristianismo, y no sólo fundamentalista, se suponía (y aún se supone a menudo hoy) que la relación de la mujer con el hombre tenía que ser como la relación del hombre con Dios. Según esta concepción la obediencia es la virtud cardinal de la mujer (sin duda, después de la «pureza»). En una ocasión, en la terapia de una cliente, cometí el error de asociar esta idea con el «cristianismo medieval». Ella me miró asombrada y me dijo con tristeza: «¿Está usted bromeando? Se lo he oído al sacerdote el domingo pasado y a mi marido el lunes». Cuando su marido conoció nuestra conversación, insistió en que dejase la terapia. La idea de la mujer-como-ser-inferior no es una idea que apoye la autoestima de la mujer. ¿Puede alguien dudar que ha tenido un efecto trágico en la concepción de sí mismas de la mayoría de las mujeres? Incluso en muchas mujeres norteamericanas que se consideran totalmente «emancipadas», no es difícil detectar la perniciosa influencia de esta concepción.

Hay una idea paralelamente difundida sobre el valor del hombre que es perjudicial para su autoestima.

En la mayoría de las culturas se socializa a los hombres en la identificación de la valía personal con la capacidad de ganar dinero, con ser un «buen proveedor». Si, tradicionalmente, la mujer «debe» obediencia al hombre, el hombre «debe» obediencia a apoyar financieramente a la mujer (y prestarle protección física). Si una mujer pierde su empleo y no puede encontrar otro, tiene sin duda un problema económico, pero no se siente disminuida como mujer. A menudo, los hombres se sienten emasculados. En los tiempos difíciles, las mujeres no se suicidan porque no puedan encontrar trabajo; los hombres lo hacen a menudo —porque se les ha educado para identificar la autoestima con la capacidad de ganar dinero.

Hoy podría decirse que está justificado racionalmente vincular la autoestima con la capacidad de ganar dinero. ¿Acaso la autoestima no tiene que ver con ser igual ante los retos de la vida? ¿No es entonces esencial la capacidad de ganarse la vida? Sobre esto pueden decirse por lo menos dos cosas. Primero, si una persona no puede ganarse la vida por sus propias opciones y prácticas —inconsciencia, pasividad, irresponsabilidad— entonces esa incapacidad es un reflejo de la autoestima. Pero si el problema es el resultado de factores que escapan al control de la persona, como una depresión económica, entonces es erróneo hacer del problema un motivo de autoacusación. En sentido estricto, la autoestima sólo atañe a las cosas que están sujetas a nuestra elección voluntaria. En segundo lugar, véase que con frecuencia se pone énfasis no tanto en la capacidad de ganar dinero como tal sino en la de ser un *buen proveedor*. Se juzga a los hombres, y se les anima a juzgarse a sí mismos, por lo bien que pueden *cuidar financieramente de los demás*. Se socializa a los hombres para que sean «siervos» tanto como a las mujeres; lo único que son diferentes son las *formas* de servidumbre fomentada culturalmente.* Si un hombre no puede soportar económicamente a una mujer, tiende a perder su estatus a ojos de ésta y de los suyos propios. Supondría una independencia y autoestima inusuales desafiar esta actitud estimulada culturalmente y preguntar: «¿*Por qué* es ésta la medida de mi valor como hombre?»

* Para una exposición excelente de la «historia de los hombres», véase la obra de Warren Farrell, *The myth of male power*, Nueva York, Simon & Schuster, 1993.

## La mentalidad tribal

A lo largo de la historia de la humanidad, la mayoría de las sociedades y culturas han estado dominadas por la mentalidad tribal. Esto era así en las épocas primitivas, en la Edad Media y en los países socialistas del siglo XX. El Japón es un ejemplo actual de país no socialista de orientación cultural aún muy tribal, aunque actualmente puede estar en proceso de volverse menos.

La esencia de la mentalidad tribal es que convierte a la tribu como tal en el bien supremo y rebaja la importancia del individuo. Tiende a considerar a las personas unidades intercambiables y a ignorar o minimizar la significación de las diferencias entre un ser humano y otro. En su forma extrema, apenas concibe al individuo excepto en la red de relaciones tribales; el individuo por sí mismo/sí misma no es nada.

Platón, el padre del colectivismo, capta la esencia de esta concepción en las *Leyes*, cuando afirma lo siguiente: «Mi ley estará creada con una concepción general de los mejores intereses de la sociedad en general... pues con razón considero de menor importancia a la persona individual y a sus asuntos». Habla con entusiasmo del «hábito de nunca pensar en hacer un solo acto aparte de nuestros congéneres, de convertir a la vida, hasta el máximo, en un concierto consumado, en sociedad y comunidad de todos con todos». En la época antigua vemos encarnada esta concepción en la sociedad militarista de Esparta. En la época moderna sus monumentos fueron la Alemania nazi y la Unión Soviética. Entre los antiguos y los modernos pensemos en la Edad Media, en la que cada persona era definida por su lugar en la jerarquía social, al margen del cual podía decirse que carecía de identidad personal.

*La esencia de la mentalidad tribal es que convierte a la tribu como tal en el bien supremo y rebaja la importancia del individuo.*

Las sociedades tribales pueden ser totalitarias pero no tienen que serlo necesariamente. Pueden ser relativamente libres. El control del individuo puede ser más cultural que político, aunque siempre hay un factor político. Lo que quiero señalar aquí es que la premisa tribal va intrínsecamente en contra de la autoestima.

Es una premisa y orientación que descapacita al individuo como tal. Su mensaje implícito es éste: tú no cuentas. Por ti mismo, no eres nada. Sólo puedes ser algo como parte de nosotros. Así, cualquier sociedad, en

312

la medida en que está dominada por la premisa tribal, ataca inherentemente la autoestima, y no sólo eso: es profundamente contraria a ella. En una sociedad así se socializa al individuo para que se mantenga en una baja autoestima en relación al grupo. Se suprime la autoafirmación (excepto mediante vías muy ritualizadas). El orgullo tiende a considerarse un vicio. Se insta al autosacrificio.

Hace unos años, en mi obra *The psychology of romantic love*, escribí sobre la falta de importancia atribuida a los vínculos emocionales en las sociedades primitivas. El amor, como celebración de dos «yos» unidos, era una idea extremadamente incomprensible. En ese libro afirmé que el amor romántico, entendido racionalmente, exige como contexto la autoestima y que ambas ideas, el amor romántico y la autoestima, son extrañas a la orientación tribal.

Los estudios antropológicos de las tribus primitivas aún existentes nos revelan mucho sobre las formas tempranas de la mentalidad tribal y su perspectiva sobre lo que llamamos «individualidad». He aquí un ejemplo más bien divertido, ofrecido por Morton M. Hunt en su *The natural history of love*:

> En gran medida la estructura y la vida social clánicas de las sociedades más primitivas conocen la intimidad en general y una distribución amplia del afecto... la mayoría de los pueblos primitivos no perciben gran diferencia entre los individuos, y por ello no establecen las conexiones únicas al estilo occidental; diversos observadores cultos han comentado su fácil separación de los objetos de amor, y su creencia ingenua en el carácter intercambiable de los amores. El doctor Audrey Richards, un antropólogo que vivió entre los bemba del norte de Rhodesia en los años 30, contó una vez a un grupo de ellos una narración popular inglesa sobre un joven príncipe que ascendió a montañas heladas, cruzó bosques y luchó con dragones, para conseguir la mano de la doncella a la que amaba. Los bemba se quedaron perplejos, pero permanecieron en silencio. Finalmente, un anciano jefe habló, expresando las ideas de todos los presentes, en la pregunta más simple imaginable: «¿Por qué no tomó a otra muchacha?», preguntó.

El conocido estudio de Margaret Mead de los indígenas de Samoa muestra igualmente que los vínculos emocionales profundos son muy ajenos a la psicología y forma de vida de estas sociedades.[2] Si bien la promiscuidad sexual y la corta duración de las relaciones sexuales están sancionadas y se estimulan, se desaconseja activamente cualquier tendencia a establecer vínculos emocionales estrechos entre las personas. Si el amor es una expre-

2. Margaret Mead, *Coming of age in Samoa*, Nueva York, New American Library, 1949.

sión de uno mismo y una celebración personal, además de la celebración del otro, piénsese en las implicaciones de la orientación samoana para la autoestima o de su equivalente espiritual en los «clubes sexuales» de la ciudad de Nueva York.

En los usos que regulaban la actividad sexual en las culturas primitivas a menudo se constata un miedo, e incluso un antagonismo, hacia los vínculos sexuales que surgen a partir de (lo que denominamos) amor. En realidad, a la mayoría de ellos la actividad sexual suele parecerles aceptable cuando los sentimientos que la desencadenan son superficiales: «En las islas Trobriand, por ejemplo», escribe G. Rattray Taylor:

> a los adultos no les importa si los niños practican juegos sexuales e intentan realizar precozmente el acto sexual; en la adolescencia duermen juntos, siempre que no estén enamorados. Si se enamoran, el acto sexual está prohibido y el que los amantes duerman juntos es un atentado a la decencia.[3]

El amor, si surge, está regulado mucho más severamente que el sexo (por supuesto, en muchos casos no existe siquiera un término equivalente al «amor» en un sentido aproximado al nuestro). Los vínculos individuales apasionados se consideran amenazadores para los valores tribales y la autoridad tribal. Una vez más pensemos en las implicaciones de esto para la autoestima.

Volvemos a encontrar la mentalidad tribal de nuevo en la sociedad tecnológicamente adelantada del *1984* de George Orwell, donde todo el poder y autoridad de un estado totalitario está orientado a aplastar el individualismo autoafirmativo del amor romántico. El desprecio de las dictaduras del siglo XX del deseo del ciudadano de tener «una vida personal», la caracterización de este deseo como «egoísmo pequeño-burgués», es demasiado conocida como para que merezca ser documentada. Las dictaduras modernas pueden tener una comprensión mejor de la individualidad que las tribus primitivas, pero el resultado es que su hostilidad es más virulenta. Cuando asistí a la I Conferencia Internacional sobre Autoestima, celebrada en Noruega en 1990, un estudioso soviético dijo lo siguiente: «Como americano, quizá no pueda comprender en qué medida la idea de autoestima está ausente en nuestro país. No se comprende. Y si se comprendiese, sería condenada como algo políticamente subversivo».

Lo interesante del Japón moderno es que es una sociedad semilibre cuya tradición es tribal y autoritaria aun teniendo en su seno algunas fuerzas

---

3. G. Rattray Taylor, *Sex in history,* Nueva York, Harper Torchbooks, 1973.

liberales que la impulsan a un mayor liberalismo y libertad de las limitaciones de antaño. Éste es el comentario de Jonathan Rauch sobre el aspecto «antiguo» de la cultura japonesa:

Japón tiene un lado molesto: un lado tradicional, preliberal. Los equipos de baloncesto entrenan a veces a sus jugadores hasta el dolor y el agotamiento en razón de que esto les dará fuerza de espíritu. En las aulas de secundaria los alumnos malos son humillados y objeto de burlas porque se piensa que ellos tendrán su propia oportunidad de hacer lo mismo cuando sean buenos alumnos. En los omnipresentes sistemas de formación profesional el joven sufre y paga sus fallos, aprende a resistir y aceptar, para luego hacer lo mismo. La parte del culto a la prosperidad del Japón sólo es un sector de la rica y diversa geografía moral japonesa. No llevaba una semana en el Japón cuando este sector ya me había llamado la atención y seducido con su magnetismo vagamente fascista... Resulta que recientemente había estado leyendo a Platón, y cuando vi los valores japoneses tradicionales —fuerza mediante sufrimiento, fuerza mediante jerarquía, fuerza por inmersión individual en el grupo— reconocí lo que veía... Nadie habría admirado los valores japoneses tradicionales más que Platón, que habría visto en ellos la radiante Esparta de sus sueños.[4]

Hace unos años tuve un maestro japonés de aikido como cliente de psicoterapia. Se había trasladado del Japón a California a los veintidós años. Me dijo: «Japón ha cambiado, sin duda, pero el peso de la tradición es aún muy fuerte. Apenas existe la idea de autoestima, y en realidad allí hay otra cosa, no aquello sobre lo que usted escribe, no lo que yo comprendo y quiero para mí. Allí todo está vinculado a un grupo —la familia, la empresa, ya sabe, nada del individuo—. Vi que mis amigos se debatían por este problema, sin saber cómo expresarlo en palabras. Yo vine a los Estados Unidos porque me gusta un mayor individualismo. Aquí hay mucha gente loca, ya sabe, la gente está muy mezclada, pero con todo creo que aquí hay más oportunidades para desarrollar la autoestima».

Yo creo que no toda la cultura japonesa falta al apoyo a la autoestima. Esta cultura es demasiado diversa e incluye muchos valores en conflicto para poder decir eso. Los elementos citados son realmente adversos a la autoestima. La cultura japonesa tiene mucho que desalienta la autonomía, como suele suceder en las culturas tribales. Pero hay otros elementos cuyos efectos psicológicos son positivos. Tienen un alto concepto del conocimiento y la cultura. Una comprensión de la importancia de ser plenamente responsable de sus actos y compromisos. Un encantador orgullo en el trabajo bien

4. Jonathan Rauch, «A search for the soul of Japan», *Los Angeles Times Magazine*, 8 de marzo de 1992.

hecho. En las culturas con mucha diversidad, es más útil pensar en las implicaciones que tienen para la autoestima las creencias o valores específicos en vez de en el conjunto de la cultura.

Generalizando, puede decirse que las culturas tribales disuaden la individualidad y estimulan la dependencia, y en esta medida pueden considerarse enemigas de la autoestima.

## La mentalidad religiosa

En California, cuando los educadores introdujeron currículos de autoestima en las escuelas, los adversarios más enconados fueron los fundamentalistas cristianos, que denuncian estos programas como «culto al yo». Afirman que la autoestima separa a los hijos de Dios.

Recuerdo cuando, hace muchos años, una monja carmelita hablaba de su formación: «Se nos enseñaba que había que el enemigo al que había que aniquilar, la barrera entre nosotros y la divinidad, era el yo. La mirada baja para no ver demasiado. Las emociones suprimidas para no sentir demasiado. Una vida de oración y servicio para no pensar demasiado. Ante todo, obediencia, no poner nada en duda».

A lo largo de la historia, cuando la religión se ha impuesto por el Estado, se ha castigado la consciencia. Por el pecado de pensar muchos hombres y mujeres han sido torturados y ejecutados. Ésta es la razón por la que tuvo tanta significación histórica la idea americana de separación absoluta de Iglesia y Estado; impedía que cualquier grupo religioso utilizase la maquinaria del Estado para perseguir a quienes pensasen o creyesen de forma diferente.

*A lo largo de la historia, cuando la religión se ha impuesto por el Estado, se ha castigado la consciencia.*

Cuando se llega a las creencias no por un proceso racional sino por la fe y una supuesta revelación —cuando no se puede apelar a criterios de conocimiento objetivos— los creyentes suelen percibir a quienes piensan de forma diferente como una amenaza, un peligro, capaz de extender la enfermedad de la impiedad a los demás. Por ejemplo, veamos la respuesta religiosa típica del ateísmo. Si se ha llegado a la creencia en Dios mediante una experiencia personal auténtica, es de suponer que la respuesta adecuada a quienes no han tenido una ventaja similar sería la compasión. En cambio, la mayoría de las veces, la respuesta es el odio. ¿Por qué? La respuesta sólo puede ser que el creyente percibe al ateo como una amenaza. Pero si el creyente siente verdaderamente no sólo que Dios existe sino que Dios está de su lado, entonces es el ateo, no el creyente, quien debería ser objeto de amabilidad y simpatía, al no haber tenido la buena fortuna de ser alcanzado por la experiencia de la divinidad. (Al parecer, la Biblia sienta el precedente de esta falta de benevolencia; se nos dice que Jesús amenazó con el tormento eterno a quienes no creían que él era el Hijo de Dios. Y en el Corán Mahoma no es más benévolo para con los no creyentes. El apoyo religioso de la crueldad hacia los que no están de acuerdo con uno tiene una larga historia.)

Por supuesto, la cuestión es mucho más profunda que la alternativa entre teísmo y ateísmo. Durante miles de años unos hombres han matado a otros en nombre de diferentes ideas de Dios. Se libraron terribles guerras religiosas entre personas que se llamaban cristianas.

Históricamente la religión no sólo se ha opuesto a la ciencia, sino que ha condenado la mayoría de las místicas personales porque la mística pretende una experiencia directa e inmediata de Dios, no mediatizada por la autoridad religiosa. Para el religioso tradicional la mística que actúa fuera de la órbita de la Iglesia es demasiado «individualista».

Aquí me propongo no examinar la incidencia de la religión en cuanto tal sino sólo del autoritarismo religioso que se manifiesta en una cultura determinada. Si hay religiones o enseñanzas religiosas que animan al individuo a valorarse a sí mismo y que apoyan la apertura intelectual y el pensamiento, están fuera del alcance de esta exposición. Aquí me voy a centrar en los efectos sobre la autoestima de las culturas (o subculturas) en las que domina el autoritarismo religioso, en las que se ordena creer y se considera pecado el disentir. En estas situaciones está proscrito vivir conscientemente, con responsabilidad personal y autoafirmación.

Pero sería erróneo, en relación a esta cuestión, pararnos en el islam o el catolicismo romano. Lutero y Calvino no eran más amigos que el papa de la independencia de la mente.

Si, en una cultura determinada, se enseña a los niños: «Todos somos igualmente indignos a ojos de Dios»—

Si, en cualquier cultura, se enseña a los niños: «Habéis nacido en el pecado y sois pecadores por naturaleza»—

Si se da a los niños el mensaje: «No penséis, no cuestionéis, *creed*»—

Si se da a los niños un mensaje como: «¿Quién eres tú para poner tu mente por encima de la del sacerdote, el ministro, el rabino?»—

Si se dice a los niños: «Si vales algo no es por algo que puedas haber hecho o puedas hacer, sino sólo porque Dios te ama»—

Si se dice a los niños: «La sumisión a lo que no comprendas es el principio de la moralidad»—

Si se enseña a los niños: «No seais "voluntariosos", la autoafirmación es pecado de orgullo»—

Si se enseña a los niños: «No penséis nunca que sois dueños de vosotros mismos»—

Si se informa a los niños: «Cuando tu criterio y el de las autoridades religiosas entren en conflicto, debes creer a éstas»—

Si se informa a los niños: «El autosacrificio es la mayor virtud y el más noble deber»—

—entonces *piénsese cuáles serán las consecuencias probables para la práctica de vivir conscientemente o para la práctica de la autoafirmación, o cualesquiera de los demás pilares de una autoestima sana.*

En cualquier cultura, subcultura o familia en la que se valore más la creencia que el pensamiento, más la autoentrega que la autoexpresión, y la conformidad más que la integridad, es probable que los que conservan la autoestima sean sólo excepciones heroicas.

Según mi experiencia, lo que hace difícil las discusiones del impacto de las enseñanzas religiosas es el elevado grado de interpretación individual de lo que significan. Una vez me dijeron que ninguna de las doctrinas antes citadas significa en realidad lo que parece que signifique. Muchos cristianos con los que he hablado me aseguran que ellos saben personalmente lo que Jesucristo pretendió *en realidad* pero —¡ay!— otros millones de cristianos no lo saben.

Sin embargo, lo que no es discutible es que allí donde cualquier religión (cristiana o no) ha estado respaldada por el poder del Estado, se ha castigado, y en ocasiones con una extraordinaria crueldad, la consciencia, la independencia y la autoafirmación. Éste es el sencillo hecho que hay que tener presente al examinar el impacto psicológico/cultural que tiene sobre las personas la orientación religiosa autoritaria. Esto no quiere decir que todas las ideas religiosas estén necesariamente equivocadas. Pero significa que si se considera desde una perspectiva histórica una cultura tras otra, no se puede decir que la influencia de la religión en general ha sido beneficiosa para la autoestima.

El tema de la religión suele provocar intensas pasiones. Para algunos lectores, casi cualquier frase de esta sección puede ser incendiaria. Comprensiblemente, mis colegas del movimiento de la autoestima están ansiosos por persuadir a la gente de que no hay conflictos entre el programa de la autoestima y los preceptos de la religión convencional. En las discusiones con los críticos de la religión, me he preguntado a mí mismo en ocasiones lo siguiente: «Si crees que somos hijos de Dios, no es blasfemo sugerir que no nos amamos a nosotros mismos?» Pero con todo, sigue en pie la cuestión: si los fundamentalistas se han opuesto con uñas y dientes a la introducción de programas de autoestima en las escuelas porque creen que estos programas son incompatibles con la religión tradicional, ¿es posible que no estén equivocados? Ésta es la cuestión que hay que afrontar.

Si, como espero, un día se enseñarán los seis pilares a los escolares, será larga la batalla: ¿ha querido alguna vez una ortodoxia religiosa a personas comprometidas plenamente con la práctica de vivir conscientemente? Los niños y niñas (y los hombres y mujeres) de alta autoestima, ¿aceptarán alguna vez la afirmación del teólogo protestante Paul Tillich de que todos somos igualmente indignos a ojos de Dios?

## La cultura norteamericana

La cultura de los Estados Unidos de América es la que tiene mayor número de subculturas de cualquier país del mundo. Es una sociedad caracterizada por una extraordinaria diversidad de valores y creencias prácticamente en todos los ámbitos de la vida. Y con todo, si comprendemos que sólo estamos hablando de tendencias dominantes que tienen diversas fuerzas compensatorias, hay un sentido en el que podemos hablar legítimamente de «cultura norteamericana».

Lo históricamente extraordinario en la creación de los Estados Unidos de América fue el rechazo consciente de la premisa tribal. La Declaración de Independencia proclamó la doctrina revolucionaria de los derechos individuales e inalienables y afirmó que los gobiernos existen para el individuo, y no los individuos para los gobiernos. Aunque los líderes políticos han traicionado esta visión de muchas maneras y en muchas ocasiones, aún contiene la esencia de lo que significa esa abstracción, *Norteamérica*. Libertad. Individualismo. El derecho a perseguir la felicidad. Propiedad de uno mismo. El individuo como fin en sí mismo, y no como medio para los fines de otros; no como propiedad de la familia, la Iglesia, el Estado o la sociedad. Estas ideas fueron radicales en la época en que se proclamaron, y no creo que aún hayan sido plenamente comprendidas o aceptadas; al menos, no por la mayoría.

―――――

*Lo históricamente extraordinario en la creación de los Estados Unidos de América fue el rechazo consciente de la premisa tribal.*

―――――

Muchos de los padres fundadores eran deístas. Concebían a Dios como una fuerza que había creado el universo y luego se había retirado considerablemente de los asuntos humanos. Eran muy conscientes del mal resultante cuando una religión particular tomaba las riendas de la maquinaria del Estado y con ello conseguía el poder de imponer sus puntos de vista. Como hombres de la Ilustración, tendían a sospechar del clero. George Washington dijo explícitamente que los Estados Unidos no habían de identificarse como una «nación cristiana». La libertad de consciencia fue parte esencial de la tradición norteamericana desde los comienzos.

En la actualidad, como señala Harold Bloom en *The american religion*, la relación de Norteamérica con su Dios es muy personal, y no está mediatizada por grupo o autoridad alguna.[5] Es un encuentro que tiene lugar en el contexto de una extrema soledad espiritual. Esto es algo muy diferente a lo que se encuentra uno en otras partes del mundo. Refleja el individualismo nuclear de la experiencia norteamericana. Según Bloom la mayoría de los norteamericanos están convencidos de que Dios les ama de una forma muy personal. Contrasta esa perspectiva con la observación de Spinoza en su *Ética* de que quien realmente ama a Dios no debe esperar ser amado por él a cambio. Los norteamericanos tienden a considerarse el pueblo elegido.

En el núcleo de la tradición americana estaba el hecho de que este país surgió como nación fronteriza en la que no había nada y tenía que crearse todo. La autodisciplina y el trabajo duro fueron valores culturales muy apreciados. Había una vigorosa noción de comunidad y ayuda mutua, sin duda, pero no como sustitutos de la confianza en uno mismo y la responsabilidad de uno mismo. Personas independientes se ayudaban cuando podían, pero en última instancia se esperaba que cada cual arrostrase con su carga.

En la Norteamérica del siglo XIX no se educaba a la gente en la «psicología de la titulación». No se les animaba a creer que habían nacido con un derecho al trabajo, energía y recursos de los demás. Esto fue un giro cultural que tuvo lugar en el siglo XX.

Esta explicación generalizada de la cultura norteamericana tradicional deja muchas cosas fuera. Por ejemplo, no aborda la institución de la esclavitud, el trato de los norteamericanos negros como ciudadanos de segunda clase o la discriminación legal contra la mujer, que sólo en este siglo consiguió el derecho de voto. Por lo mismo podemos decir que, en la medida en que se realizó, la visión norteamericana hizo mucho por fomentar una autoestima sana. Animó a los seres humanos a creer en sí mismos y en sus posibilidades.

Al mismo tiempo, una cultura está compuesta de personas y las personas llevan inevitablemente el pasado consigo. Los norteamericanos pueden

5. Harold Bloom, *The american religion,* Nueva York, Simon & Schuster, 1992.

haber repudiado políticamente la premisa tribal, pero ellos o sus antepasados procedían de países dominados por la mentalidad tribal que a menudo siguió influyéndoles cultural y psicológicamente. En alguna ocasión pueden haber venido a estas costas huyendo del prejuicio o la persecución religiosa, pero muchos de ellos trajeron consigo la actitud mental del autoritarismo religioso. Trajeron al Nuevo Mundo la vieja manera de pensar acerca de la raza, la religión y el género. El conflicto de valores culturales, presente desde los comienzos, prosigue en la actualidad. En nuestra cultura actual chocan constantemente las fuerzas a favor de la autoestima y las contrarias a la autoestima.

El siglo XX testimonió un cambio de valores culturales en los Estados Unidos y en lo esencial este cambio no ha fomentado la autoestima, sino todo lo contrario.

Estoy pensando en las ideas que me enseñaron en la universidad, durante los años 50, cuando el agnosticismo epistemológico (por no decir el nihilismo) se unió al relativismo moral, codo con codo con el marxismo. Junto a millones de otros estudiantes, se me informó de lo siguiente:

La mente es impotente para conocer la realidad tal como es realmente; en última instancia, la mente es impotente.

Los sentidos son poco fiables y no son dignos de confianza; «todo es una ilusión».

Los principios de la lógica son «meras convenciones».

Los principios de la ética son meras «expresiones de sentimientos», sin base alguna en la razón o en la realidad.

No es posible ningún código racional de valores morales.

Como toda conducta está determinada por factores sobre los cuales no tenemos control, nadie merece crédito por logro alguno.

Como toda conducta está determinada por factores sobre los cuales no tenemos control, nadie debe ser considerado responsable de ninguna mala acción.

Cuando se cometen delitos, la culpable es la «sociedad», nunca el individuo (excepto en los delitos cometidos por los hombres de negocios, en cuyo caso lo único indicado es el castigo más severo).

Cada cual tiene un título igual para cualesquiera bienes o servicios existentes, las nociones de «ganado» y «no ganado» son reaccionarias y antisociales.

La libertades política y económica han tenido su ocasión y han fracasado, y el futuro es la propiedad y gestión estatal de la economía, que creará un paraíso en la tierra.

Pensaba en estas ideas y en los profesores que me las enseñaban en la primavera de 1992, mientras estaba sentado viendo en la televisión los disturbios en la zona centro-sur de Los Ángeles. Cuando un periodista preguntó a un asaltante: «¿No se da cuenta de que los almacenes que ha asaltado y destruido hoy no estarán aquí para usted mañana?», éste respondió: «No, nunca he pensado en eso». Bien, ¿quién le podría haber enseñado alguna vez que es importante aprender a pensar, cuando no se les enseña ni a los «niños aventajados»? Cuando vi a un grupo de hombres sacar a rastras de su camión a un hombre desvalido y golpearle casi hasta morir, oí la voz de mis profesores que decía: «Si encuentras moralmente objetable eso, sólo es tu sesgo emocional. No existe conducta correcta o incorrecta». Cuando vi a hombres y mujeres riendo frenéticamente mientras arrastraban televisores y otros enseres domésticos fuera de los almacenes saqueados, pensaba en los profesores que enseñaban que «nadie es responsable de nada de lo que hace (excepto los codiciosos capitalistas que poseen almacenes y merecen los problemas que tienen)». Pensé lo perfectamente que las ideas de mis profesores se habían traducido a la realidad cultural. Las ideas importan y tienen consecuencias.

Si la mente es impotente y el conocimiento es una superstición, ¿por qué *tiene* que valorarse como más importante un curso sobre «los grandes pensadores del mundo occidental» que un curso sobre música de rock moderna? ¿Por qué un estudiante *tiene* que hacer el esfuerzo de asistir a un curso de matemáticas cuando puede conseguir un crédito con un curso sobre tenis?

Si no hay principios objetivos de conducta, y si nadie es responsable de sus actos, ¿por qué los ejecutivos de negocios *no deben* engañar a clientes y compradores? ¿Por qué los banqueros *no deben* engañar o apropiarse indebidamente de los fondos de sus clientes? ¿Por qué nuestros líderes políticos *no deben* mentirnos, engañarnos con acuerdos secretos, ocultarnos la información que necesitamos para realizar elecciones inteligentes?

Si «merecido» y «no merecido» son ideas periclitadas y reaccionarias, *¿por qué* la gente no debe saquear lo que quiera? ¿Por qué trabajar para vivir es superior a robar?

---

*Las ideas importan y tienen consecuencias.*

---

Lo que ha surgido en esta segunda mitad de siglo es una cultura que en muchos aspectos refleja las ideas que se enseñaron durante décadas en los departamentos de filosofía de las principales universidades del país, pa-

322

saron a otros departamentos y luego al resto del mundo. Se convirtieron en el «saber recibido» de nuestros principales intelectuales. Salieron a la luz en editoriales, programas de televisión, películas y tiras cómicas. Estas ideas son irracionales, no pueden mantenerse y hay un número cada vez mayor de pensadores que se oponen a ellas. Con todo, se leen y oyen por doquier, con la excepción del elogio al marxismo; la evidencia empírica ha arrojado el socialismo a la basura de la historia. Las ideas son mortales para la civilización, mortales para nuestra cultura y mortales para la autoestima.

La cultura norteamericana es un campo de batalla entre los valores de responsabilidad personal y los valores de la intitulación.* No es éste el único conflicto cultural que podemos ver a nuestro alrededor, pero es uno de los más relevantes para nuestra autoestima. También está en la raíz de muchos de los demás.

Somos seres sociales que realizamos plenamente nuestra humanidad sólo en el contexto de la comunidad. Los valores de nuestra comunidad pueden inspirar lo mejor y lo peor que hay en nosotros. Una cultura que valora la mente, el intelecto, el conocimiento y la comprensión fomenta la autoestima; una cultura que denigra la mente socava la autoestima. Una cultura en la que se supone que los seres humanos son responsables de sus actos apoya la autoestima; una cultura en la que nadie es responsable de nada trae la desmoralización y el desprecio de uno mismo. Una cultura que valora la responsabilidad personal fomenta la autoestima; una cultura en la que se anima a las personas a considerarse víctimas fomenta la dependencia, la pasividad y la mentalidad de la intitulación. La evidencia de estas observaciones está a nuestro alrededor.

---

*La cultura norteamericana es un campo de batalla entre los valores de responsabilidad personal y los valores de la intitulación*

---

Siempre habrá hombres y mujeres independientes que luchen por su autonomía y dignidad incluso en la cultura más corrupta y corrompedora igual que hay niños que salen de una niñez aterradora con su autoestima inmaculada. Pero un mundo que valora la consciencia, la aceptación de sí mismo, la responsabilidad personal, la autoafirmación, la conducta con propósito y la integridad no predicará valores hostiles a ello ni leyes que desalienten o penalicen su ejercicio. Por ejemplo, no se enseñará a los ni-

* *Entitlement.* [T.]

ños a considerarse pecaminosos, no se recompensará más la obediencia que el cuestionamiento inteligente, no se enseñará a los estudiantes que la razón es una superstición, a las niñas que la feminidad equivale a la sumisión, no se elogiará el autosacrificio mientras se recibe con indiferencia el rendimiento productivo, los sistemas de bienestar no penalizarán la opción de trabajar y las agencias reglamentarias no considerarán criminales a los productores.

Cierta consciencia de estas realidades se refleja en el hecho de que quienes están verdaderamente interesados por los problemas de la subclase en Norteamérica están pensando cada vez más en la importancia de enseñar las habilidades cognitivas, los valores de la ética del trabajo, la responsabilidad personal, la competencia interpersonal, el orgullo de la posesión y las normas objetivas de rendimiento. La filosofía del victimismo no ha funcionado, como se evidencia en el constante empeoramiento de los problemas sociales tras varias décadas de esa concepción. No ayudamos a los pobres diciéndoles que la responsabilidad es «del mundo», que ellos son impotentes y que no hay que esperar nada de ellos.

Christopher Lasch no es un defensor del individualismo y ha sido un destacado crítico del movimiento de la autoestima, lo que hace más interesantes sus observaciones sobre esta cuestión:

> ¿Hace realmente falta señalar, a estas alturas, que las políticas públicas basadas en un modelo terapéutico del Estado han fracasado miserablemente, una y otra vez? Lejos de fomentar el respeto a uno mismo, han creado un país de personas dependientes. Han dado lugar a un culto de la víctima en el que los derechos se basan en la muestra de toda la serie de daños infligidos por una sociedad egoísta. La política de la «compasión» degrada tanto a las víctimas, reduciéndolas a objetos de pena, como a sus supuestos benefactores, que consideran más fácil apenarse de sus conciudadanos que someterlos a normas impersonales, cuyo logro les haría respetables. La compasión se ha convertido en la cara humana del desprecio.[6]

En nuestra exposición del objetivo de vivir con propósito hablé de prestar atención a los resultados. Si nuestras acciones y programas no producen los resultados pretendidos y prometidos, lo que tenemos que revisar son nuestras premisas básicas. Se ha señalado con razón que «hacer más de lo que no funciona, no funciona». Una cultura de la autoestima es una cultura de la responsabilidad, lo que significa de la responsabilidad personal. Los seres humanos no tenemos otra manera de prosperar más que vivir benévolamente unos con otros.

6. Christopher Lasch, «In defense of shame», *The New Republic,* 10 de agosto de 1992.

En el capítulo 12 («La filosofía de la autoestima»), examiné las premisas que apoyan la autoestima y que los seis pilares apoyan y estimulan. Una cultura en la que estas premisas dominen, estén entrelazadas en el tejido de la crianza infantil, la educación, el arte y la vida organizativa, será una cultura de alta autoestima. En la medida en que dominen las premisas contrarias veremos una cultura hostil a la autoestima. Esto no es una posición pragmatista: no quiero decir que tengamos que suscribir estas ideas porque apoyan la autoestima, sino que como estas ideas están en sintonía con la realidad, están en sintonía y apoyan la autoestima.

Este libro tiene un enfoque psicológico, no filosófico, y por ello he expresado estas ideas de forma muy personal, como existen las creencias en una consciencia individual. Pero si el lector piensa que las implicaciones de este libro hacen que sea una obra tanto de filosofía como de psicología no estará equivocado.

## El individuo y la sociedad

Vivimos en un mar de mensajes acerca de la naturaleza de nuestro valor y las normas por las que debemos juzgarlo. Cuanto más independientes somos, más críticamente examinamos estos mensajes. A menudo, el reto está en reconocerlos por lo que son: ideas y creencias de otras personas que pueden tener mérito o no. En otras palabras, el reto no es considerar los supuestos de nuestra cultura como algo dado, como la «realidad», sino admitir que es posible cuestionar los supuestos. Estoy seguro de que, cuando era muchacho, me benefició el que el dicho favorito de mi padre (después de la canción de Gershwin, supongo) fuese: «No tiene que ser así necesariamente».

Las culturas no estimulan el poner en cuestión sus propias premisas. Uno de los sentidos de vivir conscientemente tiene que ver con nuestra consciencia de que las creencias de los demás son sólo eso, sus creencias, y no necesariamente la verdad última. Esto no significa que el vivir conscientemente se exprese en el escepticismo. Se expresa en el pensamiento crítico.

---

*El reto no es considerar los supuestos de nuestra cultura como algo dado, como la «realidad», sino admitir que es posible cuestionar los supuestos.*

---

Hay tensiones entre el programa de una sociedad y el de cualquier individuo que pueden ser inevitables. Las sociedades se interesan principalmente por su supervivencia y perpetuación. Tienden a estimular los valores que —según ellas— sirven a este fin. Estos valores pueden no tener nada que ver con las necesidades de crecimiento o las aspiraciones personales de los individuos. Por ejemplo, una nación o tribu militarista tiende a valorar las virtudes guerreras: agresividad, indiferencia al dolor, obediencia absoluta a la autoridad, etc. Pero esto no significa que desde el punto de vista del individuo sus intereses sean servidos identificando la masculinidad o la valía con esos rasgos particulares, aun cuando se le animará o presionará para ello. Éste puede fijar un programa personal propio, que su cultura puede tildar de «egoísta», como por ejemplo la vida de un estudioso. Al vivir de acuerdo con sus propias normas, da muestras de integridad de acuerdo con sus criterios; su sociedad puede calificarle de desleal o de tener una visión «pequeña» o estrecha. O bien, una sociedad puede identificar sus intereses con una gran población en crecimiento, en cuyo caso se animará a las mujeres a creer que no hay gloria comparable a la maternidad y ningún otro estándar que la feminidad. Pero una mujer individual puede ver su vida de otro modo; sus valores pueden llevarle a una profesión que imposibilita o retrasa la maternidad, y puede tener o no la independencia para juzgar su vida según sus propias normas y comprender la maternidad de forma diferente a la de su madre, su sacerdote o sus contemporáneos (que, una vez más, pueden calificarla de «egoísta»).

La persona común tiende a juzgarse a sí misma por los valores dominantes en su medio social, transmitidos por sus familiares, sus líderes políticos o religiosos, sus maestros, los editores de los periódicos o la televisión y el arte popular como las películas. Estos valores pueden ser racionales o no y pueden responder o no a las necesidades del individuo.

A veces me preguntan si una persona no puede conseguir una verdadera autoestima conformándose y viviendo según normas culturales en las que tal vez no haya meditado nunca, y menos aún cuestionado, y que no necesariamente tienen mucho sentido. ¿No es acaso la seguridad física y mental de estar integrado en un grupo una forma de autoestima? ¿Acaso la convalidación y apoyo del grupo no dan lugar a la experiencia de verdadera valía personal? El error aquí está en identificar cualquier sensación de seguridad o comodidad con la autoestima. La conformidad no es eficacia personal; la popularidad no es respeto a uno mismo. Sean cuales sean sus gratificaciones, el sentido de pertenencia al grupo no equivale a la confianza en mi mente o en la capacidad de dominar los desafíos de la vida. El hecho de que los demás me aprecien no garantiza que yo me estime a mí mismo.

*La verdadera autoestima es cómo nos sentimos con nosotros mismos cuando no todo va bien.*

Si llevo una vida de rutina irreflexiva, sin desafíos o crisis, puedo ser capaz de sustraerme por un tiempo al hecho de que lo que tengo no es autoestima sino falsa autoestima. Cuando todo va bien, todo va bien, pero no es así como determinamos la presencia de la autoestima. La verdadera autoestima es cómo nos sentimos con nosotros mismos cuando *no* todo van bien. Esto significa cuando nos reta lo inesperado, cuando los demás discrepan de nosotros, cuando nos quedamos sin recursos, cuando el abrigo del grupo ya no puede protegernos de las tareas y riesgos de la vida, cuando hemos de pensar, elegir, decidir y actuar *y nadie nos orienta o aplaude*. En estos momentos se revelan nuestras premisas más profundas.

Una de las mayores mentiras que nos han contado nunca es que es «fácil» ser egoísta y que el autosacrificio supone fuerza espiritual. Las personas se sacrifican miles de veces cada día. Ésta es su tragedia. Respetarse a uno mismo —respetar la propia mente, criterio, valores y convicciones— es el acto último de valor. Veamos lo raro que es. Pero es lo que nos exige la autoestima.

# 18.  Conclusión: el séptimo pilar de la autoestima

En un capítulo anterior dije que la necesidad de autoestima es una llamada al héroe que llevamos dentro. Aunque el significado de esto se desarrolla a lo largo de toda la exposición, vamos a explicarlo ahora concisamente.

Significa la disposición —y la voluntad— de vivir estas seis prácticas aun cuando puede no ser fácil hacerlo. Tenemos que superar la inercia, abandonar los temores, afrontar el dolor o permanecer solos en la lealtad a nuestro criterio, incluso contra aquellos a quienes amamos.

Por muy enriquecedor que sea nuestro entorno, la racionalidad, la responsabilidad de uno mismo y la integridad nunca son automáticas; siempre representan un logro. Somos libres de pensar o dejar de pensar, libres de ampliar la consciencia o contraerla, libres de avanzar hacia la realidad o retirarnos de ella. Los seis pilares suponen una elección.

El vivir conscientemente requiere un *esfuerzo*. El generar y mantener la consciencia es un *trabajo*. Cada vez que optamos por elevar nuestro nivel de consciencia, actuamos contra la inercia. Nos enfrentamos a la entropía, a la tendencia de todo el universo a abocarse al caos. Al elegir pensar, nos esforzamos por crear una isla de orden y claridad en nosotros mismos.

El primer enemigo de la autoestima al que hemos de vencer es la *pereza* (que puede ser el nombre que damos a las fuerzas de la inercia y entropía en su manifestación psicológica). El término «pereza» no lo encontramos habitualmente en los libros de psicología. Y sin embargo, ¿desconoce alguien que en ocasiones fallamos sólo por la falta de voluntad para aplicar el esfuerzo de una respuesta adecuada? (En *The psychology of self-esteem* denominé «anti-esfuerzo» a este fenómeno.) Por supuesto, en ocasiones la pereza está motivada por la fatiga; pero no necesariamente. A veces somos sencillamente perezosos; es decir, no nos enfrentamos a la inercia, no nos decidimos a despertarnos.

El otro dragón al que quizá tenemos que vencer es el impulso a *evitar el malestar*. El vivir conscientemente quizá nos obligue a enfrentarnos a nuestros temores; puede ponernos en contacto con un dolor no resuelto. La aceptación de uno mismo puede exigirnos dar valor a pensamientos, sentimientos o acciones que alteran nuestro equilibrio; puede conmover nuestro concepto «oficial» de nosotros mismos. La responsabilidad personal nos obliga a afrontar nuestra soledad radical; nos exige olvidar las fantasías de un salvador. La autoafirmación supone el valor de arriesgarnos a ser nosotros mismos. El vivir con propósito socava nuestra tendencia a la pasividad y nos impulsa a una vida exigente y proactiva; nos obliga a ser creadores. El vivir con integridad nos exige elegir nuestros valores y convicciones; en ocasiones exige elecciones difíciles.

Si adoptamos una perspectiva amplia es fácil ver que las personas con alta autoestima son más felices que las de baja autoestima. La autoestima es el mejor predictor de la felicidad que tenemos. Pero a corto plazo la autoestima exige la disposición a soportar el malestar cuando ello es lo que exige nuestro crecimiento espiritual.

Si una de nuestras mayores prioridades es evitar el malestar, si hacemos que éste sea un valor mayor que nuestra consideración personal, en situaciones de presión abandonaremos las seis prácticas precisamente cuando más las necesitamos.

El deseo de evitar el malestar no es, en sí mismo, un vicio. Pero cuando el entregarnos a él nos incapacita para ver realidades importantes y nos aparta de acciones necesarias, conduce a la tragedia.

Ésta es la pauta básica: primero evitamos atender a lo que tenemos que atender porque no deseamos sentir dolor. Entonces nuestra evitación nos causa problemas, que no queremos afrontar porque producen dolor. Entonces la nueva evitación crea problemas adicionales que no nos molestamos en examinar y así sucesivamente. Se amontona una evitación sobre otra, un dolor extrañado sobre otro. Éste es el estado de la mayoría de los adultos.

He aquí la inversión de la pauta básica: primero decidimos que nuestra autoestima y nuestra felicidad importan más que el malestar o dolor a corto plazo. Entonces damos pequeños pasos para ser más conscientes, aceptarnos más, ser más responsables, etc. Percibimos que cuando hacemos esto nos gustamos más. Esto nos anima a perseverar e intentar ir más lejos. Nos volvemos más veraces con nosotros mismos y con los demás. Surge la autoestima. Entonces aceptamos encargos más difíciles. Nos sentimos un poco más duros, un poco más llenos de recursos. Nos resulta más fácil enfrentarnos a las emociones decepcionantes y a las situaciones amenazantes; sentimos que tenemos más dotes para hacer frente a la realidad. Nos volvemos más autoafirmativos. Nos sentimos más fuertes. Estamos construyendo el equivalente espiritual de un músculo. Nos percibimos a nosotros mismos más poderosos, vemos las dificultades con una perspectiva más realista. Nunca estamos libres del temor o el dolor, pero han disminuido de manera inconmensurable, y ya no nos intimidan. La integridad nos parece menos amenazante y más natural.

Si todo el proceso fuese tan fácil, si no tuviese ningún momento de dificultad, si nunca necesitásemos perseverancia y valor, *todo el mundo* tendría una buena autoestima. Pero una vida sin esfuerzo, lucha o sufrimiento es un sueño infantil.

Ni la lucha ni el dolor tienen un valor intrínseco. Cuando es posible evitarlos sin consecuencias dañinas, hay que evitarlos. Un buen psicoterapeuta intenta hacer el proceso de crecimiento no más difícil de lo que tiene que ser. Cuando examino mi propia trayectoria de psicoterapeuta durante las tres últimas décadas, veo que una de mis metas ha sido hacer que el autoexamen, la confrontación con uno mismo y el fomento de la autoestima sean lo menos estresantes posible. La evolución de mi enfoque y técnica ha tenido esta intención desde el principio.

Una de las maneras de conseguirlo es ayudando a la gente a ver que hacer lo necesario aunque difícil no tiene por qué ser una «gran cosa». No tenemos que ser catastrofistas en relación a nuestro miedo o malestar. Podemos aceptarlos como parte de la vida, afrontarlos y tratarlos lo mejor que sepamos y avanzar en la dirección de nuestras mejores posibilidades.

Pero siempre necesitamos voluntad. Necesitamos perseverancia. Necesitamos valor.

La energía para este compromiso sólo puede proceder del amor a nuestra vida.

Este amor es el principio de la virtud. Es el trampolín para nuestras aspiraciones más elevadas y nobles. Es la fuerza motriz que impulsa los seis pilares. Es el séptimo pilar de la autoestima.

# Apéndice A:
# Crítica de otras definiciones de autoestima

Para centrar mi definición de autoestima en un contexto, me gustaría comentar otras definiciones representativas propuestas con anterioridad. El «padre» de la psicología americana es William James y en sus *Principles of psychology,* publicado originalmente en 1890, encontramos el primer intento de definición de autoestima conocido:

A mí, que hasta el momento he apostado todo a ser psicólogo, me mortifica que otros sepan de psicología más que yo. Pero estoy contento de estar sumido en la mayor ignorancia en griego. Mi desconocimiento en esa materia no me produce, en absoluto, ninguna humillación personal. De haber tenido «pretensión» de ser lingüista, me sucedería exactamente lo contrario... Como no lo he intentado, no puede haber fracaso alguno; sin fracaso, no hay humillación. Así pues, nuestro sentimiento personal en este mundo depende enteramente de lo que nos propongamos ser y hagamos. Está determinado por la razón de nuestras realizaciones a nuestras supuestas potencialidades; una fracción de nuestras potencialidades es el denominador y el numerador de nuestro éxito: así,

$$\text{Autoestima} = \frac{\text{Éxito}}{\text{Pretensiones}}$$

Tal fracción puede aumentar tanto disminuyendo el denominador como aumentando el numerador.

Como dije en la introducción, quienquiera que hable de autoestima habla inevitablemente de sí mismo. Lo primero que James nos dice de sí mismo es que basa su autoestima en lo bien que se compara con los demás en el ámbito por él elegido. Si nadie puede equipararse a él en conocimiento, su autoestima está satisfecha; si alguien le supera, su autoestima está destrozada. Lo que dice James es que de alguna manera coloca su autoestima a merced de los demás. En su vida profesional esto le hace tener un interés encubierto en estar rodeado por gente de categoría inferior; le da

333

razón para temer el talento en vez de aceptarlo, admirarlo y sentir placer. Ésta no es una fórmula para una robusta autoestima sino una receta contra la ansiedad. Ligar nuestra autoestima a cualquier factor fuera de nuestro control volitivo, como por ejemplo las elecciones o las acciones de los demás, es estar abocado a la angustia. El que mucha gente se juzgue a sí misma precisamente de esta manera es lo que constituye su tragedia.

Si «la autoestima es igual al éxito dividido por las pretensiones», entonces, como señala James, es posible proteger igualmente bien la autoestima aumentando el éxito personal o rebajando las pretensiones personales. Esto significa que una persona que no aspire a nada, ni en su trabajo ni en su manera de ser, y lo consigue, y una persona con grandes logros y un carácter elevado, son iguales en autoestima. No creo que ésta sea una idea a la que alguien pueda haber llegado prestando atención al mundo real. Las personas con aspiraciones tan bajas que las satisfacen inadvertidamente y sin esfuerzo, no destacan por su bienestar psicológico.

Está claro que el hecho de vivir de acuerdo con nuestros estándares y valores personales (lo que James desafortunadamente denomina «pretensiones») está relacionado con nuestra autoestima. El valor de la exposición de James está en llamar la atención sobre este hecho. Pero esto no se puede entender correctamente en un vacío, como si el *contenido* de nuestras normas y valores fuera irrelevante y no importara más que la fórmula neutral que James propone. Literalmente, su fórmula es menos una definición de autoestima que una afirmación relativa a su convicción de que el nivel de autoestima está determinado, no en algunas personas desafortunadas sino en todo el mundo.

Uno de los mejores libros escritos sobre la autoestima es *The antecedents of self-esteem* de Stanley Coopersmith. Su investigación sobre la contribución de los padres sigue siendo de inestimable valor. Coopersmith escribe lo siguiente:

> Entendemos por autoestima la evaluación que la persona realiza y que habitualmente mantiene en relación a sí misma: expresa una actitud de aprobación o de desaprobación e indica hasta qué punto la persona se considera capaz, importante, con éxito y digna. Brevemente, la autoestima es un juicio *personal* de valor que se expresa en actitudes de la persona hacia sí misma.

En relación a James, esta formulación representa un gran paso adelante. Nos habla de una manera mucho más directa sobre lo que es nuestra experiencia de autoestima. Aunque hay preguntas que plantea y que se quedan sin respuesta.

¿«Capaz» de qué? Todos nosotros somos capaces en unas áreas y en otras no. ¿Capaz en relación con todo aquello que emprendamos? Entonces ¿debe la ausencia de una competencia adecuada disminuir la autoestima? No creo que Coopersmith quisiera sugerir esto, pero se sugiere esa implicación.

«Importante», ¿qué significa esto? Importante ¿de qué manera? ¿Importante a los ojos de los demás? ¿De quiénes? Importante ¿según que normas?

«Con éxito», ¿significa esto el éxito mundano? ¿Éxito económico? ¿Éxito profesional? ¿Éxito en relación a qué? Nótese que no dice que la autoestima contiene la idea de que el éxito (en principio) es *apropiado*; él dice que la autoestima contiene la idea de *percibirse a sí mismo con éxito*, lo que es totalmente diferente y enojoso en sus implicaciones.

«Digno», ¿de qué? ¿de felicidad?, ¿de dinero?, ¿de amor? ¿De todo aquello que la persona desee? Lo que creo es que Coopersmith quiere decir por «digno» más o menos lo que más arriba incluyo en mi definición, pero él no dice eso.

Otra definición es la que ofrecen Richard L. Bednar, M. Gawain Wells y Scott R. Peterson en su libro *Self-esteem: paradoxes and innovations in clinical theory and practice*:

> Dicho sea entre paréntesis, definimos la autoestima como un sentido subjetivo y permanente de la aprobación realista de uno mismo. Refleja cómo la persona se percibe y valora a sí misma en los niveles más fundamentales de la experiencia psicológica... Fundamentalmente, entonces, la autoestima es un sentido permanente y afectivo del valor personal basado en una percepción precisa de uno mismo.

«Aprobación», ¿relacionada con qué? ¿Todo lo que está relacionado con el yo desde la apariencia física a los actos, al funcionamiento intelectual? No nos lo dice. «Se percibe y valora a sí misma», ¿en relación con qué cuestiones y criterios? «Un sentido permanente y afectivo del valor personal basado», ¿qué significa esto? Por otro lado, lo que me gusta de esta formulación es la observación de que una genuina autoestima está basada en la realidad.

Una de las definiciones más ampliamente publicadas sobre la autoestima se encuentra en *Toward a state of esteem: the final report of the California task force to promote self and personal and social responsability;* en esta obra se define la autoestima como:

> Apreciar mi propia valía e importancia y tener el carácter de ser responsable de uno mismo y de actuar con responsabilidad con los demás.

En esta definición encontramos la misma ausencia de especificación que en las demás definiciones: «dignidad e importancia», *¿en relación a qué?* Hay otro problema en la definición de esta comisión: introducir en la definición lo que obviamente se considera que es una *fuente* básica de una autoestima saludable (es decir, ser responsable con uno mismo y actuar con responsabilidad con los demás). Una definición de un estado psicológico pretende decirnos lo que *es* un estado, no cómo uno llega a él. Las personas que ofrecieron esta definición, ¿querían que entendiéramos que si no actuamos con responsabilidad con los demás no poseeremos una autoestima saludable? Si es así, están probablemente en lo cierto, pero ¿forma esto parte de la definición o es una cuestión diferente? (Casi con toda seguridad, tal definición está influida por unas consideraciones «políticas» más que científicas: asegurar a la gente que los defensores de la autoestima no están fomentando un «egoísmo» mezquino, irresponsable.)

Finalmente, están aquellos que pertenecen a un movimiento de autoestima que anuncian que «la autoestima significa "yo soy capaz y digno de ser amado"».

De nuevo, nos debemos preguntar, «capaz» ¿de qué? Soy un gran esquiador, un brillante abogado y un *chef* de primera categoría. No obstante, no me siento competente para evaluar independientemente los valores morales que mi madre me enseñó. Pienso: ¿quién soy yo para saberlo? En tal caso, ¿soy «capaz»? ¿Poseo autoestima?

En relación a «digno de ser amado» sí, el sentirse digno de ser amado es una de las características de una autoestima saludable. También lo es el sentirse merecedor de la felicidad y del éxito. ¿Es sentirse digno de ser amado más importante? Evidentemente, ya que los otros dos ejemplos no se mencionan. *¿Por qué razonamiento?*

No recargaré esta crítica ofreciendo ejemplos adicionales que sólo reflejarían variaciones de las mismas dificultades.

# Apéndice B:
# Un ejercicio a base de completar frases para fomentar la autoestima

Quiero compartir con el lector un programa de treinta y una semanas, a base de completar frases, que he desarrollado específicamente para fomentar la autoestima. Algunas ideas teóricas bastante complejas están comprendidas en estos comienzos de frase y en su desarrollo, y no se apreciarán adecuadamente sin la experiencia de hacer el ejercicio.

Hemos visto ya el importante papel que tiene el trabajo de completar frases para facilitar el desarrollo personal y la compresión de uno mismo. El programa que se ofrece aquí tiene como objetivo facilitar la comprensión de los seis pilares y su aplicación a la vida cotidiana. El lector se dará cuenta de ello cuando siga el ejercicio entero. Las cuestiones suscitadas en el programa se exploran en el curso de la terapia de maneras muy diferentes y desde ángulos diferentes; los finales de los clientes sugieren invariablemente vías adicionales de atención necesaria. Lo que sigue a continuación es la versión genérica, que va evolucionando por sí misma y se revisa.

Para hacer que el programa sea completo e independiente, he tenido que reformular algunas ideas introducidas con anterioridad. Algunos comienzos de frase introducidos previamente se reúnen aquí con otros nuevos, y están organizados en una estructura con la que se intenta conducir a la persona a un despertar progresivo: aumentar la comprensión de uno mismo y reforzar su autoestima.

Es como si la mitad de esta sección hubiera estado escrita con tinta invisible y se hace visible sólo con el paso del tiempo, cuando uno trabaja con los comienzos de frase y estudia las pautas de sus propios finales. Espero que el programa se estudie teniendo en cuenta lo anterior.


## El programa

Si trabaja solo cuando completa las oraciones, puede utilizar una libreta, una máquina de escribir o un ordenador. (Una alternativa aceptable es

337

completar las frases utilizando un magnetófono, en cuyo caso usted continúa repitiendo el comienzo de frase en el magnetófono completándolo cada vez con un final de frase diferente, y después vuelve a escuchar el trabajo grabado para reflexionar sobre él.)

## PRIMERA SEMANA

Lo primero que tiene que hacer por la mañana, antes de iniciar su día de trabajo, es sentarse y escribir el siguiente comienzo de frase:

**Si hoy aporto mayor consciencia a mi vida—**

Después, tan rápido como sea posible, sin hacer ninguna pausa para reflexionar, escriba tantos finales como pueda para esa frase en dos o tres minutos (nunca menos de seis; diez son suficientes). No se preocupe si sus finales son literalmente verdaderos, o si tienen sentido o son «profundos». Escriba *cualquier cosa*, pero escriba algo.

Después continúe con el siguiente comienzo de frase:

**Si hoy soy más responsable en las elecciones y en mis actos—**

Después:

**Si hoy pongo mayor atención en mi trato con la gente—**

Después:

**Si hoy aumento mi energía un 5 %—**

Cuando haya terminado, continúe con su día de trabajo.

Haga este ejercicio cada día, de lunes a viernes durante la primera semana, siempre antes de empezar su día de trabajo.

Naturalmente habrá muchas repeticiones. Pero inevitablemente aparecerán también nuevos finales de frase. El tiempo que dedique a meditar sobre estos finales de frase «alimenta» el subconsciente creativo para generar conexiones e intuiciones e impulsar el crecimiento. Cuando intensificamos la consciencia, tendemos a evocar la necesidad de los actos que expresa nuestro estado psicológico.

Alguna vez, cada fin de semana, vuelva a leer lo que usted ha escrito durante la semana y entonces haga un mínimo de seis finales para este comienzo de frase:

**Si lo que he escrito esta semana es verdad, podría ser útil que yo—**

Esto facilita el poner en práctica los nuevos aprendizajes. Continúe esta práctica durante todo el programa los fines de semana.

Al hacer esta labor, lo ideal es vaciar su mente de cualquier expectativa relacionada con lo que sucederá o lo que se «supone» sucederá. No se imponga ninguna obligación en la situación. Haga el ejercicio, continúe con sus actividades cotidianas, dedique algo de tiempo a meditar sobre sus finales cuando pueda y simplemente observe las diferencias en su modo de sentirse o en cómo éstas le impulsan a actuar.

Recuerde: sus finales de frase deben ser a base de completar gramaticalmente frases y si su mente está absolutamente vacía, *invente* un final, pero no se permita a sí mismo pararse con la idea de que no puede hacer el ejercicio.

Una sesión normal no le debería llevar más de diez minutos. Si dura mucho más, usted está «pensando» (ensayando, calculando) demasiado. Piense *después* del ejercicio, pero no durante su realización.

Nunca haga menos de seis finales para un comienzo de frase.

### SEGUNDA SEMANA
Si aporto un 5 % más de consciencia a mis relaciones importantes—
Si aporto un 5 % más de consciencia a mis inseguridades—
Si aporto un 5 % más de consciencia a mis necesidades y deseos más profundos—
Si aporto un 5 % más de consciencia a mis emociones—

### TERCERA SEMANA
Si considero que escuchar a los demás es un acto creativo—
Si me doy cuenta de cómo reacciona la gente por mi forma de escuchar—
Si hoy aporto más consciencia a mi trato con la gente—
Si hoy me comprometo a tratar a la gente de una manera más justa y benevolente—

### CUARTA SEMANA
Si hoy aporto un nivel más alto de autoestima a mis actividades—
Si hoy aporto un nivel más alto de autoestima en mi trato con la gente—
Si hoy me acepto a mí mismo un 5 % más—
Si me acepto a mí mismo incluso cuando cometo errores—
Si me acepto a mí mismo incluso cuando me siento confundido y abrumado—

### QUINTA SEMANA
Si acepto más a mi cuerpo—
Si rechazo y reniego de mi cuerpo—
Si rechazo y reniego de mis conflictos—
Si acepto más todas las partes de mi ser—

### SEXTA SEMANA
Si hoy quisiera elevar mi autoestima, podría—
Si acepto más mis sentimientos—

Si rechazo y reniego de mis sentimientos—
Si acepto más lo que pienso—
Si rechazo y reniego de mis pensamientos—

## SÉPTIMA SEMANA
Si acepto más mis temores—
Si rechazo y reniego de mis temores—
Si aceptara más mi dolor—
Si rechazo y reniego de mi dolor—

## OCTAVA SEMANA
Si acepto más mi cólera—
Si rechazo y reniego de mi cólera—
Si acepto más mi sexualidad—
Si rechazo y reniego de mi sexualidad—

## NOVENA SEMANA
Si acepto más mi entusiasmo—
Si rechazo y reniego de mi entusiasmo—
Si acepto más mi inteligencia—
Si rechazo mi inteligencia—

## DÉCIMA SEMANA
Si acepto más mi alegría—
Si rechazo y reniego de mi alegría—
Si aporto más consciencia a todas las partes de mi ser—
Cuando aprendo a aceptar todo lo que soy—

## UNDÉCIMA SEMANA
Ser responsable de uno mismo significa para mí—
Si aporto un 5 % más de responsabilidad a mi vida y a mi bienestar—
Si evito la responsabilidad en mi vida y en mi bienestar—
Si añado un 5 % más de responsabilidad para la consecución de mis metas—
Si evito la responsabilidad en la consecución de mis metas—

## DUODÉCIMA SEMANA
Si aporto un 5 % más de responsabilidad por el éxito de mis relaciones—
Algunas veces permanezco pasivo cuando—
Algunas veces me siento incapaz cuando—
Me empiezo a dar cuenta de que—

## DECIMOTERCERA SEMANA
Si añado un 5 % más de responsabilidad a mi forma de vivir—
Si añado un 5 % más de responsabilidad en la elección de compañeros—

Si añado un 5 % más de responsabilidad en mi felicidad personal—
Si añado un 5 % más de responsabilidad en el nivel de mi autoestima—

## DECIMOCUARTA SEMANA
Autoafirmación significa para mí—
Si viviera un 5 % más positivamente—
Si hoy considero mis pensamientos y sentimientos con respeto—
Si considero mis necesidades con respeto—

## DECIMOQUINTA SEMANA
Si (cuando era joven) alguien me hubiera dicho que mis necesidades eran realmente importantes—
Si (cuando era joven) me hubieran enseñado a ser más respetuoso con mi propia vida—
Si considero mi vida sin importancia—
Si estuviera dispuesto a decir sí cuando quiero decir sí y a decir no cuando quiero decir no—
Si estuviera dispuesto a permitir que la gente oyera la música que llevo dentro—
Si expresara un 5 % más de quien soy yo—

## DECIMOSEXTA SEMANA
Vivir con propósito significa para mí—
Si aporto un 5 % más de resolución a mi vida—
Si actúo con un 5 % más de resolución en mi trabajo—
Si actúo con un 5 % más de resolución en mis relaciones—
Si actúo con un 5 % más de resolución en mi matrimonio (si es aplicable)—

## DECIMOSÉPTIMA SEMANA
Si actúo con un 5 % más de resolución con mis hijos (si es aplicable)—
Si tuviera un 5 % más de resolución con mis anhelos más profundos—
Si adquiero una mayor responsabilidad para satisfacer mis necesidades—
Si hago que mi felicidad sea un objetivo consciente—

## DECIMOCTAVA SEMANA
Integridad significa para mí—
Si considero los casos en los que encuentro que la integridad total es difícil—
Si aporto un 5 % más de integridad a mi vida—
Si aporto un 5 % más de integridad a mi trabajo—

## DECIMONOVENA SEMANA
Si aporto un 5 % más de integridad a mis relaciones—
Si mantengo la lealtad a los valores que creo correctos—
Si me niego a vivir de acuerdo con los valores que no respeto—
Si considero mi autoestima algo prioritario—

### VIGÉSIMA SEMANA

Si el niño que llevo dentro pudiera hablar, él/ella diría—
Si el adolescente que fui una vez todavía existe dentro de mí—
Si mi yo adolescente pudiera hablar, él/ella diría—
Si pensara volver atrás para ayudar a mi yo infantil—
Si pensara volver atrás para ayudar a mi yo adolescente—
Si pudiera hacer amigos con mis yos más jóvenes—


Nota: Para una exposición más detallada sobre cómo trabajar integrando sus yos más jóvenes, consulte *Cómo mejorar su autoestima*.

### VIGESIMOPRIMERA SEMANA

Si mi yo infantil se sintiera aceptado por mí—
Si mi yo adolescente sintiera que yo estoy a favor suyo—
Si mis yos más jóvenes vieran que siento compasión por sus luchas—
Si pudiera coger a mi yo infantil en mis brazos—
Si pudiera coger a mi yo adolescente en mis brazos—
Si tuviera el coraje y la compasión de abrazar y de amar a mis yos más jóvenes—

### VIGESIMOSEGUNDA SEMANA

Algunas veces mi yo infantil se siente rechazado por mí cuando yo—
Algunas veces mi yo adolescente se siente rechazado por mí cuando yo—
Una de las cosas que mi yo infantil necesita de mí y raramente obtiene es—
Una de las cosas que mi yo adolescente necesita de mí y no ha conseguido es—
Una de las maneras en que mi yo infantil se desquita conmigo por rechazarlo es—

### VIGESIMOTERCERA SEMANA

Ante la idea de dar a mi yo infantil lo que necesita de mí—
Ante la idea de dar a mi yo adolescente lo que necesita de mí yo—
Si nos enamorásemos mi yo infantil y yo—
Si nos enamorásemos mi yo adolescente y yo—

### VIGESIMOCUARTA SEMANA

Si acepto que mi yo infantil puede necesitar tiempo para aprender a confiar en mí—
Si acepto que mi yo adolescente puede necesitar tiempo para aprender a confiar en mí—
Cuando comprendo que mi yo infantil y mi yo adolescente son parte de mí—

### VIGESIMOQUINTA SEMANA

Algunas veces cuando tengo miedo yo—
Algunas veces cuando me siento herido yo—
Algunas veces cuando estoy enfadado yo—
Una manera efectiva de saber hacer frente al miedo podría ser—

Una manera efectiva de saber hacer frente a la ofensa podría ser—
Una manera efectiva de saber hacer frente a la ira podría ser—

## VIGESIMOSEXTA SEMANA
A veces, cuando me siento excitado,—
A veces, cuando me excito sexualmente,—
A veces, cuando experimento sentimientos intensos,—
Si hago amigos con mi excitación,—
Si hago amigos con mi sexualidad,—
Cuando me sienta más responsable con toda la gama de mis emociones,—

## VIGESIMOSÉPTIMA SEMANA
Si creo que voy a llegar a ser el mejor amigo de mi yo infantil—
Si creo que voy a llegar a ser el mejor amigo de mi yo adolescente—
Cuando mis yos más jóvenes lleguen a sentirse más cómodos conmigo—
Cuando cree un espacio más seguro para mi yo infantil—
Cuando cree un espacio más seguro para mi yo adolescente—

## VIGESIMOOCTAVA SEMANA
Mi madre me dio una imagen de mí mismo como—
Mi padre me dio una imagen de mí mismo como—
Mi madre habla en mi lugar cuando me digo a mí mismo—
Mi padre habla en mi lugar cuando me digo a mí mismo—

## VIGESIMONOVENA SEMANA
Si aporto un 5 % más de consciencia en mi relación con mi madre—
Si aporto un 5 % más de consciencia en mi relación con mi padre—
Si considero a mi madre y a mi padre desde una posición realista—
Si reflexiono sobre el nivel de consciencia que yo aporto en mi relación con
mi madre—
Si reflexiono sobre el nivel de consciencia que aporto en mi relación con mi
padre—

## TRIGÉSIMA SEMANA
Cuando pienso en liberarme de mi Madre, psicológicamente—
Cuando pienso en liberarme de mi Padre, psicológicamente—
Cuando pienso en pertenecer totalmente a mí mismo—
Si mi vida realmente me pertenece—
Si realmente soy capaz de sobrevivir independientemente—

## TRIGESIMOPRIMERA SEMANA
Si aporto un 5 % más de consciencia a mi vida—
Si me acepto a mí mismo un 5 % más—
Si aporto un 5 % más de responsabilidad personal a mi vida—
Si actúo con un 5 % más de reafirmación en mí mismo—

**Si vivo mi vida con un 5 % más de resolución—**
**Si aporto un 5 % más de integridad a mi vida—**
**Si respiro profundamente y me permito experimentar lo que se siente con la autoestima—**

Imaginemos que usted ha completado ahora este programa de 31 semanas una vez. Si lo ha considerado útil, hágalo otra vez. Será una nueva experiencia para usted. Algunos de mis pacientes consiguen pasar este programa tres o cuatro veces, siempre con resultados nuevos, siempre creciendo en la autoestima.

# Apéndice C
# Recomendaciones para seguir estudiando

El núcleo central de mi trabajo ha sido el estudio de la autoestima, su papel en la vida humana y, más particularmente, su impacto en el trabajo y en el amor. Si ha encontrado valiosa la obra que acaba de leer le sugiero, además, las siguientes obras para seguir leyendo.

*The psychology of self-esteem.* Éste es mi primer estudio teórico mayor y una visión general de toda el área. A diferencia de mis últimos libros, pone mayor énfasis en los fundamentos filosóficos de mi trabajo. Trata de cuestiones como: ¿cuál es el significado —y la justificación— del concepto de libre albedrío? ¿Cuál es la relación entre la razón y la emoción? ¿De qué manera la racionalidad y la integridad se relacionan con la autoestima? ¿Qué valores morales alientan la autoestima y cuáles la socavan? ¿Por qué es la autoestima la clave de la motivación?

*Breaking free.* Es un estudio de los orígenes negativos de los conceptos sobre uno mismo en la infancia, ilustrados mediante una serie de ejemplos tomados de mi práctica clínica. A través de estas historias vemos de qué manera los adultos pueden ejercer una influencia adversa en el desarrollo de la autoestima infantil. Indirectamente, por lo tanto, el libro es un manual del arte de criar a un hijo.

*The disowned self.* Este libro examina el doloroso y extendido problema de la alienación personal, en el que la persona desconecta de su mundo interno, e indica los senderos para su recuperación. Este libro ha sido especialmente útil para los hijos mayores de familias con disfunciones. Es una visión nueva de la relación entre la razón y la emoción y que estudia el tema más detenidamente que en mis trabajos anteriores, tanto en su alcance como en la profundidad. Demuestra cómo y por qué la aceptación de uno mismo es esencial para una autoestima saludable y resalta la manera de llegar a una integración armoniosa entre pensamiento y sentimiento.

*The psychology of romantic love.* En este libro estudio la naturaleza y el significado del amor romántico; las diferencias con respecto a otros tipos de amor, su desarrollo histórico y sus particulares desafíos en este mundo

345

moderno. Suscita cuestiones del tipo: ¿qué es el amor? ¿Por qué nace el amor? ¿Por qué algunas veces fructifica? ¿Por qué algunas veces muere?

*What love asks of us.* Originariamente se publicó con el nombre de *The romantic love question-and-answer book*; esta edición revisada y aumentada, escrita con mi esposa y colega, Devers Branden, trata de las preguntas que nosotros oímos con mayor frecuencia a quienes luchan contra los desafíos concretos para hacer que el amor funcione. Cubre una amplia variedad de temas, desde la importancia de la autonomía en las relaciones al arte de la comunicación efectiva; las habilidades para resolver el conflicto; cómo tratar los celos y la infidelidad; cómo enfrentarse a los desafíos particulares de los niños y de la familia política; cómo sobrevivir a la pérdida del amor.

*El respeto hacia uno mismo.* De nuevo volvemos a la naturaleza de la autoestima y a su papel en nuestra existencia; este libro es menos filosófico que *The psychology of self-esteem* y con un enfoque más desarrollado. Observa cómo emerge el yo, evoluciona y avanza progresivamente a niveles más altos de individuación. Estudia lo que pueden hacer los adultos para elevar su nivel de autoestima. Examina la psicología de la culpa. Trata de la relación existente entre la autoestima y el trabajo productivo. Defiende una moralidad del interés personal ilustrado. Desafía la noción tradicional de que el sacrificio personal es la esencia de la virtud.

*If you could hear what I cannot say.* Es un libro de ejercicios. Enseña la esencia de mi técnica de completar frases y cómo puede utilizarla una persona que trabaje sola en una exploración personal para la comprensión de uno mismo, la curación de sí mismo y el crecimiento personal.

*The art of self-discovery.* Este libro lleva más lejos el trabajo del anterior volumen sobre completar frases y sobre la exploración de uno mismo. Originariamente se publicó como *To see what I see and know what I know;* esta edición revisada y aumentada proporciona también a los asesores y psicoterapeutas instrumentos que pueden utilizar en su práctica clínica.

*Cómo mejorar su autoestima.* El propósito de este libro es proporcionar al lector estrategias específicas para elevar su autoestima. El estudio es más concreto que en mis trabajos previos, está orientado más hacia la práctica. Está dirigido igualmente a la gente que trabaje en su desarrollo personal y a los padres, a los profesores y a los psicoterapeutas, a quienes se invita a trabajar con las técnicas presentadas.

*Judgement day: my years with Ayn Rand.* Este libro biográfico expone mi desarrollo personal e intelectual, que incluye las subidas y las bajadas y también las alzas de mi autoestima, a través de la relación con tres mujeres y cuyo punto clave es mi relación con la filósofa novelista Ayn Rand (*El manantial, La rebelión de Atlas*). Describe los contextos extraordinarios en los que hallé algunas de mis ideas psicológicas más importantes, e incluye la primera vez que comprendí, a la edad de 24 años, la importancia suprema de la autoestima en el bienestar de las personas.

*El poder de la autoestima.* Un breve extracto de mis ideas centrales en esta área; este libro está pensado como una introducción básica.

En el Branden Institute for Self-Esteem en Los Ángeles ofrecemos psicoterapia y asesoramiento familiar; seguimiento continuado de grupos de autoestima; se dan conferencias, seminarios y talleres; *consulting* a direcivos; se hacen programas de autoestima/de alto rendimiento para organizaciones; y se ofrecen consultas por teléfono a clientes particulares o a colectivos.

Para información, escribir a:

The Branden Institute for Self-Esteem
P.O. Box 2609
Beverly Hills, California 90213
Teléfono: (310) 274-6361 — Fax: (310) 271-6808

---

**LOS SEIS PILARES DE LA AUTOESTIMA**

Seminario de fin de semana

Para información sobre las fechas y los lugares de los seminarios de fin de semana Los seis pilares de la autoestima, póngase en contacto con:

The Continuing Education Institute
1079 Morse Blvd.
Winter Park, Florida 32789
Teléfono: 1-800-531-2208

---

# Agradecimientos

Deseo expresar mi aprecio a mi editor, Toni Burbank, por la energía y el entusiasmo que aportó a este proyecto y por todas las sugerencias útiles.

Doy las gracias también a mi agente literario, Nat Sobel, por no haber escatimado su ayuda y dedicación.

Y, finalmente, desearía expresar mi amor y mi gratitud a mi esposa, Devers, por su entusiasmo con el libro, lo estimulante de nuestras conversaciones en torno a él y por las ideas sugerentes que a menudo me proporcionó.

# Índice analítico

352

# CÓMO LLEGAR A SER AUTORRESPONSABLE
## *Hacia una vida autónoma*
## *e independiente*
### NATHANIEL BRANDEN

En el presente libro, Nathaniel Branden demuestra, pasando de lo privado y lo personal a lo social y lo político, que sólo siendo responsable de uno mismo es posible tener verdadero poder sobre la propia vida. Únicamente la cultura de la responsabilidad personal puede sostener y conservar una sociedad civilizada. Nuestra elección fundamental —pensar o no pensar, vivir o no de una manera autorresponsable— refleja la esencia del significado del ser humano. Nuestra libertad de elección puede ser una carga, pero también es nuestro reto y nuestro único camino hacia la gloria.

Para demostrar todo esto, Branden perfila cuatro objetivos:

- Arrojar luz sobre el significado de la autorresponsabilidad como forma de vida.
- Demostrar que se trata de una fuente de alegría y de experiencia personal.
- Reafirmar la idea de que damos forma a nuestra propia identidad a través de la responsabilidad que asumimos.
- Y concluir que la independencia y el individualismo son esenciales para el bienestar de nuestra sociedad.

Tanto si nuestras metas están orientadas al desarrollo profesional como si se inclinan por las relaciones amorosas, es preciso entender cuán estrechamente vinculada está la responsabilidad con el logro del éxito y la felicidad.

Nathaniel Branden, doctor en Psicología, ejerce como psicólogo clínico en Los Ángeles. Es también autor de numerosos libros, incluyendo el clásico *Cómo mejorar su autoestima*, *El respeto hacia uno mismo*, *El poder de la autoestima* y *Los seis pilares de la autoestima*, todos ellos igualmente publicados por Paidós.

También publicado por Paidós

# LA AUTOESTIMA EN EL TRABAJO
## Nathaniel Branden

Como catalizadora de la creatividad, la confianza e incluso la felicidad, la autoestima viene desempeñando un importante papel en nuestras vidas desde que la humanidad empezó a desarrollar su capacidad para el pensamiento abstracto. Y ahora, con el advenimiento de una nueva era de la economía, su aportación resulta imprescindible también en el mundo de los negocios. En otras palabras, el mercado del mañana pertenecerá a las compañías cuyos líderes y empleados sean capaces de exhibir un nivel de autoestima más alto.

En el presente libro, el famoso psicólogo y consultor Nathaniel Branden realiza un fascinante recorrido por este nuevo fenómeno laboral. Además de explicar cómo puede influir la autoestima en el éxito de una organización, describe el modo en que los individuos desarrollan sus carreras según pautas de este tipo: del liderazgo al management, pasando por la negociación y las competencias interpersonales, prácticamente no hay ningún aspecto de la creatividad empresarial que escape a la influencia de la autoestima. Característica, en fin, que convierte a esta obra en una valiosísima guía para el desarrollo de aquellas herramientas que nos permitirán triunfar en la era de la información.

Nathaniel Branden es doctor en Psicología. También es autor de libros como *El respeto hacia uno mismo, Cómo mejorar su autoestima, Los seis pilares de la autoestima, Cómo llegar a ser autorresponsable, El poder de la autoestima* y *El arte de vivir conscientemente*, todos ellos igualmente publicados por Paidós.

Esta obra se terminó de imprimir y
encuadernar en diciembre de 2005
en los talleres de
Programas Educativos, S. A. de C. V.,
calzada Chabacano no. 65, local A,
col. Asturias, 06850, México, D. F.
(empresa certificada por el
Instituto Mexicano de Normalización y Certificación,
A. C. bajo las normas
ISO-9002: 1994/NMX-CC-004: 1995
con el no. de registro RSC-048
e ISO 14000: 1996 NMX-SSA-001:
1998 IMNC/ con el no. de
registro RSAA-003).